THE KISSING BOOTH

BETH REEKLES

Traduzione di Aurelia Di Meo

In memoria di mia nonna,
la dimostrazione che si può tenere sempre duro,
in qualsiasi circostanza.

Titolo originale: *The Kissing Booth*
Traduzione dall'inglese: Aurelia Di Meo
Realizzazione editoriale: studio pym / Milano

Published in Great Britain by Corgi Books, an imprint of Random House Children's Publishers UK,
a Penguin Random House company

Prima edizione: maggio 2018
Sesta ristampa: luglio 2019
Nuova edizione DeA Best: giugno 2020

Redazione: via Inverigo, 2 - 20151 Milano
www.deaplanetalibri.it

1

«Vuoi qualcosa da bere?» mi chiese Lee dalla cucina mentre chiudevo la porta d'ingresso.

«No, grazie» risposi. «Comincio a salire in camera tua.»

«Fai pure.»

Non mi ero mai chiesta quanto fosse grande la casa di Lee Flynn, dato che era praticamente una villa: nel seminterrato c'era una stanza dotata di tv da cinquanta pollici e impianto audio surround, per non parlare del tavolo da biliardo e della piscina riscaldata all'esterno.

Ma, anche se la consideravo la mia seconda casa, mi sentivo davvero a mio agio solo nella stanza di Lee. Entrai e vidi la luce che filtrava dalla portafinestra del balconcino. Le pareti erano tappezzate da poster di vari gruppi, in un angolo c'era la batteria, accanto a una chitarra, e il Mac faceva bella mostra di sé su un'elegante scrivania di mogano coordinata con il resto dei mobili.

Ma era pur sempre la camera di un sedicenne: il pavimento cosparso di magliette, mutande e calzini puzzolenti; di fianco al computer c'era un sandwich mangiato per metà e in fase di decomposizione; lattine vuote occupavano quasi ogni superficie.

Mi lanciai sul letto di Lee, adoravo l'elasticità del materasso.

Ci conoscevamo da quando eravamo piccoli. Le nostre madri si erano incontrate all'università e poi erano andate ad abitare a dieci minuti di distanza l'una dall'altra. Lee e io eravamo cresciuti insieme e avremmo potuto essere gemelli: sembrava assurdo, ma eravamo nati lo stesso giorno.

Il mio migliore amico: lo era sempre stato e le cose non sarebbero cambiate... anche se ogni tanto mi dava davvero sui nervi.

Arrivò pochi secondi dopo con due bottigliette di aranciata aperte, dato che sapeva che a un certo punto avrei bevuto la sua.

«Dobbiamo decidere cosa fare per la fiera» dissi.

Una smorfia comparve sul suo viso pieno di lentiggini. «Lo so» sospirò, spettinandosi i capelli scuri. «Non possiamo usare le noci di cocco? Tipo quel gioco in cui si lanciano delle palle per cercare di far cadere le noci di cocco...»

Scossi la testa, stupita. «Ci avevo pensato anch'io.»

«Ovviamente.»

Sorrisi appena. «Ma non possiamo farlo. È già stato scelto.»

«Perché dobbiamo inventarci uno stand? Non possiamo occuparci dell'organizzazione generale e lasciare agli altri i vari banchetti?»

«Ehi, sei stato tu a dire che far parte del consiglio studentesco ci avrebbe aiutato nell'ammissione al college.»

«Sì, ma tu hai accettato.»

«Perché volevo entrare nel comitato per il ballo» sottolineai. «Non avevo capito che avremmo dovuto lavorare anche alla fiera.»

«Che palle.»

«Già... E se noleggiassimo uno di quei cosi che... Dai, hai capito.» Agitai le braccia. «Uno di quei cosi con il martello.»

«Quelli per misurare la propria forza?»

«Sì, esatto.»

«No, l'ha già ordinato qualcun altro.»

«Allora non lo so. Non resta un granché... Abbiamo poche opzioni.»

Ci guardammo ed esclamammo in coro: «Te l'avevo detto che dovevamo pensarci prima».

Scoppiammo a ridere e Lee si sedette davanti al computer, girando lentamente sulla poltrona.

«Una casa degli orrori?»

Lo fissai negli occhi, serissima... o almeno ci provai: non era facile incrociare il suo sguardo mentre girava su se stesso.

«Siamo in *primavera*, Lee. Non ad Halloween.»

«E allora?»

«No, niente casa infestata.»

«Va bene» borbottò. «E quindi cosa suggerisci?»

Mi strinsi nelle spalle. La verità era che brancolavo nel buio. Che casino. Se non ci fossimo inventati qualcosa, saremmo stati cacciati dal consiglio e l'anno seguente non avremmo potuto aggiungere quell'esperienza alle domande di ammissione all'università.

«Non lo so. Non riesco a pensare con questo caldo.»

«Allora togliti la felpa e fatti venire in mente qualcosa.»

Alzai gli occhi al cielo mentre Lee cercava su Google degli spunti per la fiera primaverile. Mi sfilai la felpa e sentii il sole sulla pancia scoperta.

Cercai di abbassare le braccia per tenere l'orlo della canotta che indossavo...

«Lee» lo chiamai con voce soffocata. «Mi dai una mano?»

Lui ridacchiò e lo sentii alzarsi. In quel momento qualcuno aprì la porta della camera e per un secondo pensai che Lee mi avesse abbandonata al mio destino, ma poi udii una voce.

«Ehi, potreste almeno chiudere a chiave quando fate certe cose.»

Mi immobilizzai, con le guance in fiamme, mentre Lee mi tirava giù la canotta sulla pancia e mi toglieva la felpa dalla testa, lasciandomi i capelli elettrici.

Alzai lo sguardo e vidi suo fratello maggiore che mi sorrideva, appoggiato allo stipite.

«Ciao, Shelly» mi salutò. Sapeva benissimo che odiavo essere chiamata così.

Lee poteva, mentre con Noah la storia era diversa: lo faceva soltanto per darmi fastidio. Nessun altro osava chiamarmi in quel modo da quando, in quarta elementare, avevo urlato a Cam di non provarci mai più. Ormai tutti mi chiamavano Elle, il diminutivo di Rochelle. D'altronde nessuno lo chiamava Noah, tranne Lee e i loro genitori: usavano tutti il suo cognome, Flynn.

«Ciao, Noah» ribattei con un sorrisino dolce.

Lui strinse i denti e inarcò appena le sopracciglia scure, come sfidandomi a chiamarlo ancora in quel modo. Io mi limitai a continuare a sorridere finché quell'espressione sexy non tornò sul suo viso.

Noah era il ragazzo più figo che avesse mai messo piede sulla Terra, e non è un'esagerazione. I capelli castani gli ricadevano sugli occhi blu, era alto e con le spalle larghe. Aveva il naso un po' storto perché se l'era rotto durante una rissa e non era mai tornato come prima. Noah era stato coinvolto in diverse risse, ma non era mai stato sospeso da scuola. Anzi, se si escludeva qualche "scontro", era uno studente modello, che prendeva sempre il massimo dei voti, ed era anche la stella della squadra di football.

Intorno ai dodici anni avevo avuto una cotta per lui. Ma mi era passata abbastanza in fretta, quando mi ero resa conto che era fuori dalla mia portata e che le cose non sarebbero cambiate. E, anche se era incredibilmente sexy, con lui mi comportavo nel modo più normale possibile, perché sapevo che mi avrebbe sempre vista come la migliore amica del fratello minore.

«A quanto pare faccio questo effetto alle donne, lo so, ma potresti almeno provare a tenerti i vestiti addosso in mia presenza?»

Feci una risata sarcastica. «Ti piacerebbe, eh?»

«Che stavate combinando, comunque?»

Per un istante mi chiesi il perché di quella domanda, ma accantonai subito il pensiero.

«Cercavamo di inventarci qualcosa per quella stupida fiera» rispose Lee.

«Sembra... una rottura di scatole.»

«Ma non mi dire» dissi sbuffando. «Le idee migliori sono

già venute agli altri. Vedrai che finiremo per organizzare qualcosa tipo… tipo una piscina da cui pescare delle paperelle di gomma.»

Dal loro sguardo capii che non avrei potuto proporre qualcosa di peggiore e alzai le spalle.

«Okay… In ogni caso, Lee, mamma e papà stasera non ci sono, quindi ho organizzato una festa alle otto.»

«Fico.»

«Ah, Elle, magari non spogliarti davanti a tutti, okay?»

«Sai benissimo che ho occhi solo per Lee» replicai in tono innocente.

Noah ridacchiò e si mise a digitare sullo smartphone: probabilmente stava informando tutti della festa, come Lee. Poi uscì dalla stanza, simile a un gatto pigro, e non potei fare a meno di guardargli il sedere perfetto…

«Ehi, riesci a staccargli gli occhi di dosso per due secondi?» mi stuzzicò Lee.

Arrossii e lo spinsi. «Piantala.»

«Pensavo che la cotta ti fosse passata.»

«Infatti è così, ma questo non rende tuo fratello meno figo.»

Lee sospirò. «Sarà. A volte sei davvero volgare, sai?»

Mi sedetti al computer e lui si mise dietro di me, appoggiando il mento sulla mia testa.

Aprii la pagina di risultati successiva e la scorsi con gli occhi socchiusi. Poi qualcosa catturò la mia attenzione e mi fermai, nello stesso istante in cui Lee esclamava: «Aspetta, aspetta…»

Fissammo lo schermo per qualche secondo, poi lui si raddrizzò e io girai la sedia per guardarlo in faccia. Lo stesso sorriso illuminava i nostri volti.

«Una *kissing booth*, uno stand dei baci!» dicemmo all'unisono, raggianti.

Lee alzò un braccio per darmi il cinque e io colpii il suo palmo con il mio.

Sarebbe stato davvero fighissimo.

2

Stabilimmo che il biglietto sarebbe costato due dollari. Due dollari per un bacio. La scuola metteva a disposizione degli studenti dei banchetti da personalizzare: il nostro sarebbe stato rosa e rosso. Secondo me sarebbe stato meglio usare il nero, ma Lee mi disse in tono saccente: «Non siamo ad Halloween, Shelly».

«Va bene, allora vada per rosa e rosso.»

«Di cosa abbiamo bisogno? Festoni, carta crespa, nastri... Roba del genere, giusto?»

«Direi di sì. Pensi che potremmo fare una grossa insegna nel laboratorio di falegnameria?» Quel corso non era stata la mia prima scelta, ma potevo seguire quello o economia domestica e, dopo il disastro che avevo combinato con i cupcake in terza media, mi ero tenuta alla larga dai fornelli. Però, forse, si sarebbe rivelato utile.

«Non vedo perché no. Credo che il signor Preston non avrà nulla in contrario.»

Annuii. «Ottimo. Potremmo coinvolgere gli atleti della scuola e le cheerleader. Ci servono quattro persone, e potrebbero fare dei turni da due.»

«Buona idea. A chi chiediamo, però?»

«Be'... Samantha e Lily saranno sicuramente d'accordo» dissi riflettendo. «E possono convincere altre ragazze.»

«Perfetto. Io sento i ragazzi.»

Tirai fuori il cellulare e aprii la rubrica. Lee e io non avevamo un gruppo fisso di amici; lui era un tipo socievole e carismatico, e stavamo sempre insieme, quindi frequentavamo chiunque ci stesse simpatico e avevamo il numero di un sacco di gente. Avevamo anche degli amici più stretti, naturalmente, ed erano tutti maschi.

Parlai con Samantha, che accettò molto volentieri. Anche Lily accettò: a quanto pareva non vedeva l'ora e l'avrebbe detto a tutte le sue amiche.

«Fatto» sospirai lasciandomi cadere sul letto. Il materasso ondeggiò mentre Lee si sdraiava, e ci scambiammo un sorriso.

«La kissing booth sarà un successo.»

«Lo so. A volte non riesco a credere a quanto siamo bravi.»

«Già.»

Il mio cellulare ricevette una notifica: era un messaggio di Lily, che mi informava che anche Dana e Karen erano d'accordo. Le risposi ringraziandola rapidamente.

«Con le ragazze è tutto a posto» dissi.

«Fantastico. Dave mi ha scritto per dirmi che ai ragazzi pensa lui, quindi sono a posto anche loro.»

«Il che significa che… non dobbiamo fare nulla» esclamai allegra. «E che puoi accompagnarmi a fare shopping!»

Lee gemette. «Perché devi fare shopping? Non hai già abbastanza vestiti?»

«Sì, certo… Ma stasera c'è una festa e sono di buon umore perché abbiamo *finalmente* risolto la questione dello stand. Quindi andiamo a fare shopping, così avrò qualcosa di nuovo da mettermi.»

Gemette ancora. «Vuoi comprare un abito sexy per fare colpo su mio fratello, vero?»

«No. Voglio solo qualcosa da mettere. Se poi riesco anche a fare colpo su di lui… be', sarebbe un bonus. E anche un miracolo. Sappiamo tutti e due che non mi vede in quel modo…»

Lee sospirò. «Okay, okay, andiamo a fare shopping. Smettila di lamentarti.»

Sorrisi trionfante; ero certa di poterlo convincere. Sapeva che stavo solo fingendo di lamentarmi, ma non aveva comunque voglia di ascoltare quei discorsi. Presi la felpa e aspettai che Lee recuperasse portafoglio e sneakers, poi corsi al piano di sotto e lui si trascinò dietro di me. Salimmo sulla sua auto, una Mustang del '65 che aveva comprato per una cifra ridicola da uno sfasciacarrozze, e Lee accese il motore.

«Grazie.»

«Cosa non farei per te…» ribatté con un sorriso.

Venti minuti dopo eravamo al centro commerciale. Lee spense il motore, mentre nelle orecchie mi risuonavano ancora le note hip hop che avevamo ascoltato a tutto volume.

«La mia presenza qui ha un prezzo.»

«Ti offro una ciambella.»

Lee ci pensò per un istante. «E un milkshake.»

«Affare fatto.»

Mi cinse le spalle con un braccio e capii subito perché: mi guidò verso i ristoranti prima che potessi "distrattamente" dimenticarmi la promessa. Quando Lee ebbe placato l'appetito, mi seguì di buon grado per negozi.

Dopo qualche tentativo trovai il vestito perfetto: un abito color corallo con la gonna non troppo stretta o corta e la scollatura profonda quanto bastava a far risaltare le mie forme senza mostrare troppo. Il tessuto, morbido e liscio, si arricciava sul fianco sinistro per nascondere una lunga cerniera.

«Quindi dovremo cercare anche le scarpe?» sbuffò Lee quando gli dissi che volevo provarlo.

«No, Lee, le scarpe ce le ho» risposi alzando gli occhi al cielo.

«Sì, be', hai anche dei vestiti, ma questo non ti ha dissuaso dal venire qui» borbottò accompagnandomi verso i camerini. Non si fece problemi a entrare e a sedersi sulla panca, ma in fondo nemmeno io me ne facevo se dovevo cambiarmi di fronte a lui.

«Mi tiri su la zip?»

Sospirò in modo plateale e si tirò su a fatica. Mi guardai allo specchio lisciando il vestito.

Stava meglio sulla gruccia, pensai dubbiosa. *E lascia molto scoperte le gambe...*

Lee fischiò in segno di approvazione. «Niente male.»

«Smettila. Ti sembra troppo corto?»

Lui si strinse nelle spalle e mi diede una pacca sul sedere. «E se anche fosse?»

Lo colpii scherzosamente sulla testa, di rimando. «Sono seria, Lee. È troppo corto?»

«Mah, forse un po'... ma ti sta bene.»

«Sicuro?»

«Come potrei mentirti, Shelly?» mi chiese con aria contrita e un'espressione addolorata. Arretrò lentamente portandosi le mani al cuore.

Lo osservai allo specchio. «Devo proprio risponderti?»

«No, mi sa di no» ridacchiò lui. «Allora, lo compri?»

Annuii. «Credo di sì. È scontato al cinquanta percento.»

«Fico» esclamò, poi gemette. «Non vorrai mica spendere quel cinquanta percento in meno in scarpe, vero? Ti prego, dimmi di no. In quel caso mi devi una bibita e una pizza.»

«Ti giuro che non comprerò delle scarpe né altro, okay? Pago il vestito e torniamo a casa.» Me lo tolsi e rinfilai jeans, canotta e felpa, dato che l'aria condizionata del centro commerciale era al massimo.

«Che peccato. Avevo proprio voglia di pizza.»

Scoppiai a ridere e uscii dal camerino seguita da lui. Andai a sbattere contro qualcosa... anzi, contro qualcuno.

«Mi scusi» dissi d'istinto, prima di rendermi conto di chi si trattasse. «Oh, ciao, Jaime.»

Lei osservò sospettosa prima me e poi Lee, e un sorrisino si fece strada sul suo viso. Jaime era la ragazza più pettegola della scuola e, anche se era molto gentile, aveva la capacità di irritare il prossimo in un attimo.

«Come mai eravate lì dentro insieme? Questi sono i camerini delle donne, Lee, lo sai.»

Lui scrollò le spalle. «Elle voleva un parere.»

«Okay» disse lei. Sembrava un po' delusa, come se avesse sperato in un motivo degno di gossip. «Certo. Ah, ho saputo che stasera c'è una festa da te. Ci sarà anche tuo fratello, giusto?»

Lee sbuffò. «Già.»

Jaime sorrise radiosa. «Fantastico!»

«Stai cercando un abito anche tu?» le chiesi, giusto per non sembrare sgarbata.

«No, mi servono dei nuovi jeans, visto che il cane ha deciso di giocare con i miei anziché con la sua pallina.»

Risi. «Che cane simpatico.»

«Non dirlo a me. Stasera ti metti quello?» domandò facendo un cenno al vestito che tenevo in mano.

«Sì.»

«Non sono sicura che quel colore sia adatto a te...» commentò, ma notai che la sua guancia si era contratta e riconobbi l'espressione che conoscevo da anni: invidia. Lo presi come un buon segno.

«Mmh, forse hai ragione... Però è in sconto e non resisto davanti ai buoni affari.»

Fece una risatina di cortesia. «Sì, capisco. Be', ci vediamo più tardi, ragazzi!»

«Ciao, Jaime» salutammo in coro. Poco dopo Lee sospirò e disse sotto voce quanto la trovasse irritante.

Pagai il vestito e tornammo ai ristoranti, dove lui prese una fetta di pizza e io un milkshake prima di andarcene.

«Non rovesciarlo sulla mia adorata» mi ammonì mentre salivo in macchina.

«Figurati!» protestai, anche se un attimo dopo ci andai

vicina. Visto il suo sguardo minaccioso, non azzardai un altro sorso finché non si fu fermato a un semaforo rosso.

Lee imboccò il vialetto di casa sua e io controllai l'ora. «Sono quasi le sei… Meglio che vada a casa a prepararmi» dissi.

«A volte sei proprio una ragazza, Shelly.»

Risi. «E te ne accorgi solo adesso?»

Rise anche lui ed entrò in casa. «A dopo!» disse senza girarsi.

«Ciao!»

Quando rientrai non trovai nessuno in casa, ma la cosa non mi stupì. Quel giorno Brad, il mio fratellino, doveva partecipare a un torneo di calcio, e probabilmente una volta finito papà lo aveva portato a mangiare un hamburger.

Collegai l'iPod alle casse e lasciai che Ke$ha cantasse a tutto volume per poterla ascoltare anche sotto la doccia, con l'acqua che scorreva.

Più tardi, avvolta nell'asciugamano, osservai il vestito che avevo appena comprato e i dubbi si insinuarono nella mia mente. Ero cresciuta con Lee e senza una mamma; non ero la ragazza più femminile del mondo, ma questo non mi impediva di mettermi in tiro per occasioni del genere. Scossi la testa e mi rassicurai: l'abito era decisamente più lungo delle gonne indossate da alcune compagne di scuola, e andava più che bene.

Mi sedetti davanti allo specchio, con i trucchi di fronte a me e la piastra che si scaldava. Stesi con cura il fondotinta sulla pelle e applicai l'eyeliner per far risaltare gli occhi castani. Poi mi dedicai ai capelli finché, lucidi e profumati di shampoo al cocco, non mi ricaddero sulla schiena in perfetti boccoli neri.

Guardandomi allo specchio con il vestito e delle zeppe nere con poco tacco i dubbi tornarono ad assalirmi. Sapevo che altre ragazze avrebbero sfoggiato un make-up più pesante, abiti più corti del mio e tacchi molto più alti dei miei, eppure non ero sicura di stare bene.

Mi resi conto all'improvviso che erano le otto e tredici. Dov'erano finite le ultime due ore?

Staccai il cellulare dal caricatore e vidi un messaggio di Lee che mi chiedeva dove fossi.

Camminai lentamente fino a casa sua. Indossavo dei tacchi bassi, ma ero più a mio agio con le ballerine o le sneakers.

C'era un po' di gente in cortile e dalla porta di casa aperta uscivano i bassi che facevano tremare l'erba. Dirigendomi in cucina per prendere qualcosa da bere sorrisi e salutai gli invitati.

Aprii il frigo e non mi stupii notando che tutto il cibo era stato spostato per fare spazio agli alcolici. Lee e Noah avevano cominciato a farlo dopo che, qualche mese prima, qualcuno aveva pensato bene di appiccicare alle pareti fette di prosciutto e tacchino usando le salse.

Presi una bottiglietta di aranciata e la stappai facendo leva sul bancone della cucina: un trucchetto che mi aveva insegnato il papà di Lee.

«Ciao, Elle!»

Mi voltai e vidi un gruppetto di ragazze che mi invitava a unirmi a loro. Risposi con un sorriso e mi avvicinai.

«Ciao, ragazze.»

«Olivia mi ha detto che tu e Lee organizzerete una kissing booth per la fiera» esordì Georgia. «Che figata!»

«Grazie» dissi raggiante.

«Nessuno la propone da anni» intervenne Faith. «È un'idea fantastica!»

«Be', in effetti siamo persone fantastiche.»

Scoppiarono a ridere.

«Ci farò di sicuro un salto» disse Candice con un sorriso malizioso. «Ho sentito che dentro ci sarà Jon Fletcher.»

«E anche Dave Peterson» aggiunse Georgia.

«Jon parteciperà?» chiesi.

«Me l'ha detto Dave» ribatté Candice stringendosi nelle spalle.

Faith ridacchiò. «Lo stand è tuo, Elle, dovresti saperlo.»

Sorrisi timidamente. «Sì, be'...»

«Ehi, sai chi devi coinvolgere?» disse Olivia. «*Flynn.*»

Per un istante mi chiesi di chi cavolo stesse parlando, ma poi capii che si riferiva a Noah, ovviamente.

«Non credo che gli vada.»

«Gliel'hai proposto?»

«Non proprio...»

«Non potrebbe farlo come favore al fratello?» suggerì Georgia. «Punta sul senso di colpa, funziona sempre.»

«Ma oramai abbiamo i quattro ragazzi che ci servono e...»

«Sì, ma se ci fosse anche Flynn tutte le ragazze dello Stato verrebbero alla nostra fiera!» mi interruppe Olivia, che come le altre pensava di avere una possibilità con lui. In teoria ce l'aveva, dato che lei era a capo delle cheerleader e Flynn giocava a football, ma lui non l'aveva mai considerata un granché.

Però, nonostante non dimostrasse un grande interesse per le ragazze, aveva una fama da playboy e, cosa ancora più strana, sembrava orgoglioso di quella reputazione.

«Se riuscissi a portare Flynn alla kissing booth diventeresti una vera leggenda, sai?» aggiunse Faith.

«Sei fidanzata, Faith» le ricordò Georgia ridendo. «Non puoi baciare altri ragazzi.»

«E perché no? In fondo è per una buona causa. Di che si tratta questa volta, di salvare i delfini?»

«Credo che quella fosse la causa dell'anno scorso» replicai ridendo anch'io. «Quest'anno i ricavati andranno alle associazioni di ricerca sul cancro.»

«Anche meglio!» esclamò Faith, facendoci ridere ancora di più. «Su, chiediglielo.»

«Sì, dai» insistette Olivia.

«Provaci, Elle» supplicò Candice. «Per favore.»

«Be', io... non saprei...»

«Eccolo, sta venendo qui» disse Candice all'improvviso, interrompendomi. Mi diede una spintarella. «Almeno proponiglielo. Se dice di no... ci avrai provato.»

«Va bene» cedetti con un sospiro. Andai verso Noah, diretto al frigo per un'altra birra.

Mi salutò con un cenno del capo.

«Ti andrebbe di lavorare alla kissing booth durante la fiera di primavera? Non riusciamo a trovare un quarto ragazzo ed è per beneficenza. Lee e io avremmo davvero bisogno di un favore.»

Noah si raddrizzò e aprì la lattina. «La kissing booth, eh?»

«Già.»

«Fico.»

«Lo so. Ho idee fichissime.»

«Meglio di quella delle paperelle.»

«Divertente.»

La sua risatina e la sua espressione mi fecero battere il cuore più forte. «E vuoi che io sia uno dei ragazzi all'interno della kissing booth?»

«Te l'ho detto, è per una buona causa» tentai.

«Non credo che lo farò, Shelly.»

«Per piacere, Noah» supplicai, con uno sguardo implorante e pronunciando con convinzione il suo nome.

«Sei disposta a chiedermelo in ginocchio?»

«No, ma le altre ragazze sì» dissi scandendo le parole. «Basterebbe a convincerti?»

Ridacchiò ancora. «È proprio per questo che non voglio partecipare, mi dispiace.»

Sospirai. «Be', almeno ci ho provato.»

«Aspetta un attimo. Avete *bisogno* che lo faccia o sono loro che te l'hanno chiesto?» domandò indicando con il mento il gruppetto alle mie spalle.

«Me l'hanno chiesto loro.»

Annuì. «Mi dispiace. Non mi va di rischiare la mia reputazione. E poi pensa a quanto mi odierebbero gli altri se baciassi tutte le ragazze» disse con un sorriso.

«Stavo pensando più che altro a quanto ti odierebbero le associazioni se non aiutassi a raccogliere fondi.»

Sorrise ancora. «*Touché.*»

«Comunque...» Scossi la testa. «Lascia perdere.»

Tornai dalle cheerleader con un sorriso di scuse. «Mi spiace, ragazze. Non gli va.»

«Avresti dovuto insistere» replicò Olivia. «Guarda e impara.» Diede il suo drink a Faith e si diresse verso Noah, che si era messo a parlare con due ragazzi. Con indosso il suo ridottissimo abitino nero si appoggiò al braccio di Noah e contro di lui. A giudicare da come batteva le palpebre, sembrava che avesse qualcosa in un occhio. D'altro canto, però, forse ero troppo critica: la sua tattica stava attirando l'attenzione di altri ragazzi.

In ogni caso le disse di no e lei tornò con il broncio da noi. «Quel tizio è davvero insopportabile.»

«E così sexy…» mormorò Georgia sorseggiando il suo cocktail.

«Puoi dirlo forte» concordò Olivia ridendo.

Le cheerleader si girarono a osservarlo.

«Secondo te non è fico, Elle?»

Guardai Faith, sorpresa. «Be', sì. Certo che lo è.»

«E allora come mai non stai parlando del suo culetto perfetto?»

Le rivolsi un sorriso sarcastico. «Perché è talmente fuori dalla mia portata che non avrebbe senso provarci.»

Mi lanciò un'occhiata solidale. «Ma cosa dici? Sei bella! Ucciderei per avere dei capelli come i tuoi.»

Scossi la testa e arrossii un po'. «Ehm, grazie. Ma comunque per me ormai è soltanto il fratello maggiore di Lee.»

«Magari la situazione è diversa da come appare. Non si sa mai.»

Scoppiai a ridere. «Sì, certo. Come no.»

Faith si strinse nelle spalle e Candice le disse qualcosa, così le salutai e mi spostai in sala, dove tutti stavano ballando. Finii l'aranciata in pochi sorsi e posai la bottiglia vuota prima di unirmi agli invitati. L'atmosfera era contagiosa: anche chi non stava bevendo alcolici si stava scatenando sulla pista.

Non avevo intenzione di ubriacarmi, sapevo che mi sarei

divertita anche senza alcol. Non lo reggevo molto e, dopo due lattine di sidro, ero abbastanza brilla. Il tempo volò mentre ballavo, ridevo e chiacchieravo con gli altri.

A quanto pareva, la notizia della kissing booth si era sparsa e, quando qualcuno mi chiedeva se Flynn avrebbe partecipato, rispondevo che gliel'avrei proposto perché mi sembrava la cosa più semplice da dire.

Intorno alle undici raggiunsi nel seminterrato un gruppo di ragazzi, perlopiù all'ultimo anno, tra cui Lee, Jason e Dixon. Stavano bevendo degli shot disposti sul tavolo da biliardo.

«Posso unirmi a voi?» chiesi, entrando nella stanza con un gran sorriso stampato sulla faccia.

«Certo» disse Dixon, versandomi un bicchiere.

«Ehm, Elle... non ti sembra di aver bevuto abbastanza?» mi domandò Lee, cauto.

«Che differenza fa? Tre, due...» ribattei allegra.

Tutti bevvero gli shot d'un fiato e sbatterono i bicchieri sul tavolo. Dixon versò altra vodka. Al secondo giro persi il conto. La vodka non mi piaceva, mi dava la nausea e mi bruciava la gola, ma non me ne accorsi neppure.

Era tutto luminoso, fuori fuoco e rumoroso. Non potevo fare a meno di ridere, piegata in due.

«Elle, sei sbronzissima» rise Chris facendomi raddrizzare.

Risi ancora. «Balliamo. Voglio ballare. Qualcuno balla con me? Chris, balli con me?»

«Ma qui non c'è musica.»

«Oh, pazienza. Balliamo lo stesso.» E poi decisi di usare il tavolo da biliardo come pista da ballo. Ridacchiai sentendo le vibrazioni del basso che provenivano dal salotto.

Cominciai ad ancheggiare a ritmo con la musica, mentre i capelli seguivano i miei movimenti. Cercai di far salire anche Lee, che però si rifiutò.

«Perché no?» gli chiesi in tono lamentoso.

«Non voglio ballare. Dai, Elle, scendi da lì» disse.

Gli feci una linguaccia. Lui tentò di afferrarmi e di tirarmi giù, ma mi divincolai e continuai a ballare. Era un vero guastafeste!

«Torno subito.»

«Dove vai?» gli chiesi. Non poteva andarsene, il party non era ancora finito!

«A prendere da bere. Dixon, tu vuoi qualcosa?»

«Ho già tutto quello che mi serve, amico» rispose lui ridendo e facendomi l'occhiolino. Gli soffiai un bacio.

Nel seminterrato faceva caldissimo e mi venne il dubbio che qualcuno avesse acceso il riscaldamento. Stavo sudando, magari un tuffo in piscina mi avrebbe fatto bene...

E di colpo mi venne in mente la soluzione perfetta. «Andiamo a fare il bagno nudi!» strillai con entusiasmo. Cercai di abbassare la zip del vestito e inciampai verso il bordo del tavolo, instabile sulle zeppe.

All'improvviso i miei piedi si sollevarono da terra e il mondo si capovolse. Avevo le gambe in alto e la testa rivolta verso il basso. Mi trovai a un palmo dalla schiena di qualcuno.

«Ehi!» gridai. «Mettimi giù! Mettimi giù!»

Ma nessuno mi ascoltò e osservai i gradini che scorrevano sotto di me mentre venivo portata al piano di sopra. Cominciai a sudare freddo: non ero sulle spalle di Lee, non indossava una maglietta verde... o forse sì? Magari mi ricordavo male.

No, ero sicura di non sbagliarmi. Lee aveva una maglietta rossa. Chiunque fosse vestito di verde, comunque, era piuttosto forte, visto che per quanto mi dimenassi non mollava la presa.

Dopo un po' mi ritrovai distesa su qualcosa di soffice. Un materasso, ecco cos'era!

Mi sedetti e ripiegai le gambe sotto di me. «Noah Flynn» dissi in tono di rimprovero quando notai il suo sguardo severo. «Sei un guastafeste! Mi stavo divertendo!»

«Stavi per spogliarti» ribatté. «Stai qui tranquilla per mezz'ora.»

«No!» gridai, mettendo su il broncio. «Non rovinare tutto. Volevo fare il bagno nuda!»

Lui scosse la testa e sorrise. «È una proposta interessante, ma credo sia meglio che tu resti qui per un po', almeno fin quando non ti sarà passata la sbronza.»

Sospirai e mi lasciai cadere sui cuscini. Poi mi raddrizzai di nuovo. «Mi lasci da sola?»

«No. Non mi fido e so che cercheresti di uscire.»

«Non ti fidi di me? E perché?! Sono la migliore amica di Lee, mi conosci da sempre! Dovresti fidarti di me.»

Noah continuò a scuotere la testa mentre accostava la porta e la chiudeva a chiave.

Inarcai un sopracciglio quando tornò sui suoi passi e si sedette a cavalcioni su una sedia di fronte a me. Malgrado l'alcol che avevo in corpo, però, sapevo che qualsiasi pensiero strano sarebbe stato ridicolo.

«Non sei ubriaco?» gli chiesi.

«No.»

«Oh, come mai? Hai organizzato tu la festa, divertiti!»

«Direi che tu ti sei divertita abbastanza per entrambi.»

«Mi dispiace» ribattei con aria triste. «Non volevo rovinarti la serata.»

Noah scoppiò a ridere.

Strisciai fino al bordo del letto e lasciai cadere giù le gambe. «Noah...»

«Sì?»

«Potresti *per favore* lavorare al nostro stand?»

«No.»

«Ti prego» insistetti, rimbalzando su e giù sul materasso a molle. Wow, era una specie di tappeto elastico! Come il letto di Lee. «Ti prego, ti prego, ti prego, per favore, ti supplico!»

«No.»

«Perché no?» mi lagnai. «Sei cattivo!»

«Non voglio entrare in una kissing booth, tutto qui.»

«Ma *perché*?»

«Non mi va.»

«Ti prego. È... credo che sia per il cancro. O forse per i delfini. Che parola strana, "delfini", non credi? Delfini... del... fini...»

«Non parteciperò all'iniziativa, per nessuno né per nessuna causa.»

Mi protesi verso di lui, così vicina che i nostri nasi quasi si sfioravano. «Nemmeno per me?»

Lui fece cenno di no. E poi... «Oddio, che alito! Quanta vodka hai bevuto, Elle?»

«Non lo so. Dixon aveva la bottiglia.»

Lui sospirò. «Quei tizi... giuro che...»

«Cosa?»

«Niente.»

«Va bene, non dirmelo.» Mi raddrizzai e arretrai sul materasso. La stanza cominciò a girare, gli angoli diventarono grigi e confusi. «Forse sto per vomitare.»

Noah mi portò in bagno e mi fece chinare sulla tazza un attimo prima che rimettessi anche l'anima.

Quando ebbi finito e i conati furono passati, mi afflosciai sulle piastrelle fredde del pavimento e appoggiai la testa al bordo della vasca. Noah mi avvicinò un bicchiere di acqua fredda alle labbra e me lo fece bere.

«Mi dispiace davvero tantissimo, Noah» piagnucolai. A quel punto mi sentivo uno schifo. «Mi dispiace tanto, non volevo rovinare la tua festa.»

«Non hai rovinato la festa, Elle» mi rassicurò.

Annuii con convinzione ma smisi non appena fui assalita da un'altra ondata di nausea. «Invece sì. Mi dispiace!»

«Va tutto bene» replicò lui con una risata. «Stai tranquilla.»

Feci una smorfia e gli diedi un pugno sul petto. *Wow, che muscoli d'acciaio. Di sicuro ha anche la tartaruga. Anzi, una testuggine, conoscendolo. Ma si dice, parlando di addominali? Chissà... se si dice, lui ce l'ha di sicuro.*

Bloccando il mio insensato monologo interiore, dissi: «Non ridere di me».

Per tutta risposta lui rise più forte e mi tirò in piedi. Per poco non caddi, così mi cinse la vita con un braccio per sorreggermi. Mi riportò sul letto e mi abbandonai sulle coperte.

«Torno tra dieci minuti a...»

Mi ero già addormentata.

3

Il sole cercava di filtrare attraverso le tende, ma erano i deboli raggi del primo mattino e la luce gettò un'ombra blu scuro sulla stanza. Chiusi di nuovo gli occhi, tentando di infilare la testa sotto il cuscino morbido, e mi rannicchiai sotto il piumone pesante.

Ero in una posizione comoda ed ero al caldo. Tutto profumava di... un mix di agrumi e legno. Qualsiasi fosse la fragranza era davvero fantastica, ed ero sicura di averla già sentita addosso a qualcuno...

Scattai a sedere all'improvviso, senza fiato. La mia stanza non aveva quel profumo. E il mio letto non era così comodo. Per non parlare del fatto che alle finestre non avevo tende blu. Quindi... dove cavolo mi trovavo?

Mi guardai intorno: tutto aveva un'aria familiare, eppure non ero mai stata lì. Scalciai via le coperte e mi accorsi che indossavo una maglietta da uomo troppo grande per me, una semplice t-shirt grigia che aveva lo stesso odore del cuscino. Portavo ancora l'intimo, per fortuna: un buon segno.

Scesi dal letto con movimenti circospetti. Che diavolo era successo la sera prima? Mi sforzai di ricordare ma non ci riuscii. Mi sembrava di aver ballato sul tavolo da biliardo. Avevo bevuto davvero così tanto? Il sapore orribile che avevo in bocca si sposava alla perfezione con il mal di testa che mi faceva pulsare le tempie. Probabilmente avevo vomitato, ricordavo che qualcuno mi aveva tenuto indietro i capelli. Doveva essere stato Lee, di sicuro si era preso cura di me.

Ma la domanda restava: dov'ero?

Raggiunsi la porta in punta di piedi e mi sporsi in corridoio. Per poco non piansi per il sollievo quando capii di essere in casa di Lee e Noah. Dovevo aver dormito nella stanza di quest'ultimo, che in tutti quegli anni non avevo mai visto.

Comunque… perché ero nella sua stanza, anziché in quella di Lee o in una delle camere per gli ospiti?

Il mal di testa era feroce e, non riuscendo più a stare in piedi, tornai a letto. Guardai la sveglia: erano solo le otto e mezzo. Sperando di placare l'hangover mi rannicchiai di nuovo sotto le coperte, respirando a fondo il profumo di Noah.

Stavo per scivolare nel sonno quando la porta si aprì lentamente, facendo cigolare i cardini. Riaprii gli occhi all'istante e incrociai lo sguardo di Noah. Era sulla soglia ed era nudo, se si escludeva l'asciugamano che aveva sui fianchi. Sul petto e sugli addominali aveva ancora delle goccioline d'acqua, i capelli scuri erano umidi.

Sgranai gli occhi: una tartaruga perfetta, chi l'avrebbe mai detto... Bastava un suo sguardo per farmi battere il cuore all'impazzata, e non potei fare a meno di arrossire.

«Scusa» disse a bassa voce. «Non volevo svegliarti.»

«Non ti preoccupare» replicai, la voce un po' roca. Mi schiarii la gola, e persino quel rumore peggiorò il mal di testa. «Ero già sveglia.»

«Immagino. Come va l'hangover?»

Risposi con una smorfia e lui ridacchiò. «Malissimo. Non credevo di aver bevuto così tanto.»

«Hai bevuto un sacco di vodka, fidati di me» disse sedendosi ai piedi del letto. Il cuore mi martellò nel petto. Perché non si era messo una maglietta o dei jeans prima di parlarmi?

«In che senso, "fidati di me"? Che ne sai di quanto ho bevuto?»

«Lo so perché ti ho vista quando stavi per spogliarti sul tavolo da biliardo davanti ai ragazzi per fare il bagno nuda in piscina» disse in tono tranquillo, guardandomi di traverso con i suoi luminosi occhi blu.

Mi chiesi se riuscisse a sentire i battiti del mio cuore. Probabilmente sì, e mi augurai di non avere più le guance in fiamme. Quella sarebbe stata la ciliegina sulla torta.

Rimasi a bocca aperta quando capii che cosa aveva appena detto. «Oddio. Dimmi che non l'ho fatto.»

«Non l'hai fatto perché ti ho portata via di peso.»

Sgranai gli occhi, mortificata, e mi coprii il viso con le mani, sbirciandolo tra le dita. «Non riesco a credere di aver fatto una cosa del genere.»

«Be', ecco...»

«Grazie per avermi fermata. Oggi sarei morta di imbarazzo.»

«Ma davvero?» ribatté sarcastico, sorridendo. «Ah, per tua informazione hai anche vomitato.»

«Aspetta… di fronte a tutti?»

Questa storia non fa che peggiorare! pensai, in preda alla vergogna.

«No» rispose. Scosse la testa e qualche goccia d'acqua mi raggiunse. «Nel mio bagno. Volevo essere sicuro che non rimediassi qualche figuraccia e che non ti facessi del male.»

Gemetti, umiliata. «Scusami. Mi dispiace moltissimo, Noah, non volevo che ti perdessi la festa o cose del genere…»

Lui si strinse nelle spalle. «Non ti preoccupare, non mi importa.»

Ridacchiai. «Certo, come no. Sappiamo entrambi che prenderti cura di me non dev'essere stato il momento più divertente della serata.»

«Non è stato così terribile» replicò dopo qualche secondo, prima di sorridere di nuovo. E fu un sorriso vero, genuino, che gli fece comparire la fossetta sulla guancia sinistra e socchiudere gli occhi. Doveva essere contagioso, perché ricambiai.

«Be', grazie, Noah.» Non riuscii a non sottolineare il suo nome.

«Quando vuoi, Shelly.»

Si chinò in avanti per scompigliarmi i capelli e, quando cercai di allontanarlo, scivolai giù dal letto e lo trascinai a terra con me. Noah era piuttosto pesante; non aveva un briciolo di grasso, ma era pieno di muscoli. E mi stava schiacciando, però a colpirmi furono i suoi occhi. Lui non si mosse, si limitò a sostenere il mio sguardo.

Per evitare che diventasse una sfida a chi lo abbassava prima, ritrovai la voce e dissi in un soffio: «Noah...»

«Sì?» replicò in un sussurro.

«Mi stai schiacciando.»

Lui batté le palpebre un paio di volte, come per tornare alla realtà. «Ah, giusto. Merda, scusa.»

Si alzò, tenendo l'asciugamano fermo in vita. Non sapevo come avrei reagito, se fosse caduto.

No, Elle! Non ci pensare nemmeno! Smettila! Cancella questi pensieri! gridò una vocina dentro di me.

Mi tese una mano e mi alzai anch'io. La maglietta che indossavo mi copriva appena il sedere ed ero un po' in imbarazzo. «Quando... ehm... quando mi sono cambiata?» chiesi, tirando la t-shirt verso il basso e guardandomi intorno. Notai che il mio abito era appoggiato su una sedia.

«Ah, sono tornato per vedere come stavi, ti sei svegliata e ti sei tolta il vestito perché non volevi che si sgualcisse. Hai detto così, e allora ti ho dato una maglietta.» Si strinse nelle spalle e si grattò la nuca.

Chiusi gli occhi mentre il mio cervello cercava di assimilare le informazioni. «Quindi... mi hai vista... in mutande...» *Di' di no, ti prego, di' di no...*

Le sue labbra fremettero; stava cercando di trattenere un sorriso. «Be'...»

«Oh, mio Dio» gemetti coprendomi di nuovo il viso.

«Mi sono girato, giuro.»

Scacciai l'imbarazzo con una risata e dissi: «Non preoccuparti», ma in realtà il battito del cuore mi rimbombava nelle orecchie. Mister Playboy si era girato? Certo, come no.

«Lee sta preparando la colazione, se ti va di mangiare» mi informò d'un fiato, come se volesse cambiare discorso.

Gli rispose il mio stomaco con un brontolio, e ridemmo entrambi.

«Fantastico.»

Uscii dalla sua camera e mi chiusi la porta alle spalle. Liberai un respiro che non mi ero accorta di aver trattenuto e mi appoggiai allo stipite.

«Oh, mio Dio» ripetei in un sussurro rivolto a me stessa. Pensavo di aver superato la cotta per Noah, ma dopo quei cinque minuti – lui coperto solo da un asciugamano, io che indossavo la sua t-shirt, lui che mi cadeva addosso – il mio cuore non voleva saperne di calmarsi!

Era ridicolo: sapevo che per Noah sarei stata sempre e solo la fastidiosa migliore amica del fratello. Ero sicura che per lui non sarei mai stata nient'altro. Eppure...

Caddi a terra all'improvviso, mentre la porta dietro di me scompariva. Sdraiata sulla schiena guardai sorpresa Noah, che si era messo un paio di boxer.

Scoppiai a ridere. «Hai le mutande di Superman!»

Lui abbassò lo sguardo come se cercasse una conferma, e vidi le sue guance tingersi di rosa.

Ho fatto arrossire Noah Flynn! fu l'unico pensiero che riuscii a formulare.

Lui sorrise come se non gli importasse, poi mi fece l'occhiolino e disse: «So che li trovi irresistibili, Shelly».

È così evidente?

«Ah, sì, certo» sbuffai. «Come no.»

Mi rialzai e tirai ancora verso il basso l'orlo della maglietta.

Continuai a sorridere all'idea di averlo fatto arrossire e mi diressi in cucina.

«Rochelle, Rochelle, Rochelle» sospirò Lee quando crollai su uno degli sgabelli intorno al bancone. «Cosa devo fare con te, mia amica incline allo spogliarello e ai bagni in piscina senza vestiti?»

«Potresti prepararmi la colazione» replicai speranzosa.

Lui rise, si girò di nuovo verso i fornelli e mise altro bacon in padella. «Cosa non farei per te...»

4

Passai quasi tutta la giornata a giocare a *Mario Kart* con Lee.

«Mi stupisce che Noah si sia preso cura di me» gli confessai.

Lui scoppiò a ridere. «E non sei l'unica. Mi sarei stupito anch'io, se l'avessi visto. Ma sono stato distratto...»

«Sì, mi hai detto di Veronica. Hai baciato qualcun'altra o solo lei? Stai attento, o diventerai come tuo fratello.»

Sbuffò. «Ha parlato la spogliarellista. Certo che siamo una bella coppia.»

«Ero fuori di me.»

«Un po' anch'io.»

«Noah no, invece.»

«Secondo me lo era. Ti ha accudito, e di solito non è così... gentile.»

Risi anch'io. «Per usare un eufemismo.»

«Già. Oppure magari anche lui ha una cotta per te.»

Lo squadrai. «Non essere ridicolo. E poi, come sai benissimo, ho superato quella cotta diversi anni fa.»

Arricciò il naso. «Certo che è comunque strano...»

«Lasciamo perdere.» Gli diedi una spintarella, facendo uscire di strada il suo go-kart e facendo volare Yoshi sopra la cascata, mentre passavo in vantaggio con Luigi.

Tornai a casa verso le cinque per finire dei compiti. Mi ero fatta accompagnare da Lee in macchina perché mi aveva prestato dei jeans e non volevo farmi vedere conciata così in pubblico. Corsi alla porta, accompagnata dalle risate del mio migliore amico.

«Ehi!»

«Che c'è?» gridai voltandomi.

Mi lanciò il vestito, che afferrai un istante prima che toccasse terra. «Ci vediamo domattina!»

«Ciao, Lee!»

Chiusi la porta e sentii: «Rochelle, sei tu?»

«Sì. Ciao, papà!»

«Vieni un attimo in cucina.»

Sospirai, chiedendomi se mi aspettasse una lavata di capo. Avevo paura che mio padre fosse arrabbiato con me.

Stava lavorando al computer al tavolo della cucina e udii Brad che giocava alla Wii in salotto.

«Ciao» ripetei cominciando a preparare il caffè.

«Ne prendo una tazza anch'io, visto che lo stai facendo» ribatté.

«Okay.»

«La festa è andata bene?»

Annuii. «Sì, è stata molto divertente.»

«Non hai bevuto troppo o fatto qualcosa di stupido, vero?» Mi guardò serio da sopra la montatura degli occhiali: si riferiva ai ragazzi, anche se non capivo il perché. Il fatto che non avessi mai avuto un fidanzato e che non avessi mai baciato nessuno non era esattamente un segreto di Stato.

«Io... ehm... non ho fatto niente di *troppo* stupido... Ho solo bevuto un po'.»

Mio padre sospirò, si tolse gli occhiali e si grattò una guancia. «Rochelle... sai come la penso sugli alcolici, ne abbiamo parlato.»

«Non ci sono stati problemi, davvero. Lee e Noah si sono presi cura di me.»

«Noah?» Persino mio padre era così sconvolto dall'informazione da dimenticare per un attimo la mia sbronza.

«Già. È sembrato strano anche a me.»

«Mmh... In ogni caso, non cambiare discorso, signorina. Sai come la penso sul bere.»

«Lo so, mi dispiace.»

«La prossima volta che accadrà finirai in punizione per un mese, capito? E non credere di potermelo tenere nascosto.»

«Messaggio ricevuto, forte e chiaro.»

Non sembrava convinto al cento percento, ma lasciò perdere. In fondo non mi ubriacavo tutte le sere, succedeva solo in occasioni particolari.

«Allora, tu e Lee avete avuto un'idea per lo stand? La fiera si terrà tra due settimane.»

«Sì. Allestiremo una kissing booth.»

«Che scelta... insolita» rise papà. «Siete sicuri di avere il permesso?»

Mi strinsi nelle spalle e versai due tazze di caffè. «Non vedo perché no.»

«Be', è sempre meglio che cercare di colpire delle noci di cocco. Ah, senti, ho bisogno che domani tu stia con Brad, okay? Lavorerò fino a tardi.»

«Sì, certo.» Aggiunsi un sacco di latte al mio caffè e lo finii in pochi sorsi. «Vado a fare una doccia e poi i compiti.»

«Va bene. Si cena alle sette, c'è l'arrosto.»

«Ottimo.»

Odiavo i lunedì, erano tremendi. I lunedì mattina non avevano nessuna nota positiva. Puntavo sempre la sveglia venti minuti prima del dovuto per trascinarmi fuori dal letto in tempo.

Quando riuscii ad alzarmi presi i pantaloni neri dall'armadio. La mia scuola era stata fondata agli inizi del Novecento o giù di lì, e per qualche stupido motivo aveva mantenuto la tradizione dell'uniforme. Non era la divisa più brutta del mondo, ma avrei comunque preferito non doverla indossare.

E, come se i lunedì mattina non fossero già abbastanza tragici in generale, quello in particolare stava per peggiorare ancora di più.

Straaap!

Rimasi immobile, con una gamba sola infilata nei pantaloni. Me li sfilai in fretta e verificai il danno. La settimana precedente avevo notato nella cucitura della coscia sinistra un buchino minuscolo, che adesso si era allargato a dismisura.

«Oh, merda» borbottai lanciando i pantaloni a terra. Non ero molto brava con ago e filo, e di sicuro papà non avrebbe potuto aiutarmi. Dovevo ordinarne online un paio nuovo, che secondo i miei calcoli sarebbe arrivato giovedì. Fino ad allora, però, avrei dovuto mettere la vecchia gonna.

Odiavo la gonna dell'uniforme scolastica. Tanto per cominciare era plissettata, e poi era fatta di tartan a righe blu e nere. E bisognava indossare anche i calzettoni. I collant e le gambe nude erano proibite… il regolamento prevedeva calzettoni al ginocchio, che ad alcune ragazze stavano bene. L'anno prima avevo ceduto e avevo provato a usarli per un po', ma poi avevo deciso di lasciar perdere. In quel momento, però, non avevo scelta. E, cosa ancora peggiore, ormai la gonna era diventata troppo corta.

Sospirai. Dovevo accontentarmi. Frugai in un cassetto finché trovai i calzettoni acquistati l'anno precedente. Prima di scendere per colazione, mi osservai allo specchio con una smorfia.

Brad per poco non si strozzò con i cereali quando entrai in cucina. Rise così tanto che sparse Cheerios dappertutto. «Come cacchio ti sei vestita?»

«Brad, attento a come parli» lo riprese mio padre, prima di voltarsi e osservarmi. «Elle, non trovi che sia un abbigliamento un po'… fuori luogo per la scuola?»

Sbuffai. «Mi si sono strappati i pantaloni.»

«Com'è successo?»

«Ho dimenticato di cucire un buchino e… non lo so, si sono strappati e basta.»

Mio padre sospirò. «Dovrai ordinarne un altro paio. Non ho tempo di andare al centro commerciale per comprartene di nuovi.»

«Sì, lo so.»

Stavo finendo di mangiare i cereali quando sentii Lee che

suonava il clacson impaziente. Posai la ciotola nel lavandino e salutai, poi corsi alla macchina e montai prima che qualcuno mi vedesse con quella gonna addosso.

«Hai messo la gonna» commentò Lee.

«Ma davvero? Che intuito!» borbottai. «Andiamo.»

«Come mai sei così di cattivo umore?»

«Mi si sono strappati i pantaloni.»

«Pensavo che li avessi ricuciti.»

«Mi sono dimenticata.»

«Stai bene, Shelly, non ti preoccupare. Anzi, dovresti mettere la gonna più spesso.»

Rispose al mio pugno sulla spalla con un sorrisetto e accese la radio. In pochi minuti raggiungemmo la scuola. Mi dissi di tenere duro e, con un respiro profondo, scesi dall'auto. Eravamo un po' in ritardo rispetto al solito e quasi tutti i nostri compagni erano già arrivati.

Chiusi la portiera con decisione e andai a sedermi sul cofano con Lee mentre alcuni ragazzi si avvicinavano per salutarci.

«Ehi, stai benissimo così» disse Dixon facendomi l'occhiolino.

Mi accigliai e incrociai le braccia al petto. «Chiudi la bocca.»

«Che c'è?» protestò con aria innocente. Sapevo che stava solo scherzando, ma non ero dell'umore adatto.

Vidi a poche macchine di distanza Lisa e May, che seguivano con me il corso di chimica, e decisi di chiacchierare con loro. Mentre camminavo qualcuno mi diede una pacca sul sedere; mi girai all'istante, furiosa. Uno dei giocatori di calcio, Thomas, mi stava fissando con un sorrisino.

«Sei stato tu a toccarmi?» chiesi, tesa.

«Forse.»

«Ehi, sabato alla festa non c'ero» intervenne il suo amico Adam. Non lo conoscevo un granché ma a quanto sapevo era uno stronzetto arrogante. Come per darmene la dimostrazione, aggiunse: «Non ho diritto a una replica dello spettacolo?»

Altri ragazzi risero e lo incitarono, e Adam cominciò ad ancheggiare e a sfilarsi la maglietta dai pantaloni come se fosse sul punto di spogliarsi. In un altro contesto avrebbe potuto essere divertente, però in quel momento ero arrabbiatissima con lui e con la sua faccia da schiaffi.

Digrignai i denti. «Cerca di crescere.»

Adam mi afferrò un polso e mi attirò a sé. Probabilmente per lui era un gioco, ma per me non lo era affatto. Mi liberai dalla sua presa e lo fulminai con lo sguardo.

«Piantala» gli intimò Lee, avvicinandosi.

«Solo se mi costringi» ribatté Adam, allargando le braccia in un gesto di sfida.

E così gli tirai un pugno.

O almeno ci provai, perché qualcuno mi bloccò prima che lo colpissi alla mandibola.

Mi liberai anche da quella stretta, ma un secondo dopo che il pugno di qualcun altro ebbe centrato la faccia di Adam. In un attimo fu scaraventato contro una vecchia jeep accanto a noi. Mi guardai intorno e... Ma certo. Non poteva che trattarsi di Noah. Era stato lui a mettersi in mezzo.

«Rissa! Rissa! Rissa!»

All'improvviso si formò una folla in mezzo al parcheggio, e tutti i presenti gridavano: «Rissa! Rissa!», o: «Uuuh!»

e: «Ahi! Mi sa che si è fatto male!» nei momenti opportuni. Io ero immobile nell'occhio del ciclone, incapace di muovermi, pietrificata.

Impiegai un paio di secondi per tornare alla realtà e recuperare il controllo di me stessa. Corsi in avanti, cercando di separare Noah e Adam, che aveva un labbro ferito e sanguinante. Era davvero furibondo.

«Noah!» gridai più volte, ma lui non mi diede ascolto.

Tutt'intorno i ragazzi urlavano e si spintonavano, ed era arrivato anche un professore che stava tentando di interrompere la rissa, però il mio cervello non registrò nessuno di questi elementi.

«Lee!» strillai disperata, tirandolo per un braccio. «Fai qualcosa!»

«Secondo te non lo sto già facendo?» rispose in tono secco. «Nessuno può trattare così la mia migliore amica e farla franca.»

«Lee...» sospirai sconfitta quando ricominciò a urlare e a spingere gli altri.

«Ehi, se ti piace non c'è problema» disse Thomas a Noah, ridendo. «Ma mi sembra che ce ne sia abbastanza per tutti, no?»

Schivò un pugno e fissò Noah, sfidandolo a riprovarci.

Io lo fulminai con lo sguardo. «Che cos'hai detto?»

«Mi hai sentito» replicò strizzandomi l'occhio.

Digrignai i denti.

«Basta così» ringhiò Noah.

«Flynn!» lo chiamò il professore, facendosi strada nella folla che si stava disperdendo.

Le altre zuffe si bloccarono all'istante, e Noah si fermò solo perché ero di fronte a lui e gli premevo le mani contro il petto.

«Che cos'è successo?» chiese l'insegnante con voce decisa. In quel momento lo riconobbi: era il vicepreside Pritchett.

«È stato solo un grosso malinteso» gli spiegai. «Davvero.»

«Siete tutti in punizione per una settimana» ribatté lui. «Noah Flynn e Thomas Rogers, venite immediatamente nel mio ufficio. E anche tu, Rochelle.»

Rimasi a bocca aperta. «Che cos'ho fatto?» esclamai.

«Nulla, ma vorrei scambiare due parole con te.»

Sospirai avvilita e d'un tratto un braccio mi cinse la vita: Lee.

«Grazie» borbottai. «Anche se non avresti dovuto metterti in mezzo.»

«E invece sì che dovevo. Nessuno può trattarti così, Shelly.»

«Tu lo fai in continuazione.»

«Sì, ma io ho il permesso, siamo migliori amici. Quei deficienti... non possono comportarsi così e passarla liscia.»

«Be', grazie» risposi, abbracciandolo goffamente.

Lui ricambiò la stretta. «Sai» mi sussurrò all'orecchio «comincio a pensare che il mio fratellone abbia davvero una cotta per te, Shelly.»

Risi. «O ha una cotta per me o aveva voglia di picchiare qualcuno.»

«Mmh, forse hai ragione tu.»

«Ho ragione *di sicuro*» lo corressi, strappandogli una risata.

Quando arrivammo davanti all'ufficio del vicepreside, la campanella suonò.

«Devo andare all'appello» disse Lee con un sospiro.

«Già. Ci vediamo dopo, allora.»

«Okay. Buona fortuna» aggiunse con un'espressione seria.

Risi salutandolo con un cenno mentre si allontanava e poi mi lasciai cadere su una sedia.

Dopo pochi secondi accanto a me si sedette qualcuno: Noah. Il vicepreside e Thomas entrarono subito nello studio e la porta si chiuse alle loro spalle con uno scatto minaccioso.

Lasciai passare qualche istante e dissi sotto voce: «Grazie».

Con la coda dell'occhio lo vidi raddrizzare le spalle. «Nessuno può trattare così una ragazza senza conseguenze. Soprattutto se quella ragazza sei tu.»

Lo sbirciai senza girare la testa. «Davvero, grazie. Però non c'era bisogno che intervenissi... Insomma, avresti anche potuto permettermi di colpirlo.»

«Gli avresti dato un bel pugno, questo te lo concedo.»

«Perché mi hai fermato?» non riuscii a non chiedere.

Si strinse nelle spalle. «A essere sincero... non lo so.»

«Anzi, già che ci siamo, perché ti sei fatto coinvolgere? Lee, Dixon e Cam avevano la situazione sotto controllo.»

«Forse sì.»

«Stai evitando di rispondermi.»

Fece un gran sorriso. «Hai ragione. Credo sia stato perché... non volevo che fossi coinvolta in una rissa e non mi piaceva che ti parlassero in quel modo...» La sua voce si spense e si passò una mano tra i capelli mentre il mio cuore batteva all'impazzata.

E poi pronunciò le parole che distrussero l'ultimo briciolo di speranza che avevo dentro di me. «Sei un po' la mia sorellina... o qualcosa del genere» disse d'un fiato.

«Ah. Sì, certo» ribattei annuendo.

Annuì anche lui e scosse la testa, come per schiarirsi le idee.

Cercai di mantenere un'espressione neutra. «Pensi che finirai nei guai?» chiesi tranquilla, fingendo di studiarmi le unghie.

«No, non è mai successo. E di sicuro non accadrà quando verrà fuori che stavo difendendo il tuo onore» rispose con un sorrisetto.

«Ah ah» sbuffai. «Guarda che ero seria.»

Noah scosse ancora la testa. «In mia difesa posso dire che non comincio mai le risse. Le chiudo e basta, sai?»

«Non capisco cosa ci faccio io qui.»

«Il vicepreside vorrà un testimone che confermi la versione dei fatti. I testimoni sono sempre ben accetti.»

Scoppiai a ridere e lo guardai. Restammo in silenzio per un po', ma era un silenzio piacevole e la cosa mi stupì. Mi resi conto che nell'ultimo anno non avevamo mai passato tanto tempo insieme, da soli… se si escludevano le ore che avevo rimosso per via della sbronza.

Quando Thomas uscì e fu il turno di Noah, gli sussurrai: «Buona fortuna». Lui accennò un sorriso e mi salutò prima di chiudere la porta.

Non avendo di meglio da fare, tentai di connettermi a internet dal cellulare, una vera impresa in quella scuola.

Quando uscì, il suo sorriso mi informò che andava tutto bene.

«Rochelle?» mi chiamò il vicepreside Pritchett.

Mi alzai sospirando ed entrai nello studio. Non ero mai stata lì dentro, ci ero sempre e solo passata davanti, e scoprii che non era un ambiente particolarmente accogliente. Trasudava regole e punizioni.

Mi chiese quale fosse stato il motivo della rissa e gli dissi la verità: degli idioti mi avevano provocata e presa in giro a causa di una stupidaggine che avevo fatto a una festa sabato sera, mi avevano offesa e così i ragazzi si erano intromessi.

«Capisco… Bene, grazie, Rochelle.»

«Non ho messo qualcuno nei guai, vero? Voglio dire, nessuno si è fatto male o cose del genere, giusto?» Scandii le parole con cautela mentre mi alzavo e mi mettevo lo zaino in spalla.

Il vicepreside mi diede il foglio da consegnare al professore per il ritardo. «No, hai confermato la loro versione dei fatti. Non pensarci più, okay? E stai lontana dai guai.»

Annuii, a disagio. «Sì…»

«E adesso fila in classe.»

Non me lo feci ripetere due volte e uscii di corsa dall'ufficio.

5

Fui circondata da diversi vassoi per il pranzo. Alzai lo sguardo e vidi un gruppetto di ragazze, di terza e quarta, raccolto intorno a me.

«Allora» cinguettò Jaime, sedendosi di fronte a me con un enorme sorriso stampato in faccia. «Raccontaci tutto!»

«Cosa?» chiesi, confusa. Posai la forchetta accanto all'insalata.

«Ma di Flynn, che domande!» squittì Olivia, avvicinandosi per sentire meglio. «Vogliamo sapere tutto. Voi due state insieme o qualcosa del genere?»

Scoppiai a ridere. «Oddio, no.»

«Ma lo chiami Noah!» osservò un'altra ragazza, Tamara, che aveva pronunciato il suo nome a bassa voce, come se avesse paura che lui potesse sentirla. «Non lo chiami Flynn come tutti gli altri.»

Mi strinsi nelle spalle. «L'ho sempre fatto. Lo conosco da anni, e stamattina mi ha persino detto che mi considera una sorella minore. È un bravo ragazzo, tutto qui.»

«Un bravo ragazzo che finisce sempre in qualche rissa...» commentò scettica Georgia inarcando un sopracciglio. «Per favore. È protettivo nei tuoi confronti, lo è sempre stato.»

Socchiusi gli occhi e sentii la fronte aggrottarsi. «In che senso, "lo è sempre stato"?»

Le ragazze si scambiarono uno sguardo e poi Faith chiese: «Vuoi dire che non lo sai?»

«Ovviamente no!» esclamai, sempre più frustrata. «Cos'è che non so?»

«Flynn ha sempre detto ai ragazzi di lasciarti in pace» spiegò Olivia in tono confidenziale. «Che se ti avessero fatta soffrire se ne sarebbero pentiti.»

Battei le palpebre un paio di volte, fissandola, e poi scoppiai a ridere. «Stai scherzando, vero?»

Le ragazze si guardarono di nuovo e io tornai seria.

«Dai, smettetela» dissi. «Sentite, si sta comportando da fratello maggiore, tutto qui.»

Si scambiarono l'ennesimo sguardo dubbioso, e dopo un po' Jaime replicò: «Be', se sei sicura al cento percento...»

«Al centodieci percento. Chiedete a Lee, se non vi fidate.»

«A proposito, dov'è il tuo inseparabile compagno?» si informò Tamara.

«Al laboratorio di falegnameria. Voleva cominciare a lavorare sull'insegna per lo stand. Io ho preferito pranzare.»

«Mi sembra giusto» commentò Candice. «Ehi, sei riuscita a convincere Flynn a partecipare?»

«Non vuole farlo. E credetemi, ci ho provato.»

Sospirarono in coro.

«Vorrei tanto che accettasse. Pagherei qualsiasi cifra per sedermi a quello stand di fronte a lui» disse Georgia, facendoci ridere tutte.

«Ti ha spiegato perché non gli va?» domandò Karen.

Mi strinsi nelle spalle. «No.»

«Ehi» esclamò Lily all'improvviso, con gli occhi che brillavano mentre osservava Karen, Dana e Samantha. «Magari Flynn farà un salto alla kissing booth, se non deve lavorarci!»

Le ragazze lanciarono dei gridolini emozionati. Come dar loro torto?

«Oh, mio Dio! Elle, se non riesci a convincerlo a partecipare, chiedigli almeno di fare un salto!»

Feci un vago cenno con le mani. «Non posso promettervi niente.»

«Ma ci proverai?» insistette Dana.

Il mio cellulare emise un *bip* e mi tastai le tasche prima di ricordare che quella stupida gonna non le aveva. Sospirai e mi chinai per frugare nello zaino.

Vieni in laboratorio, mi serve una mano! diceva il messaggio.

Rimisi a posto il cellulare e mi alzai, prendendo il vassoio. «Devo andare ad aiutare Lee. Immagino abbia bisogno del famoso tocco femminile.»

Le ragazze risero e mi salutarono.

«Ah, Elle?»

Mi voltai. «Sì?»

«*Chiediglielo*» disse Samantha, serissima.

Ridacchiai e annui, scatenando una nuova serie di gridolini.

Scossi la testa, anche se dovevo ammettere che anch'io subivo il suo fascino. Però avevo pur sempre superato quella cotta, soprattutto da quando Noah aveva detto di considerarmi come una sorella. Certo che quella informazione non lo rendeva meno attraente...

Entrai nel laboratorio di falegnameria e vidi che Lee tamburellava impaziente una matita su una grande asse di legno. Dopo dieci secondi quel rumore mi stava facendo impazzire, e capii perché il signor Preston l'aveva lasciato da solo, rifugiandosi nella tranquillità del suo ufficio sul retro.

«Ciao» gli dissi, ma Lee non si accorse di me finché non gli fui di fronte. Lasciai cadere lo zaino a terra senza troppe cerimonie, e lui sussultò.

«Oh, non ti avevo sentita entrare.»

«Immaginavo. Allora, come posso aiutarti?»

Indicò l'asse davanti a sé. «Quanto devono essere grandi le lettere?»

Sospirai e mi passai le mani tra i capelli prima di tirarli indietro e legarli. «Okay, amico, dammi la matita.»

Tracciai le parole kissing booth sull'ampia superficie di legno.

«Ma sono tutte diverse. Quella "o" è chiaramente più piccola dell'altra. E la "h" è alta la metà della "s".»

«Lo so. Però puoi sempre prendere le misure giuste. Per quello che ho in mente non occorre che sia tutto perfetto.»

«E di che si tratta? Sentiamo.»

Mi morsi il labbro inferiore cercando le parole giuste per descrivere l'immagine che avevo in testa, e non era facile. «Allora, vorrei inchiodare le lettere un po' storte sull'insegna, in modo che si sovrappongano e puntino tutte in direzioni diverse. L'effetto sarà molto più fico che se fossero in fila e ordinate, che ne dici?»

Lee annuì, fissando il legno. Riuscivo a vedere la mia idea che prendeva forma nella sua mente. «Ho capito cosa intendi. Verrà benissimo.»

«Lo so.»

Cominciò a ripassare i contorni delle lettere, rendendole più dritte e uniformi. Mi sedetti sulla panca di fronte a lui, facendo dondolare le gambe.

«Senti, sapevi che tuo fratello ha detto ai ragazzi di lasciarmi in pace?» chiesi.

Lui non alzò neppure lo sguardo, si limitò a scrollare le spalle. «Sì, certo. Lo sanno tutti.»

«Tutti tranne *me*. Perché ne ero all'oscuro? E, più che altro, perché non me l'hai detto?»

«Non lo so, immaginavo che negli anni te ne fossi accorta. Perché nessuno ti ha mai chiesto di uscire, secondo te?»

Ci riflettei per qualche secondo. A essere sincera non ci avevo mai pensato troppo. Non ero sprofondata nel panico all'idea che in me ci fosse qualcosa di sbagliato solo perché non avevo un fidanzato. Avevo dato per scontato di essere considerata un maschiaccio perché passavo tutto il tempo con Lee, e che fosse per questo che gli altri ragazzi non mi chiedevano di uscire.

«Sai che per me esisti solo tu» lo stuzzicai.

Lee alzò la testa e mi fece l'occhiolino, così gli soffiai un bacio. Scoppiammo entrambi a ridere e lui ricominciò a tracciare le lettere sul legno.

«Davvero, però… L'hai saputo solo adesso?»

«Sì. Me l'hanno detto le ragazze dopo avermi chiesto i dettagli scottanti della rissa di stamattina. Anche se ovviamente non c'era nulla su cui spettegolare. Le ho informate del fatto che per Noah sono una specie di sorella minore.»

«Ha preso un po' troppo sul serio il ruolo del fratello maggiore iperprotettivo, sì» commentò Lee. «Anche se naturalmente io mi sarei comportato come lui. Soprattutto dopo quello che ti hanno detto quegli idioti…» Spezzò la matita.

«Ehi, calmati» dissi in tono tranquillo.

Lanciò i pezzi di matita e se ne sfilò un'altra da dietro l'orecchio. «Scusa. Quello che è successo stamattina mi ha dato proprio sui nervi.»

«Già, si vede.»

«Comunque non importa. Il punto è che Noah fa benissimo a dire ai ragazzi di lasciarti in pace. Tu ti fidi troppo, rischieresti di soffrire.»

«Cosa?» esclamai indignata. «In che senso, mi fido troppo?»

Lee si strinse nelle spalle. «A volte sei troppo gentile, Shelly. Non è una cosa negativa, voglio solo dire che… be', potresti innamorarti di un cretino che ti fa soffrire.»

«Oh» dissi. «Capisco.»

«Voglio solo proteggerti. E anche Noah.»

«Okay. Grazie…?»

«Ehm… prego?» rispose ridacchiando.

Presi un elastico dal bancone alle mie spalle e glielo lanciai su un braccio. Lui lo schivò e continuò a lavorare mentre lo guardavo e chiacchieravamo.

Mi chiedevo perché Noah fosse arrivato al punto di dire

ai ragazzi di lasciarmi in pace, perché mi sembrava una vera ingiustizia. Di lì a due mesi avrei compiuto diciassette anni e non ero mai stata baciata, non avevo mai avuto un fidanzato e non ero mai uscita con un ragazzo. Il comportamento di Noah era molto irrispettoso. Come si permetteva di interferire nella mia vita a quel modo? Certo, era carino da parte sua cercare di proteggermi, ma questo non significava impedirmi di avere una vita sentimentale!

Quando domandai a Lee come il fratello avesse tenuto alla larga i ragazzi da me, disse: «Li ha avvisati che, se ti avessero ferita in qualsiasi modo, avrebbero dovuto vedersela con lui».

Sospirai. Era chiaro che Noah mi considerava la sua sorellina vulnerabile e ingenua, ma non potevo fare a meno di desiderare che lo facesse per ragioni diverse.

6

Brad aveva dieci anni e non era difficile fargli da baby-sitter: perlopiù giocava ai videogame e urlava allo schermo, quindi dovevo soltanto preparargli la cena. Però, alle nove e mezzo, dovetti quasi trascinarlo su per le scale, finché cedette e gridò: «Va bene, vado a letto!»

Quando la porta della sua camera si chiuse, sospirai e assaporai il silenzio. Mi spostai davanti alla tv e cominciai a guardare un film un po' splatter con dei gladiatori romani o qualcosa del genere. Stavo per addormentarmi quando il cellulare squillò. Mi raddrizzai di scatto, rischiando di cadere dal divano.

«Pronto?» borbottai senza controllare chi avesse chiamato. Avevo un tono brusco, ma non mi importava: chiunque ci fosse all'altro capo della linea avrebbe dovuto accontentarsi.

«Ehm... Elle?»

«Sì?» risposi secca.

«Sono… ehm… sono Adam. Senti, non mettere giù. Volevo solo scusarmi per stamattina. Non stavo… ecco, non stavo pensando a quello che dicevo. E quindi… scusa.»

Battei più volte le palpebre, cercando di schiarirmi le idee. Adam mi aveva chiamata per *scusarsi*? Non riuscivo a crederci, forse anche perché sembrava che stesse soffocando una risata.

«Ehm… Elle? Ci sei ancora?»

«S… sì» balbettai. «Scusa, sto… cucinando.» Ma come mi era venuto in mente? Chi non riesce a concentrarsi su una telefonata perché sta cucinando? E alle dieci di sera, poi! «È tardi, Adam, e forse sei un po' fuori tempo massimo per farmi delle scuse, non trovi?»

«Lo so, ma volevo farlo lo stesso.»

«Bene, ti ringrazio» dissi bruscamente. «Adesso devo andare, Adam. Ci ved…»

«Aspetta un attimo.»

«Non mi interessa quello che hai da dire.»

«Quindi non vuoi uscire a cena con me?» Il suo tono arrogante mi fece immaginare che espressione dovesse avere e digrignai i denti. «Non vuoi darmi la possibilità di scusarmi davvero?»

«No. Ciao.»

Chiusi la comunicazione e lanciai il telefono sul divano prima che potesse pronunciare un'altra sillaba. Che deficiente.

E Lee diceva che sono troppo gentile…

Ridacchiai a quel pensiero, soddisfatta di essere stata così diretta con Adam. Un attimo dopo, però, salendo le scale, formulai un altro pensiero. La mia mente era occupata da una sola persona: Noah, com'era prevedibile.

Per qualche strana ragione, riuscivo a pensare soltanto a quando, domenica mattina, eravamo caduti dal letto, al suo sguardo che ricordavo perfettamente ma che non riuscivo a visualizzare, i suoi occhi luminosi fissi nei miei. Perché nessuno guardava in quel modo la propria sorellina, giusto?

Ma sapevo anche che quei ragionamenti non avevano senso. Avevo soltanto sonno e la mia mente stava già scivolando nel mondo dei sogni. Eppure non riuscivo ad accantonare l'idea che quella mattina avesse scatenato una rissa per altre ragioni.

Risi di me stessa, con le palpebre pesanti. «Sei un'idiota, Elle» borbottai tra me. «Una vera sciocca...»

Il giorno dopo a scuola non fu così terribile. Ricevetti qualche fischio scherzoso e qualche battutina, a cui però non prestai attenzione. In ogni caso, i commenti arrivarono solo quando Noah non era nei paraggi.

Lee si lamentò di quelle attenzioni e ribattei: «Be', in un certo senso è colpa mia. Stavo per spogliarmi prima di fare il bagno nuda...»

Mi lanciò uno sguardo che mi fece fermare all'istante. «Cosa ti ho detto ieri? Sei troppo gentile.»

«Di che stai parlando?»

«Non sei una che si mette in mostra, non è da te. Sei una ragazza a posto, rispettabile. Hai fatto un errore da ubriaca ed ecco che tutti ti spogliano con lo sguardo.»

Sospirai. «Dai, smettila. Non sono poi così carina.»

«Ti sei guardata allo specchio negli ultimi tempi, Signorina Porto Quasi una Terza?»

«Lee!» esclamai, dandogli un pugno sul braccio. Avevo le guance in fiamme. «Abbassa la voce!»

Rise e mi cinse le spalle. «Non riesco a credere che tu sia la stessa ragazza che stava per spogliarsi davanti a tutti e voleva fare il bagno nuda...»

«Piantala.»

«Scusa.»

«A pranzo abbiamo una riunione per la fiera» gli ricordai quando suonò la campanella. Io avevo lezione di chimica, Lee di biologia: era l'unico corso che non seguivamo insieme.

«Sì, lo so.»

«A dopo.»

«Ciao, Elle.»

In classe stavo per sedermi al solito posto, quando qualcuno mi chiamò: «Ehi, Elle! Vieni vicino a me».

Mi voltai e vidi Cody che spostava la sedia accanto alla sua.

«È morto» borbottò Dixon alle mie spalle.

«No, "morto" non basta a descrivere cosa gli farà Noah» aggiunse Cam, e i due si scambiarono un sorriso prima di sedersi.

Che idioti, pensai guardandoli sorpresa.

«Ehm... okay» risposi a Cody, e mi accomodai di fianco a lui. Non lo conoscevo bene ma mi sembrava un tipo a posto. Aveva i capelli tinti di nero e il piercing alla lingua, ed era un pianista eccezionale: l'avevo visto esibirsi una volta durante un concerto scolastico.

«Ho saputo della rissa di ieri» mi disse in tono leggero mentre scarabocchiava in un angolo del libro di testo. «È incredibile che ti abbiano detto quelle cose.»

«Be', ecco...» ridacchiai nervosa, senza sapere come replicare.

Dopo qualche istante aggiunse: «Tu e Lee allestirete davvero una kissing booth per la fiera?»

Annuii sorridendo, sollevata che avesse cambiato discorso. «Già! Fico, vero?»

«Sì» concordò. «E dentro ci sarai anche tu?» Inarcò un sopracciglio e i suoi occhi verdi brillarono divertiti. Aveva un sorriso malizioso, ma capii che stava scherzando dal tono della sua voce.

«No» risi. «Non parteciperò.»

«Peccato. Speravo di non dovermi coprire di ridicolo.»

«In che senso?»

«Non è che ti andrebbe di... cioè...» Si schiarì la gola. «Di andare al cinema... o di uscire... con me?»

Ero così agitata che per poco non scoppiai a ridere di nuovo, ma riuscii a controllarmi. Accennai un sorriso e dissi: «Non hai paura che Noah ti rompa un braccio o roba del genere?»

Si strinse nelle spalle. «Per una ragazza carina come te penso di poter correre il rischio.»

«Be', se la metti così... perché no?»

«Davvero?» I suoi occhi si illuminarono ancora.

«Davvero.»

«Fantastico. Allora ti chiamo in questi giorni.»

Annuii prima di ricordarmi una cosa. «Non ho il tuo numero.»

«Eccolo qui.» Tolse il tappo della penna con i denti e mi afferrò il braccio, girandolo verso l'alto. Scrisse le cifre partendo dal fondo.

«Potevi aggiungerlo sulla rubrica del telefono.»

«Sì, ma non sarebbe stato divertente.»

Risi mentre il professore entrava in classe.

«Buongiorno, chiudete la bocca e aprite i libri. Oggi abbiamo un sacco di lavoro da fare. Andate a pagina 137. L'ultima volta abbiamo parlato della produzione dell'etanolo, dei suoi usi commerciali e delle sue implicazioni sociali...»

«Sì» intervenne un ragazzo, forse Oliver «come far spogliare Elle!»

Arrossii e replicai: «E tu che ne sai? A quel punto eri già svenuto, visto che non reggi l'alcol!»

«Niente male» approvò Cody con una risata. I nostri compagni accolsero quel commento con dei fischi, ma io gli sorrisi ancora.

Lee non avrebbe avuto da ridire sul mio appuntamento con Cody, che conosceva un po' meglio di me. Era la reazione di Noah a preoccuparmi.

«Ehi» mi disse Cody al suono della campanella, prima che andassi all'incontro per la fiera.

«Sì?»

«Chiamami.» Mi strizzò l'occhio e rise.

«A presto, Cody» lo salutai allegra.

Arrivai alla riunione insieme a Lee.

«Non crederai mai a cos'è successo durante la lezione di chimica.»

«Un ragazzo ti ha chiesto di uscire?»

Il mio sorriso si trasformò in una smorfia. «E come fai a saperlo?»

«Dixon mi ha mandato un messaggio dicendo che c'era qualcuno che rischiava la pelle. Cody, vero?»

«Sì» dissi, tornando a sorridere. «Potresti essere felice per me, Lee?» Lo spinsi per scherzo. «Ho un appuntamento! Mostra un po' di entusiasmo!»

Rise. «Sono entusiasta, Shelly!» Mi abbracciò, ma forse era solo per impedirmi di saltellare in preda all'eccitazione. «Cody è un tipo a posto. Mi chiedo solo cosa dirà mio fratello quando lo scoprirà.»

«Non preoccuparti, andrà tutto bene.»

«Se lo dici tu...»

«Allora, Lee ed Elle» esordì Tyrone, il responsabile del consiglio studentesco, dopo aver decretato l'inizio dell'incontro battendo le mani. Era seduto a capotavola e accanto a lui c'era Gen, già armata di carta e penna per gli appunti: prendeva molto sul serio il ruolo di segretaria. Tutti i presenti fissarono Tyrone, in silenzio. «Ho saputo che avete finalmente deciso qualcosa per il vostro stand.»

«Esatto» rispondemmo in coro.

«Una kissing booth.»

«Già.»

Ci squadrò, cauto. «Non credete che sia un po'... rischioso?»

«In che senso? Perché dovrebbe essere rischioso? Diremo a tutti che chi ha il raffreddore non può partecipare.»

«No, intendevo... non vi sembra un po' squallido?» precisò. «L'idea non piace a tutti e...»

«Ma abbiamo già iniziato a fare l'insegna!» sbottò Lee irritato. «Abbiamo diversi ragazzi che parteciperanno e sono tutti entusiasti!»

«Tyrone» intervenni in tono pacato, dando una gomitata a Lee. «Nessuno penserà che sia squallido. E poi tantissime fiere prevedono una kissing booth. In ogni caso possiamo stabilire delle regole, come quelle per l'altezza sulle montagne russe. Magari possiamo fissare un'età minima, se è quello che ti preoccupa.»

«Un paio di insegnanti non sono d'accordo. Personalmente mi sembra un'idea grandiosa, ma non sono sicuro che...»

«Non ci saranno problemi» gli assicurai con un sorriso.

«Be', se avete già risolto tutto dovete cominciare a lavorare allo stand. La fiera sarà sabato prossimo e per venerdì dovrà essere tutto pronto.»

«Sì, lo sappiamo. Non ti preoccupare» tagliò corto Lee.

«Fantastico. Andiamo avanti. Kaitlin, hai il numero della ditta dello zucchero filato?»

«Ricordami di chiedere a tuo fratello se passerà dalla kissing booth» sussurrai a Lee. «Le ragazze non mi danno tregua.»

«Sai benissimo che risponderà di no.»

«Sì, ma devo provarci lo stesso.»

«Cosa ti avevo detto, Shelly?» Mi diede un colpetto sul naso, sorridendo, e io feci una smorfia. «Sei troppo gentile.»

Lee doveva andare a fare un po' di spesa per la madre e così mi aveva lasciato davanti a casa sua. Dovevamo creare una playlist per lo stand e volevo cominciare a cercare delle canzoni d'amore.

Vidi l'auto di Noah nel vialetto, quella che aveva messo a posto con le sue mani, e oltrepassai l'ingresso. La porta era sempre aperta.

«La mamma ha detto che c'è bisogno del latte perché l'abbiamo finito» gridò.

«È già andato al negozio» lo informai entrando in cucina

mentre lui usciva. Ci scontrammo e mi rovesciò un bicchiere d'acqua sulla camicetta. Era ghiacciata e feci un salto all'indietro, senza fiato.

«Noah!» strillai, staccando la maglietta dalla pelle. Adesso aderiva perfettamente al mio corpo, e quel giorno indossavo un reggiseno colorato visto che quelli bianchi erano a lavare... La mia solita fortuna.

Lo fulminai con lo sguardo. Lui si accigliò.

«Be'? Cos'è quella faccia?» gli chiesi irritata. Visto che rimaneva in silenzio lo superai e andai verso il frigorifero per prendere qualcosa da bere.

«Ehi, che cos'hai sul braccio?» domandò, ma lo ignorai. «È vero che hai un appuntamento con un ragazzo?»

Posai il bicchiere vuoto sul bancone. «Dai, Noah! Che ti importa? Lee mi ha già detto che sono troppo gentile, non ho bisogno che mi protegga anche tu!»

«Non mi hai risposto.»

«Nemmeno tu.»

«Io te l'ho chiesto prima, Rochelle.»

Oh, cavoli. Aveva usato il mio vero nome, e non prometteva niente di buono. Mi girai a guardarlo. «Ho un appuntamento con Cody, e allora? È un tipo a posto.»

«A posto?» Noah fece una risata ironica. «Elle, dici sul serio? Lo conosci, almeno? Lo conosci *davvero*?»

«Be'... no, non lo conosco. Ed è proprio per questo che voglio uscire con lui, per conoscerlo meglio. È così che funziona, no? Ah, scusa, sei la persona sbagliata a cui chiederlo, mister Playboy. Tu ti porti a letto le ragazze e le scarichi la mattina dopo, quindi ti basta sapere come si chiamano.»

Sì, mi aveva fatta infuriare. Di solito non mi sarei permessa di dire cose del genere, soprattutto perché non sapevo se fossero vere. Ma ero fuori di me, anche perché aveva intimato ai ragazzi della scuola di starmi alla larga. Cercai di convincermi che fosse la rabbia a farmi battere il cuore all'impazzata.

«Vuole solo sedurti.»

«Di che stai parlando?» esclamai mettendomi le mani tra i capelli. «E poi come fai a saperlo, se non lo conosci nemmeno?»

«Cody Kennedy. Pianista. Segue corsi extra per l'università.»

Battei le palpebre. Okay, forse lo conosceva.

«Già» proseguì Noah in tono saccente. «So di chi sto parlando. E vuoi sapere un'altra cosa? Gli interessa solo portarti a letto, come a tutti gli altri.»

«Mi stai dicendo che in tutta la scuola non c'è un solo ragazzo rispettabile che non pensa solo al sesso? O intendi che vado bene solo per quello? Credi davvero che non abbia una personalità, Noah?»

«Non è quello che ho detto. Però loro sono tutti uguali.»

«E come fai a saperlo? È per colpa tua che non ho mai avuto un appuntamento! Perché ti sei comportato così?»

«Ti fidi troppo facilmente» sbottò, interrompendomi. «Se un ragazzo ti dicesse che ti ama non ci penseresti due volte ad andare a letto con lui.»

Lo fulminai con lo sguardo, di nuovo. «Pensi che sia una facile?»

Noah mi fissò dritto negli occhi e diede un pugno alla porta della cucina, che si chiuse di scatto e fece tremare il telaio. «Ma perché non puoi ascoltarmi, una volta tanto? Sto solo cercando di proteggerti!»

«Non ho bisogno che tu mi protegga!» gli gridai. «Fatti gli affari tuoi! Posso gestire senza problemi un appuntamento, Noah!»

«Come fai a esserne così sicura? A scuola i ragazzi non fanno che guardarti e commentare quanto sei sexy, non te ne sei accorta? Se uno di quegli idioti pensa di poter uscire con te e farti soffrire, si sbaglia di grosso.»

Urlai per la frustrazione. «Resta fuori dalla mia vita.»

«Finirai per soffrire.»

«No. In caso non l'avessi notato, sono cresciuta e sono in grado di prendermi cura di me stessa.»

«È per questo che sabato stavi per spogliarti davanti a tutti?»

«Ero ubriaca!»

«E chi è rimasto a prendersi cura di te?» replicò.

«Non ti ho chiesto di farlo! E non ti ho nemmeno chiesto di dire a tutti di starmi alla larga!» Feci per superarlo e andare a chiudermi in camera di Lee, però lui mi afferrò un braccio.

«Fermati! Questa conversazione non è finita, Rochelle.»

Mi voltai e lo spinsi con tutte le mie forze, senza riuscire a spostarlo di un millimetro.

«Ehi!» esclamò un'altra voce. Ci girammo entrambi e vedemmo Lee sulla soglia. «Perché state litigando? Cosa mi sono perso?»

Noah e io restammo in silenzio, troppo occupati a guardarci in cagnesco.

«Niente» dissi dopo qualche secondo. «Ti aspetto di sopra, Lee.»

Li sentii parlare a bassa voce in cucina e sospirai. Noah era davvero… insopportabile! Sì, era anche incredibilmente attraente, ma questo non gli dava il diritto di intromettersi. Non era possibile che un ragazzo volesse uscire con me perché gli piacevo sul serio? Mi lasciai cadere sul letto di Lee e urlai contro il cuscino per sfogare la rabbia.

Quando Lee mi raggiunse per cercare le canzoni per la kissing booth, mi ero calmata e stavo già scorrendo la sua libreria di iTunes.

Non mi chiese nulla tranne: «Hai trovato qualcosa?»

Ecco perché gli volevo così bene.

Mi fece la fatidica domanda durante la cena a base di cibo cinese da asporto.

«Allora, cos'è successo con Noah?»

«Mi sono arrabbiata perché è iperprotettivo e mi sono messa a urlare. E così ha gridato anche lui, dicendo che voleva solo proteggermi. Ho urlato ancora un po' e poi sei arrivato tu.»

«Ha delle buone ragioni per comportarsi così» osservò Lee in tono cauto dopo qualche istante. «Ho provato a dirti che...»

«Sì, lo so, ma con te è diverso. Insomma, tu sei il mio migliore amico.»

Accennò un sorriso. «Mmh, sì, però... però Noah non ha tutti i torti. Non tutti i ragazzi sono affidabili.»

«Okay, ma... non sono così stupida da cascarci.»

«Anch'io voglio proteggerti, Shelly.» Mi mise una mano sul ginocchio e gli sorrisi. Posto in quel modo quello di Noah appariva come un gesto gentile, ma parlandone con lui mi ero infuriata.

«Certo, infatti il mio problema è tuo fratello. Si è spinto troppo in là. Posso sopravvivere a un appuntamento con

Cody, sai com'è fatto... Non proverebbe mai a fare qualcosa di strano.»

«Lo so.»

«È Noah che non lo sa.»

«Mi avete fatto paura, prima. Davvero.»

«Ci credo» ribattei soffocando una risata di fronte al suo tono serio.

«Senti... starai attenta, vero?»

«Oh, per l'amor del cielo. Centinaia di persone ogni giorno escono con qualcun altro. Anche tu esci con delle ragazze, e direi che non le importuni al primo appuntamento.»

Scoppiò a ridere. «Mai prima del terzo.»

«Ecco perché Karen non vuole venire al cinema con te.»

Rise di nuovo ma, quando si fu calmato, disse in tono grave: «Non vogliamo che tu soffra, Elle».

«Lo so.»

«Fai attenzione.»

«Sì, okay. Rilassati.»

«Promesso?»

«Croce sul cuore» giurai portandomi la mano sul petto. Potevo sopportare lo spirito protettivo di Lee e anzi, a dire la verità, mi piaceva anche. E non mi importava che Noah si comportasse da fratello maggiore nei miei confronti: non mi andava giù il fatto che a quanto pareva non voleva avessi una vita sentimentale.

Che deficiente.

7

Il resto della settimana passò in fretta: preparammo la playlist, dipingemmo l'insegna, ci procurammo le varie decorazioni necessarie e realizzammo poster e cartelli. Oltre, ovviamente, a fare i compiti e le solite cose.

Quando ero a casa di Lee mi sforzavo di evitare Noah: ero ancora arrabbiata con lui e non volevo ritrovarmi in un altro litigio.

Venerdì non riuscivo a stare ferma un secondo, perché quella sera sarei andata al cinema con Cody. Ci eravamo dati appuntamento lì fuori alle sette, e decisi che sarei arrivata cinque minuti in ritardo. Bisognava sempre far aspettare il proprio accompagnatore, no?

Dopo la scuola corsi a casa per passare in rassegna l'armadio. Mi tremavano un po' le mani e avevo il fiato corto. Ero piena di dubbi e ansie, che però rifiutai di assecondare. Stavo cercando qualcosa che mi stesse bene ma non mi facesse apparire disperata. Saremmo andati al cinema, quindi non potevo indossare nulla di troppo elegante, e visto che Cody non era molto più alto di me i tacchi erano fuori discussione. Scelsi un paio di jeans grigio scuro.

Okay, ottimo. È un passo avanti.

Ma ero solo a metà dell'opera. Non avevo chiesto consigli a nessuna delle ragazze: la sola idea di ammettere che quello era il mio primo appuntamento e che non sapevo cosa mettere per andare al cinema mi imbarazzava tantissimo. Certo, ero già andata vedere un film con dei ragazzi, ma si trattava di amici a cui non importava come fossi vestita. Adesso era diverso, Cody… ci avrebbe fatto caso.

Sapevo che mi stavo preoccupando per nulla, eppure non potevo evitarlo. Dopo un bel po' optai per una felpa rosa chiaro con le maniche a tre quarti e il colletto di una tonalità più scura che la rendeva carina. Dopo aver aggiunto una collana argentata e qualche braccialetto, mi ritenni soddisfatta.

O forse avrei dovuto mettere qualcosa di più intrigante? La felpa non rendeva giustizia alle mie curve, e magari avrei dovuto sottolineare i miei punti di forza… oppure no? Controllai l'ora.

Merda, sarei dovuta uscire già da cinque minuti. La felpa poteva andare bene.

«Ciao!» salutai scendendo le scale.

«Divertiti» rispose mio padre mentre Brad continuava a urlare davanti a un videogame.

Chiusi la porta d'ingresso e vidi che l'auto di Lee mi stava già aspettando. Ops. Corsi verso di lui e mi accomodai sul sedile del passeggero.

«Scusa» dissi con il fiato corto. «Va bene farlo aspettare un po', giusto?» Risi nervosamente e mi voltai verso di lui. E poi sbuffai. «Noah, che ci fai qui?»

«Lee aveva da fare a casa, quindi sarò il tuo autista.»

«Se l'avessi saputo avrei chiamato un taxi o chiesto a mio padre di accompagnarmi. Perché Lee non mi ha avvisata con un messaggio?»

«Credevo l'avesse fatto.»

«No.»

«Non so che dirti.» Noah si voltò per guardarmi meglio.

Indicai la felpa. «Mi sta bene? Forse è troppo casual... sai, grazie a qualcuno di nostra conoscenza non sono mai uscita con un ragazzo.»

Accennò un sorriso. «Va benissimo.»

«I capelli sono a posto?»

«Immagino di sì» rispose titubante. Accese il motore. «Almeno ti sei vestita in modo normale.»

«In che senso, normale?»

«Normale per i tuoi standard. Cioè, non sei mezza nuda o roba del genere.»

«Wow. Era una specie di complimento?»

«Non proprio. Però, Elle, se quel tizio prova a fare qualcosa, intendo *qualsiasi cosa*...»

«Noah. È un ragazzo. Io sono una ragazza. Un sacco di gente si bacia al primo appuntamento, sai? Non credo che cercherà di portarmi a letto a metà del film. Non stiamo parlando di te.»

Noah si accigliò e scosse la testa. «Sto solo dicendo che...»

Si fermò a metà frase e restammo in silenzio per qualche secondo.

«Nell'ultima settimana ci siamo parlati più che in tutto l'ultimo anno» commentai dopo un po'.

«Già. È strano.»

Alzai gli occhi al cielo. Sì, tra noi non c'era proprio niente: gli ero del tutto indifferente, se si escludeva la sua mania di proteggermi. Per fortuna che la cotta mi era passata, avevo sprecato un sacco di tempo pensando a lui... Anche se dovevo ammettere che era proprio carino, soprattutto con i capelli che gli ricadevano sugli occhi e il viso illuminato dalle luci del cruscotto.

Stai per uscire con un altro ragazzo! Pronto? Terra-chiama-Elle!

Ripresi il controllo di me stessa e dissi: «Grazie per il passaggio, lasciami pure qui».

«Come vuoi. Ti serve un passaggio anche per tornare a casa?»

«No, Cody ha detto che mi avrebbe accompagnata. Oppure chiamerò mio padre o Lee.»

«Okay.»

Scesi sbuffando dall'auto e mi diressi verso l'ingresso del cinema. Mi guardai attorno, ma di Cody non c'era traccia. Mi aveva dato buca? Controllai all'interno, però non era nemmeno lì... Dov'era? Cominciarono a sudarmi le mani e avevo le farfalle nello stomaco. Dopo qualche minuto gli mandai un messaggio: *Sono arrivata, tu sei dentro?*

Era perfetto, non sembrava troppo ansioso. Attesi la risposta, che arrivò dopo tre minuti e mezzo.

Ci sono quasi.

Fantastico, adesso ero io a doverlo aspettare. Mi appoggiai a un lampione guardando il telefono come se stessi leggendo qualcosa quando in realtà stavo aprendo e chiudendo app a caso. Speravo che il mio nervosismo non fosse troppo evidente.

«Ti ha dato buca?»

Sussultai, spaventata, e colpii il petto scolpito di Noah. «Mi hai fatto paura! E no, Cody sta per arrivare.»

Sorrise. «Pensavo che volessi farlo aspettare.»

«Sì, be'...»

«Te l'avevo detto.»

«Noah, torna a casa. Mi stai spiando?»

«No, mi godo lo spettacolo, tutto qui» rispose continuando a sorridere. «Hai proprio l'aria di una a cui è stata data buca, sai?»

«Visto che sei qui con me non direi proprio...» replicai. «E comunque Cody deve aver trovato traffico o qualcosa del genere. Non è niente di grave.»

Lui annuì dubbioso. Restammo in silenzio per un minuto che mi sembrò eterno, e mi chiesi se non fosse il caso di scambiare quattro chiacchiere. Poi mi ricordai di avercela ancora con lui e tenni la bocca chiusa. Probabilmente sembravo un pesce fuor d'acqua in cerca di ossigeno. E il fatto che Noah fosse una distrazione non aiutava: era appoggiato al lampione di fronte al mio e mi osservava mentre mi torcevo nervosa le mani.

«Ciao!»

Mi voltai sorridendo e vidi Cody che si avvicinava. «Ehi, ciao.»

Il suo sguardo si posò su Noah, alle mie spalle, che ricambiò gelido. I suoi occhi erano minacciosi, facevano paura.

Mi sforzai di non digrignare i denti. «Non devi andare, Noah?»

Fissò ancora per un istante Cody, poi si strinse nelle spalle e risalì in macchina. Si allontanò senza dire una parola. Mi lasciai sfuggire un sospiro di sollievo e mi rilassai.

«Scusa, mi sono dovuto fermare a fare benzina e c'era una coda allucinante. Dai, entriamo» disse Cody indicando la porta con un cenno. Sorrisi e lo seguii. «Vuoi prendere qualcosa da mangiare mentre faccio i biglietti?»

«Certo. Ti vanno dei popcorn?»

«Sì, perfetto.» Mi sorrise a sua volta, ma voltandomi mi chiesi se non avesse un'espressione tirata. Dovevo essermelo immaginata.

Ordinai i popcorn. Forse avrei dovuto scegliere qualcosa che... be', qualcosa che non rischiava di incastrarsi tra i denti. Se per caso ci fossimo baciati, ecco... Sospirai di nuovo: non sapevo un bel niente del comportamento da tenere durante un appuntamento. Ringraziai il ragazzo degli snack e tornai da Cody, che si era incupito.

«Cosa ci faceva Flynn qui fuori?» mi chiese.

Allora non me lo sono immaginata!

«Faceva... il solito Flynn» borbottai scuotendo la testa. «Non ti preoccupare.»

«Non sapevo che foste così amici.»

«Non lo siamo, infatti. Lee non poteva darmi un passaggio e così... ci ha pensato lui.»

«Ah. Capisco.»

Entrammo in sala mentre sullo schermo scorrevano già i trailer. Lasciai che fosse Cody a scegliere i posti, più o meno in mezzo. Non si diresse sul fondo, dove le coppiette si appartavano. Era un segnale positivo o negativo?

«Dopo vuoi andare a mangiare qualcosa?» sussurrai appellandomi a tutto il mio coraggio.

«Ho già mangiato, mi dispiace... Non saprei... Però, cioè, se ti va...»

«Ah. No, no, non ti preoccupare» dissi subito.

«Shhh!» intimò qualcuno dietro di noi.

Alzai gli occhi al cielo e mi sistemai meglio sulla poltrona. Il film iniziò e non sapevo cosa fare. Chissà se Cody avrebbe provato ad abbracciarmi fingendo uno sbadiglio. Magari si sarebbe appoggiato al bracciolo e gli avrei preso la mano, o forse avrebbe tentato di baciarmi.

Per il momento non avrei saputo dire se l'appuntamento fosse un successo o no. Era arrivato in ritardo, però si era scusato. Non aveva azzardato nessun approccio, ma era possibile che mi stessi preoccupando per nulla. Forse solo nei libri e nei film i ragazzi cercavano di baciarti al primo appuntamento, o forse era nervoso quanto me. In effetti aveva tutte le ragioni di essere agitato, visto che Noah aveva minacciato qualsiasi ragazzo che avesse osato guardarmi, figuriamoci uscire con me. Era una situazione ridicola, e ogni tanto Noah era proprio insopportabile.

Alla fine del film uscimmo dal cinema. Cody lo commentò un po', poi mi parlò dei suoi generi preferiti: amava i film di fantascienza e i thriller, mentre io guardavo più che altro film d'azione o commedie romantiche. I nostri gusti in fatto di cinema non combaciavano, e a dire la verità nemmeno quelli che riguardavano la musica. Lui però era simpatico e chiacchierare con lui era facile. Solo che... a quanto pareva non avevamo molto in comune.

Parlammo per tutto il tragitto, poi lui parcheggiò davanti a casa mia. Sganciai la cintura ma non mi mossi. Mi sforzai di apparire rilassata, di comportarmi come un'attrice: trovavo che i film fossero un'ottima fonte di ispirazione, e per fortuna avevo guardato *Il mio ragazzo è un bastardo* il weekend precedente.

«Allora grazie, Cody» dissi con un sorriso. «Mi sono divertita.»

«Sì, dovremmo rifarlo. Hai ancora il mio numero?»

«Sì, non l'ho perso durante la serata.» Risi nervosamente e lui ricambiò il mio sorriso. Notai che mi stava fissando le labbra e il cuore mi martellò nel petto. Oddio, oddio... stava per baciarmi, ne ero sicura. Oddio.

Si protese verso di me. Avrei dato il mio primo bacio a Cody Kennedy. Era gentile, carino e andavamo d'accordo, ma... ma in tutta sincerità non provavo nulla per lui. E se mi avesse baciata con la lingua e fossi rimasta incastrata al suo piercing? Non ero pronta, anzi, ero del tutto impreparata. Eppure stava accadendo. Si avvicinò ancora di più... il mio primo bacio!

Mi feci prendere dal panico e mi spostai all'ultimo, lasciando che mi baciasse sulla guancia. E poi scesi dall'auto prima di essere travolta dall'imbarazzo. Sorrisi e lo salutai, quindi mi avviai verso la porta di casa rapidamente ma cercando di sembrare tranquilla. Entrai, chiusi la porta e mi ci appoggiai contro. Feci un sospiro profondo e scivolai a terra, tenendomi la testa tra le mani.

«Sono proprio un'idiota.»

Con ogni probabilità Cody non avrebbe voluto uscire di nuovo con me. Neppure io ero sicura di volerlo, ma sapevo che se mi avesse proposto un secondo appuntamento non sarei riuscita a dire di no. In fondo un solo appuntamento non era sufficiente a conoscerlo davvero, soprattutto visto che ero stata tesissima.

Alla fine mi trascinai a letto, ignorando le telefonate di Lee, cosa che non facevo mai. Non mi andava di affrontarlo in quel momento, avevo soltanto voglia di rimproverarmi per come mi ero comportata durante il primo appuntamento della mia vita.

Meno male che non lavorerò alla kissing booth, pensai tristemente.

8

Raccontai a Lee com'era andato l'appuntamento, e lui reagì con un sorriso comprensivo.

«Ma vorresti uscire di nuovo con lui? Mi sembra che non sia stata una serata fantastica...»

«Sì, non proprio» borbottai, lisciando delle pieghe inesistenti sui miei jeans. «Ma non ne sono sicura. Se me lo proponesse probabilmente gli direi di sì... Ahi! Perché mi hai colpita?» esclamai quando Lee mi tirò un pugno sulla gamba.

«Sei troppo gentile!» mi rimproverò. «Cody ti piace come amico, tutto qui. Però saresti disposta a illuderlo pur di essere gentile.»

«Non voglio illuderlo, solo... dargli una seconda possibilità. Nessuno riconosce l'anima gemella al primo appuntamento, no?»

Inarcò un sopracciglio, scettico.

«Non voglio illuderlo!» ripetei.

«Lo illuderesti anche senza volerlo. Non lo faresti apposta, ma solo perché sei gentile.»

Sospirai e mi sdraiai di nuovo sull'erba. «Sono un caso così disperato?»

«Be', con Noah non sei gentile.»

«Sì, ma è Noah. Ah, comunque grazie» aggiunsi sarcastica «per avermi detto che mi avrebbe dato lui un passaggio.»

«Oh, sì. Scusami. Però non vi siete uccisi a vicenda.»

«Ero pronta a farlo, credimi. Se avessi visto come ha guardato Cody quand'è arrivato! Tuo fratello è l'idiota più irritante del mondo, fidati di me!»

Lee scoppiò a ridere e io fissai accigliata le nuvole che scorrevano nel cielo sopra di noi, batuffoli di cotone che si stagliavano sull'azzurro chiaro. Pian piano il mio respiro tornò regolare: osservare le nuvole mi calmò.

«Scusami» disse Lee dopo un po'. «Sei buffa quando ti arrabbi.»

«Come no.»

«In ogni caso... hai avuto modo di parlare con Cody dopo l'appuntamento?»

Erano le tre di sabato pomeriggio. E no, Cody non mi aveva scritto né telefonato e qualcosa mi diceva che nemmeno lui si era divertito un granché al cinema.

«No» risposi. «Non l'ho sentito.»

Lee si strinse nelle spalle. «Allora non è interessato.»

«Cosa? Come fai a saperlo? Magari ha soltanto molto da fare. Oppure se la sta tirando un po'.»

Il sorriso di Lee vacillò appena. «Mi dispiace, Elle, ma la

verità è che non è interessato. Credimi, sono un maschio e so come ragionano i ragazzi in queste situazioni.»

«Okay» mormorai. «Però prima era interessato a me. Forse avrei dovuto accontentarmi e baciarlo.»

«Ecco che ci risiamo» sbuffò. «Non eri obbligata in nessun modo a baciarlo. Tra di voi non è scattato nulla? Pazienza. Avanti il prossimo.»

«Non riesco a capire se i tuoi consigli sono utili o no.»

«Non sono una ragazza, quindi non aspettarti che analizzi ogni secondo del vostro appuntamento.»

«Ma l'ho appena fatto io, e mi hai ascoltato!»

«Esatto.»

Sospirai. «Va bene, immagino che tu abbia ragione. A scuola la situazione sarà un po' imbarazzante, secondo te?»

«Solo se la rendi imbarazzante.»

«Forse sì.» Mi sedetti di scatto, così velocemente che mi girò la testa. «Non dire a tuo fratello che l'appuntamento con Cody è andato male, okay?»

«E perché dovrei farlo?»

«Non lo so... in caso te lo chiedesse, digli che è andato tutto bene, ma che tra me e Cody non è scattato nulla. Non dirgli quant'è andata male in realtà.»

«Okay...» ribatté. Il suo tono era dubbioso, ma non fece altre domande.

Non volevo neppure pensare all'espressione compiaciuta di Noah se avesse scoperto la verità. Qualsiasi fosse la ragione per cui non voleva che avessi un ragazzo, Noah stava facendo un ottimo lavoro per assicurarsi che rimanessi single.

Sospirai e chiusi gli occhi mentre il sole mi scaldava il viso.

Sentii che Lee si sdraiava accanto a me e restammo così, accarezzati dai raggi, troppo tranquilli e rilassati per parlare.

Il weekend passò pigramente, non avevamo voglia di fare granché. Guardammo qualche film e prendemmo il sole, facemmo una gara di tuffi nella piscina di Lee e tentammo di fare i compiti (con scarsi risultati). E così lunedì arrivò molto più in fretta di quanto avessi voluto.

La prima lezione della giornata era chimica. Con Cody. Che non mi aveva chiamato né scritto per tutto il fine settimana. Non sapevo se semplicemente non volesse uscire di nuovo con me o se proprio non gli piacessi.

Alcuni compagni mi avevano già chiesto – di persona o con un messaggio – come fosse andato l'appuntamento, e avevo risposto a tutti «bene». Quando avevano voluto sapere se ci saremmo rivisti, avevo detto «forse». Quando avevano domandato se ci fossimo baciati, avevo raccontato la verità. Adesso però era giunto il momento di affrontarlo e non avevo idea di come comportarmi.

Sì, Cody era gentile e chiacchierare con lui era piacevole, ma il mio interesse nei suoi confronti si limitava a quello. E anche lui doveva pensarla allo stesso modo, dato che non si era più fatto sentire. La cosa avrebbe dovuto sollevarmi: se provavamo le stesse cose, la situazione tra di noi non sarebbe stata troppo imbarazzante, giusto?

«Oh, no!»

Alzai lo sguardo dall'armadietto e vidi Dixon che si avvicinava. «Hai rimesso i pantaloni. Mi manca già la gonna… Con quella eri uno schianto.»

«Molto divertente.»

«Non stavo scherzando» disse ridendo. Sbuffai e ricominciai a frugare nell'armadietto. «In ogni caso tutti non fanno altro che parlare del tuo grande appuntamento con Cody...»

«Perché? Non è stato così interessante, giuro.»

«Sì, lo so. Ma è il primo ragazzo che ha osato chiederti di uscire.»

Mi strinsi nelle spalle, cercando di trattenere la rabbia quando ricordai quanto detestavo Noah e la sua idea di proteggermi a tutti i costi.

«Cody ha detto a tutti che non hai voluto baciarlo.»

«Non è proprio... ehi, aspetta un attimo. L'ha detto a tutti? Cioè... lo sanno tutti?»

«Be', un paio di ragazzi insistevano per avere i dettagli e lui ha raccontato com'è andata. Solo perché il vostro appuntamento è stata una notizia a scuola. Quindi ora tutti pensano che tu non abbia voluto baciarlo.»

«Ma io... non saprei...»

«Ehi, non ti devi giustificare» mi interruppe Dixon con un altro sorriso. «Però ci sarà gente che spettegolerà e farà domande, quindi preparati.»

«Grazie per l'avvertimento» borbottai.

«Non c'è di che.»

E aveva ragione. I miei compagni non fecero altro che chiedermi: «Davvero non hai voluto baciare Cody? E come mai?»

La prima volta andai nel panico; non volevo spiegare perché non l'avessi fatto e così balbettai scuse come: «Io non... ehm... non mi sentivo bene e non sapevo se fossi contagiosa».

Una bugia bella e buona. Di sicuro se n'erano accorti, ma nessuno mi smentì.

Entrai nell'aula di chimica. Cody era già arrivato. Esitai per un istante, domandandomi se fosse il caso di sedermi accanto a lui.

Lui però mi sorrise e così lo raggiunsi. «Ciao» lo salutai in tono leggero.

«Se venerdì non stavi bene, avresti dovuto dirmelo.»

«Lo so, però non era nulla di grave e non volevo annullare l'appuntamento» replicai, cercando di sembrare convincente. «Scusa.»

«Non c'è problema.»

«Allora… ehm… ecco…» Mi schiarii la gola e Cody ridacchiò nervoso.

«Non vorrei sembrarti un idiota, però… ci ho pensato e…»

«Forse dovremmo rimanere amici?» suggerii, ma mi pentii subito: magari non era quello che aveva in mente. Oddio, era possibile che mi fossi appena scavata la fossa da sola?

«Eh… sì» rispose con un sorriso tirato. «Senza offesa. È che mi sembra che… non sia scattato nulla.»

«Nessuna offesa» dissi ricambiando il sorriso. «Ho pensato esattamente la stessa cosa.» Sperai che il sollievo che provavo non fosse troppo evidente. «Allora, hai fatto i compiti? Non ho capito la domanda numero otto.»

E così, in un attimo, tornai nel mio mondo privo di romanticismo e appuntamenti galanti. Purtroppo.

Lee e io stavamo lavorando all'insegna per lo stand. Avevamo inciso le lettere e Lee ne aveva levigato i bordi; ora dovevamo soltanto dipingerle e fissarle alla struttura. A casa mia c'erano le decorazioni e i poster erano pronti. Avevamo anche realizzato dei cartelli con la tariffa di due dollari.

«Sono tre giorni che tutti mi chiedono cos'è successo tra te e Cody» mi disse Lee. Era mercoledì pomeriggio, le lezioni erano finite, e dovevamo darci una mossa: venerdì sera avrebbe dovuto essere tutto pronto per la fiera.

«Spero tu non abbia detto nulla di troppo compromettente.»

«Non ho detto la verità, stai tranquilla» replicò con una risata, immergendo di nuovo il pennello nella vernice rosa. «Non capisco perché tu abbia detto di essere malata, però.»

«Era una scusa credibile» mi difesi. «Ed è anche la prima cosa che mi è venuta in mente.»

«Mmh. Ma un sacco di ragazzi pensano che sia stato Noah a spaventarlo.»

«In effetti era abbastanza minaccioso mentre aspettava Cody fuori dal cinema» ammisi, stampando l'impronta di un bacio su una delle lettere già asciutte.

Lee rimase in silenzio per un po', poi disse: «Shelly...»

«Sì?»

«A te non fa mai paura? Cioè... non è l'Incredibile Hulk, lo so, ma a volte mio fratello perde la pazienza molto facilmente.»

«È fatto così. E sono cresciuta con lui, quindi non mi fa paura. Anche se so che può essere... intimidatorio, ecco.»

«Già» concordò Lee annuendo. D'un tratto lasciò cadere il pennello nel barattolo, schizzandomi di rosa il viso, la camicetta, la cravatta, i capelli...

«Lee!» strillai.

«Scusa!»

Afferrai un pennello e lo immersi nella vernice nera, pronta a vendicarmi, ma un secondo dopo qualcosa di freddo e bagnato mi colpì in faccia e sul collo. Mi aveva lanciato addosso altra vernice, e sussultai facendo cadere il pennello, che lasciò una scia scura davanti a me.

Lee farfugliò qualcosa e poi scoppiò a ridere. Lo fulminai con lo sguardo, aspettando che la smettesse.

«Non è divertente, Lee!»

«Invece sì! Avresti... avresti dovuto... vedere la tua faccia!» disse tra una risata e l'altra, tenendosi la pancia. Presi lo zaino. «Dove... dove vai?»

«Negli spogliatoi a togliermi questa roba dalla faccia» risposi secca. «E piantala di ridere!»

«Non... non ci riesco!» boccheggiò, piegato in due. «Che espressione avevi!»

Uscii, infuriata, e mi sbattei la porta alle spalle. Mi sembrava di avere una camicetta di riserva nell'armadietto. Più tardi saremmo andati a mangiare un hamburger e non volevo somigliare a un'opera di Picasso.

Avevo sempre pensato che gli spogliatoi della scuola fossero un posto molto strano: un lungo corridoio tappezzato di volantini e annunci, che conduceva alla "zona fitness" dotata di tapis roulant e pesi, e ai campi all'esterno. L'area riservata alle ragazze era a sinistra, quella dei ragazzi a destra.

Non appena arrivai in corridoio, l'intera squadra di football spuntò dalla porta. Mi ero già tolta la cravatta e avevo sbottonato un po' la camicia, immaginando di essere da sola. I ragazzi, vedendomi, rallentarono il passo, e io rimasi immobile.

Un istante dopo scoppiò una risata generale: a quanto pareva, mi trovavano molto divertente.

«Cos'è successo?» mi chiese Jason, mordendosi un labbro per trattenere una risata.

«Lee e io stavamo dipingendo l'insegna per la kissing booth e lui aveva un barattolo di vernice» spiegai. «Devo aggiungere altro?»

Jason scosse la testa, mentre i suoi compagni entravano nello spogliatoio, guardandomi e continuando a ridere. Notai che un paio mi fissavano spudoratamente la camicetta semiaperta, e mi coprii con le braccia.

«Dai» esclamai girandomi verso di loro con un gran sorriso. «Sono ridotta così male?» Decisi che era meglio buttarla sullo scherzo che morire di imbarazzo.

«Be', io pagherei per vederti esposta in una galleria d'arte» commentò uno dei ragazzi, ridendo ancora.

Alzai gli occhi al cielo e mi avviai verso gli spogliatoi femminili, lanciandomi un «ciao» alle spalle.

All'improvviso una mano mi afferrò il braccio, facendomi inciampare, ma allo stesso tempo impedendomi di cadere. Mi voltai per vedere di chi si trattasse. E a quel punto il mio sorriso sparì. «Oh.»

«Che stai facendo?» sibilò Noah. «Non puoi andartene in giro per la scuola mezza nuda, Elle.»

«Io vado dove mi pare e piace, okay?» ribattei sottraendo il braccio alla sua presa. «Non è successo niente. Non sto saltellando in mutande, per l'amor del cielo.»

«Sì, però...» Mi squadrò con attenzione e poi mi guardò negli occhi.

«Lasciami in pace!» urlai, furiosa. «È già abbastanza grave che tu sia iperprotettivo, non c'è bisogno di essere così… estremo!»

«Allora, cos'è successo tra te e Cody? So per certo che la tua "malattia" era una bugia.»

Rimasi a bocca aperta. Mi stava ricattando? «Non l'hai detto a nessuno, vero?»

Mi rivolse un sorrisetto e uno sguardo accondiscendente. «Non amo i pettegolezzi. E comunque no, non l'ho detto a nessuno. Immaginavo avessi una buona ragione per mentire. Allora, cos'è successo?»

Mi strinsi nelle spalle. «Niente.»

«Qualcosa è successo per forza. Ti conosco abbastanza bene da capire quando non dici la verità. Quindi?»

Mi morsi l'interno della guancia, chiedendomi se vuotare il sacco con Noah o dirgli di farsi i fatti suoi. Se però non gli avessi detto nulla, forse avrebbe pensato che Cody si era spinto troppo in là. Mentre ci riflettevo mi accorsi che Noah, in tenuta da football, era persino più sexy del solito, con la protezione sulle spalle e il casco sotto il braccio. Aveva i capelli un po' umidi di sudore e nel complesso era proprio… wow.

Gli risposi prima che notasse che lo stavo squadrando. «Alla fine dell'appuntamento ha cercato di baciarmi, ma mi sono spostata e mi ha baciata sulla guancia. Non ha fatto niente di strano, era una situazione del tutto normale e io mi sono resa ridicola girando la testa. Non è successo un bel niente, i pettegolezzi l'hanno trasformata in una storia più grande di quella che è. È stato solo imbarazzante.»

Scrutò il mio viso per qualche secondo e poi disse: «Davvero? Sei sicura che le cose siano andate così?»

Avevo l'impressione che stesse trattenendo una risata.

Sbuffai, in preda alla frustrazione. «Sì, sicura al cento percento. Perché devi essere sempre tanto plateale? E in ogni caso nessun ragazzo della scuola può costringermi a fare qualcosa che non voglio fare.»

Inarcò un sopracciglio, di sicuro pensava che fossi troppo ingenua.

Ignorai la sua espressione. «Adesso posso andare a togliermi di dosso questa vernice del cavolo, o l'Inquisizione ha altre domande inutili da farmi?»

Accennò un sorriso. «Qualcuno è di cattivo umore...»

«Sono coperta di vernice e tu mi stai facendo il terzo grado per nulla! Certo che sono di cattivo umore!» Mi avviai a passo deciso verso gli spogliatoi.

Quando però mi vidi allo specchio, scoppiai a ridere anch'io. Ero un vero disastro! Avevo schizzi di vernice tra i capelli, sulla faccia e anche sul collo e sulla camicetta... Smisi di ridere quando capii che la vernice non sarebbe venuta via con l'acqua, e quando scoprii di non avere un cambio nell'armadietto.

Dopo dieci minuti passati a sfregare, riuscii a togliere quasi tutta la vernice dai capelli e dal viso. Siccome la camicia era ormai fradicia, la tolsi e rimasi davanti al lavandino in reggiseno e pantaloni. Dopo qualche secondo la porta si aprì; convinta che fosse Lee, non mi voltai.

«Ehi, Elle, Lee ha detto che va a mangiare qualcosa con gli altri, quindi se vuoi un passaggio per tornare a casa...» Noah smise di parlare quando mi vide.

Rimasi immobile, fissandomi allo specchio. Mi girai,

sentendo le guance in fiamme e sperando che Noah non se ne accorgesse.

«Che c'è?» sbottai.

«Niente.»

«No, cosa stavi dicendo?»

«Ah, sì. Già. Ehm, Lee sta per andare a mangiare qualcosa con i ragazzi e mi ha detto di accompagnarti se vuoi tornare subito a casa. E, dato che somigli ancora a un quadro di Picasso...»

Osservai gli spruzzi di vernice sulle clavicole e risi, cercando di nascondere l'imbarazzo. Indossavo il reggiseno e lui mi aveva già vista in bikini in passato, eppure ora sembrava... diverso. «Okay. Di' a Lee di non preoccuparsi.»

«Va bene. Tra quanto sarai pronta?»

Mi strinsi nelle spalle. «Non lo so. Se mi accompagni subito a casa posso fare la doccia lì, quindi...» Mi infilai la camicetta bagnata e la abbottonai in fretta, poi mi misi lo zaino in spalla. «Andiamo.»

Non ero proprio impaziente di ritrovarmi in macchina con Noah, perché temevo che mi facesse una ramanzina o qualcosa del genere.

«Come sta venendo lo stand?» mi chiese in tono leggero mentre attraversavamo il parcheggio.

Si accorse del mio sguardo sospettoso e aggiunse, scuotendo la testa: «Che c'è? Non possiamo parlare?»

Per tutta risposta inarcai le sopracciglia, scettica.

Lui sospirò. «Come vuoi. Pensi di rispondermi o no?»

Chiusi gli occhi per un secondo. Sentivo che avrei dovuto essere arrabbiata con lui, ma non mi venivano in mente dei motivi validi. Noah aveva uno strano effetto su di me, e non avrei saputo dire se fosse positivo o negativo.

«Sta venendo bene. Dobbiamo fare ancora un po' di cose entro venerdì, però dovremmo cavarcela. Sempre che Lee non decida di dipingere me anziché le lettere.»

«Be', se ti può consolare saresti un quadro impressionista perfetto.»

Mi fermai, lasciandolo avanzare di qualche passo. Quando si accorse che non ero più di fianco a lui, si girò e notò la mia espressione sorpresa.

«Che c'è?»

«Credo che tu mi abbia appena fatto un complimento. Noah Flynn ha fatto un complimento a qualcuno, chiamo subito i giornalisti!»

Lui fece una risata sarcastica, ma notai una scintilla nei suoi occhi. Gli sorrisi e lo raggiunsi.

«Farai un giro alla fiera?» chiesi.

«Sì, non ho scelta. È un'occasione in cui i professori si "raccomandano" di mostrare lo "spirito scolastico".»

«E ti fermerai alla kissing booth?»

Mi rivolse un'occhiata che mi infastidì. «Perché lo vuoi sapere, Shelly?»

«Tutte le ragazze, soprattutto quelle che lavoreranno allo stand, vogliono che ti convinca a passare. La possibilità di baciare Noah Flynn è una prospettiva irresistibile per alcune di loro.»

Sorrise. «Ah, allora non sei interessata?»

Be', insomma…

«No, assolutamente no.»

«Non ti posso promettere niente. Ma, se te lo chiedessero di nuovo, di' pure che *forse* farò un salto. Anche se, "conoscendomi", te lo chiederanno di sicuro.»

«Sei davvero presuntuoso» borbottai scuotendo la testa. Mi fermai cercando la sua auto con lo sguardo. Noah aveva le chiavi in mano, ma non la vedevo. «Dov'è la macchina?» domandai.

«Oggi non l'ho presa.»

«E come sei venuto?»

«In moto.»

Gemetti e rallentai il passo fino a fermarmi quando notai la moto rossa e nera che aveva sistemato con le sue mani. Sembrava fantastica, ma non ero mai salita su una moto in vita mia e la sola idea di farlo mi terrorizzava. Eppure non avevo altra scelta: dovevo montare su una trappola mortale a due ruote. Con Noah, per di più.

«Se muoio sarà soltanto colpa tua.»

«Non morirai, Elle. Ecco, mettiti il mio casco.»

«Ne hai solo uno? E se poi...»

«Me la caverò» mi interruppe. «Non ho ancora avuto incidenti.» Diede un colpetto deciso al manubrio, come per dimostrare che era solida.

«E se cadi? E se vai a sbattere contro qualcuno? I caschi si indossano per un motivo! Vuoi suicidarti?» La mia voce diventò più stridula a ogni sillaba pronunciata. Non riuscivo a staccare gli occhi dalla moto, che mi sembrava sempre più mostruosa e minacciosa.

«Sei preoccupata per me, Shelly?» mi stuzzicò.

Socchiusi gli occhi. Stava sorridendo mentre si passava il casco da una mano all'altra. Lo afferrai di scatto.

«Non devi aver paura della moto» proseguì, accarezzandola come fosse un cagnolino. «Non morde mica.»

«Lei forse no, ma tu sì» borbottai sotto voce. Lui mi sentì e ridacchiò, poi infilò il suo zaino e il mio nello spazio vuoto sotto la sella.

Indossai il casco digrignando i denti. Non avevo nessuna voglia di salire là sopra... però non avevo scelta. Dovevo tornare a casa a fare una doccia, prima di raggiungere Lee e gli altri, anche se avrei preferito uscire ridotta in quel modo piuttosto che andare in moto con Noah.

Non riuscivo ad allacciare il casco, perché era enorme e mi copriva un po' gli occhi. Profumava di agrumi, però, come il cuscino di Noah. Era un odore piacevole... scacciai subito quel pensiero per concentrarmi sul casco e ridurre le possibilità di morire in caso di incidente.

«Aspetta...» Le mani di Noah si posarono sopra le mie e sistemarono il casco. Mi sfiorò il collo con la punta delle dita e mi sorpresi a tremare, ma mi dissi che dipendeva dal terrore di dover salire sulla moto.

«Non aver paura.» Mi rivolse un sorriso, un altro sorriso sincero che rivelò la fossetta sulla guancia. Lo adoravo e mi fece battere forte il cuore.

Montò in sella e io mi sistemai dietro di lui con movimenti cauti. *Per fortuna non ho messo la gonna*, pensai.

Noah tese un braccio all'indietro e mi prese le mani per posarmele sui suoi fianchi. Mi irrigidii a quel contatto e disse: «Rilassati, Elle».

La moto prese vita con uno scatto e ruggì sotto di noi. Non ci eravamo spostati di un centimetro ma mi avvicinai a lui il più possibile e lo strinsi forte. Il cuore mi batteva all'impazzata. Sentii Noah ridere al di sopra del rombo minaccioso del motore e del sangue che mi pulsava nelle orecchie.

E poi partimmo.

Avrei voluto urlargli di rallentare, che così ci saremmo schiantati da qualche parte, ma quando aprii la bocca la mia voce fu coperta dal vento. Sfrecciavamo lungo le strade, facendoci largo nel traffico e superando file di auto e furgoni.

I miei capelli svolazzavano da sotto il casco e avevo la camicetta appiccicata alla pelle. Non sentivo nient'altro che il battito del mio cuore, il ruggito della moto e il vento.

Quando Noah svoltò e si fermò davanti a casa mia, non riuscivo a muovermi. Avevo ancora le dita intrecciate sui suoi addominali scolpiti e le gambe vicinissime alle sue. Lui scostò delicatamente le mie mani dalla sua vita e io tornai in me. Scesi dalla moto, con le gambe così molli che in confronto un budino sarebbe sembrato solido, e le mie dita tremanti armeggiarono con il casco.

Noah me lo sganciò con abilità e lo sfilò. «Hai i capelli elettrici» commentò prima di scompigliarli.

Feci una smorfia e cercai di sistemarli, ma era impossibile: erano arruffati e spettinati, ci avrei messo ore a sciogliere tutti i nodi, senza contare che i residui di vernice avrebbero complicato la situazione.

«Dai» proseguì lui, appoggiandosi con naturalezza alla moto. «Prova a dirmi che non ti è piaciuto.»

«È stato terribile» risposi, sincera.

«Non ti è piaciuto il vento tra i capelli, la sensazione di libertà o la velocità?»

Scossi la testa. «Nemmeno per idea. È stato davvero terribile.»

«Non ti è piaciuto neppure stringerti a me?» domandò con un sorrisetto arrogante. «Quello non puoi negarlo.»

«Noah, è stata la cosa più spaventosa che io abbia mai fatto. Puoi essere fico quanto vuoi, ma è stata un'esperienza terrificante.»

«Ah, pensi che sia fico?» Il suo sorriso si allargò e mi sentii avvampare.

«Oh, piantala. Sai benissimo di esserlo.»

«Certo. Ma è bello sentirtelo ammettere.»

«Sei un idiota, sai anche questo? Non salirò mai più su quella moto.»

«Sono un idiota fico, però» mi stuzzicò ancora.

Lo fulminai con lo sguardo. «Chiudi la bocca e dammi lo zaino. Per favore.»

Alzò gli occhi al cielo ma me lo passò.

«Grazie» dissi in tono secco, e mi avviai decisa verso la porta.

«Ah, Elle?»

«Che c'è?» sospirai esasperata, girandomi.

«Hai un po' di vernice… qui.» Si sfiorò la guancia, sorridendo come uno scemo.

Sbuffai, entrai in casa e sbattei la porta.

«Elle, sei tu?» mi chiamò mio padre. Fece capolino dalla cucina e sgranò gli occhi. «Cos'è successo?»

«Non vuoi saperlo.»

9

Riuscimmo a finire la kissing booth appena in tempo. Venerdì ci lavorammo per tutta la pausa pranzo e ci fermammo a scuola fino alle sei di sera per portarla a termine.

Le nostre compagne non facevano altro che chiedermi se Noah sarebbe passato dallo stand, e a ogni domanda rispondevo: «Ha detto che forse farà un salto, ma se fossi in voi non ci spererei troppo». Malgrado le mie parole, l'emozione illuminava i loro volti: ci speravano eccome.

Non avevo più incontrato Noah da quando, mercoledì, mi aveva accompagnata a casa.

Avevo la sensazione che, appena ci fossimo rivisti, mi avrebbe presa in giro perché mi ero lasciata sfuggire che era fico. Temevo che avrebbe tirato di nuovo fuori l'argomento per mettermi in difficoltà.

Sabato mattina Lee venne a prendermi presto, alle otto.

«Odio la mattina» borbottai, ancora mezza addormentata, mentre scendevo dall'auto davanti a Starbucks. Non vedevo l'ora di bere il solito latte macchiato con la panna, ma feci aggiungere un po' di caffè sperando di svegliarmi.

«Sì, non dirlo a me» mugugnò Lee.

Ci trascinammo fino al bancone, ordinammo e pagammo.

La fiera iniziava alle dieci, ma dovevamo essere lì un'ora prima per assicurarci che tutto fosse pronto. Anche se non avevamo molto tempo, ci fermammo a bere il caffè e a mangiare dei brownies: avevo un disperato bisogno di caffeina, e un po' di zuccheri non mi avrebbero fatto male. Lee ingurgitò due dolcetti mentre io addentavo il primo, e uscimmo giusto in tempo per non arrivare in ritardo.

«Svegli e scattanti come sempre, vedo» commentò Tyrone alle nove meno due minuti. «Il vostro stand è laggiù, accanto a quello dello zucchero filato.»

«Fantastico» ribatté Lee prima di raggiungerlo.

Sistemammo all'interno quattro sgabelli e appendemmo le decorazioni di carta crespa, poi attaccammo qualche poster che pubblicizzava la kissing booth in vari punti della fiera. Le altre attrazioni non erano niente male, alcune erano proprio meravigliose: c'era persino un castello gonfiabile con una piscina di palline per i più piccoli. La fiera stava prendendo forma e dovevo ammettere che superava le mie aspettative.

Tornai al nostro stand, dove Lee stava flirtando con Rachel, una delle sue compagne di biologia. Era una ragazza vivace e piena di vita, ma non in modo fastidioso. Sapevo che a Lee piaceva perché negli ultimi tempi non aveva fatto altro che parlare di lei, e speravo che anche lei fosse interessata. Quando li vidi insieme ne ebbi la conferma.

«La kissing booth funziona già a pieno regime, eh?» li stuzzicai.

Rachel, che giocherellava con una ciocca di capelli, era vicinissima a Lee. Al mio commento arrossì e lui mi fulminò con lo sguardo.

«Lee mi ha appena invitato al cinema» mi confidò Rachel.

«Ah!» esclamai con un sorriso. «Be', divertitevi. Quando andate?»

«Domani sera.»

«Perfetto.» Rachel aveva un'espressione sognante e i suoi occhi brillavano. Feci un cenno appena percettibile a Lee per confermargli che lui le piaceva.

Erano da mesi che Lee non aveva una ragazza e mi augurai che a Rachel non desse fastidio il legame stretto che ci univa. Era quello il motivo per cui di solito le sue storie finivano: alle ragazze non andava giù il fatto che lui passasse tanto tempo con me, e lui non sopportava le loro lamentele... e così entrambi voltavano pagina.

Lo lasciai a chiacchierare con Rachel e andai a salutare chi era arrivato nel frattempo, un quarto d'ora prima dell'apertura ufficiale della fiera.

«Ciao!» dissi sorridendo a Samantha e Lily. C'erano anche Jason e Dave, che discutevano animatamente di una partita dei Mets, e poi arrivò Jon.

«Chi stiamo aspettando?» chiese Dave vedendomi.

«Karen, Dana e Ash» ribattei. «Ma dovrebbero essere qui tra poco.»

«Andiamo allo stand?» propose Lily.

«Tra qualche minuto. Lee sta flirtando con Rachel e probabilmente lo inaugureranno.»

Scoppiarono tutti a ridere.

«Hanno un appuntamento? Era ora! Sono settimane che Rachel non fa altro che parlare di lui!» commentò Samantha.

«Oddio, non dirlo a me» concordò Lily. «Sono seduta vicino a loro a biologia e l'altro giorno stavo per urlare: "Vi prego, frequentatevi fuori da qui!"»

«Ah, ragazzi… i vostri turni saranno di mezz'ora, okay? Così riuscirete tutti a fare un po' di pausa» li informai.

«Va bene.»

«Certo.»

«Non c'è problema.»

«Ottimo.»

Poi sentii un'altra voce che diceva: «Ehi!» e vidi Dana e Karen che si avvicinavano a noi, quasi di corsa. Come le altre ragazze indossavano dei vestitini rosa o rossi, mentre i ragazzi portavano jeans e camicie attillate che mostravano i muscoli da atleti. Stavano sicuramente meglio di me, con gli shorts e la canotta nera.

«Oh, cavolo!» esclamò Karen frugando disperata nella borsa. «Ho dimenticato il rossetto.»

«Ce l'ho io, non preoccuparti» la rassicurò Lily.

Lei sospirò di sollievo. «Meno male.»

«Okay, ragazzi, rilassatevi: sono arrivato» annunciò una voce. Mi voltai e vidi Ash che ci raggiungeva con calma.

«Fantastico» dissi. «Allora, Ash e Dave, cominciate voi. Poi tocca a Lily e Karen. Manderò un messaggio agli altri alle dieci e venticinque per ricordarvi di venire allo stand per darvi il cambio.»

Annuirono tutti, poi il nostro gruppetto attraversò la fiera osservando con interesse gli stand e i banchetti dai colori accesi. Quando arrivammo Rachel non c'era più e Lee stava fissando un nastro divisorio in modo che i maschi facessero la fila da un lato e le femmine dall'altro.

«Tutti pronti?» chiesi sentendo Tyrone che annunciava che mancavano solo un paio di minuti prima dell'apertura al pubblico.

«Sì, ci siamo» mi risposero in coro.

Guardai Lee e ci scambiammo un sorriso.

La gente di lì a poco cominciò a entrare, e in meno di mezz'ora si formò una lunga coda davanti al nostro stand. Lee e io restammo nei paraggi per raccogliere i soldi e assicurarci che nessuno cercasse di andare oltre un rapido bacetto. Nel giro di un'ora avevamo già incassato duecento dollari.

«È assurdo!» dissi a Lee dopo aver contato i soldi e averli riposti al sicuro nella cassetta.

«Incredibile! Sto per vincere la mia scommessa con Joel.»

«Quale scommessa?»

«Trenta dollari che la kissing booth avrebbe incassato più del suo stand con i gavettoni.»

«Ah, sì, me ne ero dimenticata.» Joel e Francis avevano allestito uno stand in cui si dovevano colpire dei palloncini pieni d'acqua lanciando delle freccette; centrandone tre si vinceva un orsacchiotto gigante di peluche. Da dove mi trovavo riuscivo a vederlo. «Non so se tu abbia vinto... Mi sembrano abbastanza indaffarati.»

«Sì, ma di sicuro non hanno incassato duecento dollari» replicò in tono saccente tamburellando le dita sulla cassetta di metallo.

Gli sorrisi mentre la playlist che avevamo preparato con cura echeggiava a tutto volume dalle casse, e bastava guardarsi attorno per capire che tutti si stavano divertendo. Le risate riempivano l'aria, il profumo dello zucchero dava alla testa e l'atmosfera era elettrica.

Lee e io ci allontanammo per venti minuti, lasciando che Tyrone controllasse la situazione. Comprammo degli hot dog e qualcosa da bere, poi Rachel ci offrì lo zucchero filato dato che lavorava a quella bancarella.

Dovetti praticamente trascinare via Lee. «Siete carini, insieme» dissi. «A quanto pare le piaci da settimane.»

«Davvero?» mi chiese con un sorrisone e gli occhi sgranati.

«Già.»

«Fico.»

«Sono felice che tu le abbia chiesto di uscire. Sei single da un'eternità.»

«Ti sei stancata della mia compagnia?» mi provocò dandomi una gomitata.

«No» risi. «Sono soltanto contenta per te, ecco tutto!»

«Sì, pure io. Lei mi piace un sacco.» Mi cinse le spalle con un braccio e tornammo verso la kissing booth. «Adesso dobbiamo solo trovare un ragazzo abbastanza coraggioso da sfidare la mia collera che ti chieda di uscire… ah, anche abbastanza coraggioso da affrontare le minacce di Noah.»

Feci una risata secca. «Non lo troveremo mai. Morirò zitella, se Noah non fa un passo indietro.»

«Ma no, dai. Magari arriverai vergine ai quarant'anni, però...»

Gli diedi una gomitata nelle costole e mangiai un po' di zucchero filato. «Piantala» gli intimai con la bocca piena.

Scoppiò a ridere. «Ti sto solo prendendo in giro, lo sai.»

«Già.»

Karen, Lily, Dave e Ash ci raggiunsero pochi minuti dopo. Lee e io ci spostammo sul retro dello stand per mettere i soldi nella cassetta. La fila, fuori, era sempre più lunga: ragazzine eccitate si rimettevano il lucidalabbra per baciare gli atleti, e i maschi decidevano chi avrebbero scelto, parlando delle nostre compagne.

Noi ci tenemmo di lato, osservando le persone in coda. All'improvviso Karen si allontanò di corsa dallo stand, con un'espressione terrorizzata.

«Cos'è successo? Va tutto bene? Che c'è?» le chiedemmo in coro, temendo che un ragazzo si fosse spinto troppo in là.

«Non posso!» esclamò in tono isterico. «Non ci riesco! *Lui* è là fuori!»

«Lui chi?»

«Il tuo ex?» ipotizzò Lee, confuso.

Lei osservò prima me e poi lui, quindi annuì mordendosi il labbro. «Sì... diciamo così.»

«Ma... non possiamo... Lily non può cavarsela da sola finché non sarà arrivato il turno dell'ex di Karen?» proposi.

All'improvviso Lee mi spinse verso lo stand. «Entra!» mi sibilò. «Almeno finché non se ne sarà andato.»

«Ma... ma...» Non potevo partecipare alla kissing booth! Non avevo mai baciato nessuno in vita mia!

«Devi farlo, non abbiamo altra scelta!» mi supplicò.

Prima finisco in sella a una moto... con Noah, tra l'altro. Ora devo baciare degli sconosciuti nella kissing booth. Come ho fatto a pensare che fosse una buona idea?

«Così farai un po' di pratica» aggiunse Lee scherzando.

Confusa, mi diressi allo sgabello fino a poco prima occupato da Karen. Presi il rossetto dal bancone e ne misi un po' sulle labbra. Era di un rosso acceso, che io non avrei mai usato. Senza contare che non avevo nemmeno l'abbigliamento adatto...

Osservai la fila di ragazzi davanti a me e Lily mi rivolse un sorriso d'incoraggiamento prima di esclamare: «Avanti il prossimo!»

E poi lo vidi. Mi voltai di scatto e guardai Karen e Lee, disperata. In coda non c'era il suo ex.

«Flynn?» sibilai verso di lei. Il cuore mi batteva contro le costole e avevo gli occhi fuori dalle orbite. Incredibile! Lei e le sue amiche mi avevano chiesto mille volte di convincerlo a partecipare e, quando lui arrivava, Karen scappava? E dire che aveva una cotta per lui...

«Scusami!» sussurrò mordendosi ancora il labbro.

«Il prossimo» chiamò ancora Lily. Merda. Toccava a Noah. Fui scossa da un tremito, ma Lily mi fece capire che dovevo sbrigarmi.

E così presi un bel respiro, mi schiarii la gola e dissi, con voce tremante: «Il prossimo».

Noah si avvicinò allo stand e si sedette di fronte a me. «Da quando sei lì dietro?»

«Da quando sei arrivato e Karen è scappata» borbottai

mentre lui mi squadrava dalla testa ai piedi. «Be'? Lo so che non sono vestita nel modo giusto.»

«No, stai bene.»

«Oh.» Battei le palpebre, sorpresa. Una specie di complimento... un altro. «Grazie. Non pensavo che saresti passato.»

Lui si strinse nelle spalle. «Non pago due dollari per chiacchierare con te, sai?» mi disse, posando le banconote sul bancone con decisione. «Pago per un bacio.»

Sta solo scherzando... vero? Mi sta prendendo in giro, è uno scherzo.

Inarcò un sopracciglio e mi fissò, in attesa.

Oh, mio Dio, fa sul serio. Devo baciarlo.

Non riuscivo ad accettare l'idea che il primo ragazzo che avrei baciato sarebbe stato Noah Flynn. Il fratello maggiore del mio migliore amico. Il ragazzo che riusciva a farmi provare le cose più assurde e a farmi arrabbiare in tre secondi netti.

Deglutii e lui se ne accorse, perché mi guardò perplesso. I miei occhi corsero alle sue labbra, che sembravano morbide e... tutte da baciare. Ripensai alla mattina in cui l'avevo visto coperto solo dall'asciugamano... lo rividi in tenuta da football...

E stavo per baciarlo. Sapevo che non ero costretta a farlo, se non volevo; nessuno poteva obbligarmi, e quella era la parte peggiore: avevo la possibilità di tirarmi indietro, eppure non riuscivo a farlo.

Mi avvicinai mentre lui faceva lo stesso. E se avessi avuto dello zucchero filato incastrato tra i denti? E se avessi avuto l'alito pesante?

Smettila con queste paranoie!

Il mio primo bacio...

10

Quando le mie labbra sfiorarono le sue sentii un sapore di menta e zucchero filato, una combinazione niente male, dopotutto. Lo baciai e per un istante dimenticai tutto. Dimenticai che eravamo in una kissing booth, dimenticai che eravamo in pubblico, dimenticai che si trattava di Noah, che in teoria detestavo perché si intrometteva nella mia vita. Per un attimo dimenticai persino che si trattava del mio primo bacio.

Mi limitai a baciarlo, seguendo i suoi movimenti. E, quando sentii la punta della mia lingua toccare la sua, schiusi un po' di più la bocca, lasciando che il bacio diventasse più profondo. Reagii con decisione, anche se non avevo idea di cosa stessi facendo. Imitavo i suoi gesti.

Ci staccammo nello stesso momento, ma lui rimase immobile, la fronte contro la mia. Eravamo entrambi a corto di fiato.

«Cavolo» disse, con le labbra incurvate in un sorriso e gli

occhi che scintillavano. Non sapevo se fosse un commento positivo o un: "Cavolo, ho appena baciato la migliore amica del mio fratellino".

«Già» sussurrai in ogni caso, strappandogli una risatina.

Dalla folla in coda arrivarono dei fischi di approvazione, ma li sentii appena. Poi qualcuno mi diede un colpetto sulla spalla, facendomi sussultare.

«Ehm... posso tornare al mio posto, se vuoi» disse Karen con un sorriso d'intesa.

Ancora confusa dal bacio, annuii e mi alzai, cedendole lo sgabello. Mi allontanai lentamente dallo stand, immersa in una sensazione surreale. Doveva essersi trattato di un sogno. Era impossibile che avessi appena baciato Noah Flynn! E di fronte a tutta quella gente, poi!

Probabilmente quel bacio, dopo il tentativo di spogliarmi alla festa, non avrebbe giovato un granché alla mia reputazione, e il solo pensiero mi fece venire voglia di sprofondare.

Le labbra mi pizzicavano, ed era strano ma anche piacevole. Sentivo ancora il sapore di menta e zucchero filato, e il suo velo di barba che mi solleticava la guancia. Era una sensazione davvero surreale.

Avevo dato il mio primo bacio, e non era stato un semplice bacio, uno sfiorarsi di labbra. No, era stato un bacio vero, da film, con la lingua e tutto il resto. Le possibilità che il mio primo bacio avvenisse con Noah Flynn a uno stand della fiera erano pochissime... così poche che cominciai a pensare che non fosse nemmeno accaduto.

«Vedi, non è stato poi così terribile.»

Sussultai sentendo la voce di Lee.

«Che succede?» chiese, sollevando lo sguardo dal cellulare.

«Credo... credo di... aver appena baciato tuo fratello» balbettai a bassa voce, ancora incredula.

Sgranò gli occhi. «Come ho fatto a perdermi una cosa del genere? Non che volessi assistere, eh. Però, tu e mio fratello... assurdo. Davvero assurdo. Comunque dico sul serio: come ho fatto a perdermelo?»

«Stavi scrivendo a Rachel?»

«Sì.»

«Ecco come hai fatto a perdertelo.»

Lui rise e scosse la testa. «Sì, forse hai ragione. Senti, ehm... ti darebbe fastidio se la portassi al cinema stasera? Dopo la fiera.»

«No, figurati. Non c'è problema, chiederò un passaggio a qualcuno.»

«Magari può riaccompagnarti tuo padre. È qui con Brad, giusto?»

«Sì, sono qui da qualche parte.»

All'improvviso mi ritrovai circondata da diverse ragazze che volevano sapere se era successo davvero, se avevo appena baciato Flynn alla kissing booth. E volevano conoscere ogni minimo dettaglio. Con un sospiro spiegai che Karen si era tirata indietro... sì, era stato un bacio con la lingua... come? No, non sapevo se lui mi piacesse in quel senso... forse, non ne ero sicura. E sì, era stato il mio primo bacio.

Ovviamente erano tutte gelose, ma si chiedevano se mi sarei messa con Flynn, sperando di no. Volevano che Noah restasse single per poter flirtare con lui e sbavargli dietro. In ogni caso, la loro curiosità era inarrestabile e la notizia si diffuse in fretta. Tutti quelli che erano alla fiera ne parlavano, di persona o via messaggio… e la mia popolarità schizzò alle stelle. Ero estremamente confusa.

Degli studenti del secondo anno mi passarono accanto e una ragazza mi indicò: «Ecco, è lei che ha baciato Flynn».

All'inizio feci una smorfia, ma poi mi consolai dicendomi che in fondo avrei potuto essere famosa per cose molto peggiori.

«Vuoi metterti con lui?» mi chiese Lee quando fummo finalmente da soli, dopo la chiusura della fiera. I membri del consiglio studentesco e altri ragazzi stavano sistemando i loro stand e contando gli incassi. «In realtà credevo che la cotta che avevi per lui ti fosse passata.»

«Infatti è così. Non lo so. Cioè, è… Noah. Capisci?»

«Mi sa di no. Tanto per cominciare, è mio fratello. E in secondo luogo sono un maschio.»

«Sì, okay. Però hai capito cosa intendo. Un po' lo odio e un po' mi piace.»

«Be', se non sei sicura di quello che provi non fare nulla. Vuoi che gli parli?»

Ignorai l'ultima frase. «Comunque, mettersi con lui… non lo so. Se anche succedesse – ma è estremamente improbabile – e poi finisse male, magari la nostra amicizia ne risentirebbe, ed è l'ultima cosa che voglio.»

«Sei molto dolce.»

«Piantala.»

«Però ci stavo pensando anch'io… Cinquecentocinquanta» borbottò mettendo via la mazzetta di banconote. «Se vi metteste insieme e poi vi lasciaste male, tu ti faresti vedere molto meno a casa nostra. E sentirei la tua mancanza.»

«Mi mancheresti anche tu. Non tanto, però.»

«Grazie, eh?» disse in tono sarcastico, e scoppiammo a ridere entrambi.

«Sarà imbarazzante vederlo.»

«Puoi dirlo forte.»

«Certo che sei proprio rassicurante, Lee» ironizzai dandogli un pugno sul braccio. «Non puoi essere un po' più partecipe?»

Si strinse nelle spalle. «Non credo che dovresti metterti con mio fratello. Sarebbe strano... e mi farebbe un po' impressione.»

«Immagino.» Scossi la testa. «Lee, qui ci sono solo cinquecento dollari e quarantanove.»

«Oh, cavolo.» Mi passò un'altra banconota e la aggiunsi al resto. Stavo ricontrollando i suoi conteggi. «Allora ti porta a casa tuo padre?»

«No. Ha accompagnato Brad e i suoi amici al cinema subito dopo la chiusura della fiera. Chiederò un passaggio a qualcuno... visto che mi stai *scaricando* per la tua nuova *fidanzata*.»

«Non ti sto scaricando! Hai detto che per te non c'erano problemi! Te l'ho chiesto!»

Scoppiai a ridere. «Calmati, stavo scherzando.»

Lui alzò gli occhi al cielo.

In totale avevamo incassato seicentoquattordici dollari, e il nostro stand era quello che aveva riscosso più successo. Forse dipendeva anche dal fatto che non avevamo dovuto comprare un sacco di orsacchiotti o di hot dog, ma non importava.

Di lì a poco Lee se ne andò con Rachel e io mi fermai ad aiutare Joel a pulire. Si stava ancora lamentando per aver perso la scommessa.

«È colpa tua, sai? Dico davvero, mi devi trenta dollari.»

«E perché?»

«Se non avessi dato spettacolo con Noah, i ragazzi non avrebbero fatto la fila aspettandosi chissà cosa» rispose con un'espressione e un tono innocenti. «Quindi dammi i miei trenta dollari.»

«Scordatelo. Non è stata colpa mia. Oppure... stai morendo dalla voglia di scoprire ogni singolo dettaglio del mio primo bacio?» dissi con una vocina acuta, e lui si finse inorridito.

«Okay, okay, tieni pure i soldi! Basta che mi risparmi il supplizio!» mi rispose ridendo.

Qualcuno tossì alle nostre spalle e ci girammo. Vidi Noah: mi fissò inarcando un sopracciglio e poi, con una rapida occhiata, convinse Joel a ricominciare a raccogliere bastoncini dello zucchero filato e incarti degli hot dog.

Merda. E adesso cosa faccio? Che ci fa lui qui?

Noah inclinò la testa e Joel mi diede una spinta leggera per incoraggiarmi a raggiungerlo. Lo guardai disperata, ma lui si stava già dirigendo verso gli altri ragazzi.

Seguii Noah nel parcheggio, disseminato di cartacce, striscioni e avanzi di cibo su cui i gabbiani non si erano ancora avventati.

«Lee ha detto che ti serviva un passaggio e così sono venuto a prenderti.»

Perché? Perché il mio migliore amico faceva cose del genere? Di sicuro credeva di farmi un favore, però... aveva ignorato le mie paranoie e chiesto a Noah di darmi un passaggio!

«Sì» risposi, non sapendo cos'altro dire. Non aveva ancora accennato al bacio, e mi domandai se fosse un segnale positivo o negativo. «Aspetta… non sei in moto, vero?»

Ridacchiò. «No. Sono venuto in macchina, sapendo quanto odi la moto.»

«Meno male» sospirai, e lo sentii ridere di nuovo. All'improvviso il mio cuore cominciò a fare le capriole nel petto. Probabilmente ero solo nervosa. Per un attimo desiderai che fosse venuto in moto, così non ci sarebbero stati dei silenzi imbarazzati da colmare.

Mi guidò fino all'auto nel parcheggio semivuoto e salimmo entrambi. La tensione era insopportabile, non sapevo come comportarmi o cosa dire. L'avevo *baciato*, ed era stato un bacio molto intenso, non un errore commesso dopo aver bevuto troppo. Cos'avrei dovuto fare?

«Ti dispiace se ci fermiamo un attimo a casa mia?» chiese. «Mio padre ha comprato un videogioco per Brad e mi ha detto di dartelo.»

«Certo» annuii. «Nessun problema.»

«Okay.» Dopo un paio di minuti aggiunse: «Quanti soldi avete raccolto tu e Lee?»

«Seicentoquattordici dollari.»

Fischiò. «Wow.»

«Già. Abbiamo battuto persino il chiosco degli hot dog.»

Fece un cenno e calò di nuovo il silenzio. Alzai un po' il volume della radio sperando di attenuare la tensione, ma non funzionò. Nell'abitacolo c'era un'atmosfera strana, tesa.

Guardai Noah di sottecchi: muoveva la testa a ritmo e i raggi del sole gli illuminavano la parte sinistra del viso, gettando delle ombre verso di me.

Immaginavo che il bacio non avesse alcun significato per lui, o almeno così mi ripetevo. Aveva avuto un sacco di ragazze, quindi per lui non doveva essere stato niente di che. La tensione doveva essere frutto della mia immaginazione, ero agitata perché si era trattato del mio primo bacio.

Eppure... era stato lui a schiudere le labbra, e dopo era sembrato confuso quanto me. Ma forse dipendeva dal fatto che non sapevo baciare, e non mi aveva detto nulla per non mettermi in imbarazzo. I miei pensieri scorrevano alla velocità della luce. Ero frastornata, preoccupata e volevo baciarlo di nuovo...

No, non succederà. Non bacerai ancora Noah, Rochelle, proprio perché è Noah. È il fratello maggiore di Lee. È l'idiota che ti ha impedito di avere una vita sentimentale e che ha detto di considerarti una sorella. Ricordati che sei arrabbiata con lui perché è stato iperprotettivo, fastidioso e arrogante. Non devi baciarlo di nuovo. Sei furiosa... vero?

Quel ragionamento non mi aiutò un granché, perché volevo baciarlo con tutta me stessa.

Il tragitto in macchina sembrava durare un'eternità, e non eravamo nemmeno a metà strada. Sospirai e sentii il suo sguardo su di me, ma ero troppo impegnata a esaminare i miei dubbi per prestargli attenzione.

Mi dissi che volevo ripetere l'esperienza per assicurarmi che tra noi non ci fosse nulla. Sapevo, però, che non avrei dovuto farlo. Di certo mi vedeva come la migliore amica del fratello minore, la ragazzina con cui era cresciuto... ma che dire di quello che era accaduto dopo la festa da Lee, quand'eravamo scivolati dal letto? Avrei giurato che in quel momento fosse scattato qualcosa tra noi, ma forse mi stavo solo illudendo. Di sicuro avevo immaginato l'interesse nel suo sguardo quando mi aveva visto in reggiseno nel bagno degli spogliatoi.

E se invece tra noi c'era qualcosa che ignoravamo entrambi? Un secondo bacio me l'avrebbe confermato... oppure no. Non sapevo quale eventualità fosse peggiore. No, non potevamo rifarlo. Non potevo... o sì? Sospirai di nuovo mentre svoltava nella strada in cui abitava.

Cosa devo fare?

Arrivammo a casa sua.

«Entro con te a prendere il gioco per Brad, poi vado a piedi.» Non volevo restare un attimo di più in macchina da sola con lui.

«Okay, come vuoi.»

Scendemmo dall'auto e lo seguii in cucina, ma mi fermai sulla soglia mentre frugava in una pila di giornali sul bancone, mordendomi nervosamente il labbro.

Dopo un po' si voltò verso di me con un nuovo videogame di Mario e me lo porse. Ci separava appena mezzo metro, pochi centimetri di aria.

Senza nemmeno rendermene conto, mi alzai sulla punta dei piedi e posai le labbra su quelle di Noah. Dopo un istante capii che mi stavo rendendo ridicola e arretrai, con le guance in fiamme e il cuore che batteva all'impazzata. Lui mi fissò sconvolto, battendo le palpebre. Non mi staccava gli occhi di dosso e aveva un'espressione indecifrabile.

«Oddio» dissi in fretta, travolta dall'umiliazione. «Scusami. È solo che... cioè, ecco... oddio...»

Noah fece un passo avanti e mi chiuse la bocca con un bacio. Ogni barriera e resistenza abbandonarono il mio corpo, forse per la sorpresa causata dal suo gesto, e lo strinsi a me. Dimenticai ogni preoccupazione e ricambiai il bacio. Aveva una mano sulla mia schiena e una tra i miei capelli, mi attirava a sé e avevo l'impressione che fossimo diventati un corpo solo. Tra di noi c'era qualcosa, senz'ombra di dubbio.

Spostò le mani sui miei fianchi e mi fece sedere sul bancone della cucina, posizionandosi tra le mie gambe. Mi baciò il collo, e in quel momento mi resi davvero conto di quello che stava accadendo.

«Noah, non... non possiamo farlo» dissi senza fiato e scossa dai brividi.

Lui sospirò e si allontanò. Si passò una mano tra i capelli e non avrei saputo dire cosa gli attraversasse la mente. Dopo qualche istante mi guardò negli occhi e capii che voleva una spiegazione.

«Io non... non sarò l'ennesima ragazza con cui vai a letto per poi sparire nel nulla» dissi alzando la testa. «E non intendo mettere a rischio la mia amicizia con Lee per una cosa del genere.»

Mi studiò per diversi secondi. «Pensi davvero che mi comporterei così?»

«Be', ecco...» esitai. Bella domanda.

Si avvicinò di nuovo, lasciando appena un paio di

centimetri tra noi. Mi sarei ritratta, ma ero sul bancone e non potevo.

«Chiariamo una cosa, okay?» disse in tono calmo e deciso. «Anzi, due. La prima: sai quante ragazze che ho baciato a una festa il giorno dopo hanno detto di essere venute a letto con me? La seconda: quelle ragazze possono dire quello che vogliono, ma non desiderano davvero uscire con me. Dicono di sì, ma non è così. Pensaci: chi vuole un legame serio con uno che si caccia sempre in qualche rissa o che non ha mai avuto una storia seria?»

Lo osservai e capii che faceva sul serio. Noah poteva essere insopportabile, ma non raccontava bugie. E capivo il suo punto di vista: magari le nostre compagne di scuola non volevano una relazione stabile, ma non disdegnavano un flirt con un tipo sexy dalla reputazione un po' pericolosa. Mi era sempre sembrato strano che dicessero di essere andate a letto con lui quando pareva che avesse trascorso la notte da solo, ma Lee e io non avevamo mai approfondito la questione.

«Capisci cosa intendo?»

Annuii. «Sì. Ma... ma... non faresti mai del male a una ragazza. Non è da te.»

«Già, però a quanto pare loro non ne tengono conto.»

«Aspetta un attimo... cosa stai cercando di dirmi?» chiesi alzando le mani, sempre più confusa. «Che non è colpa tua se hai avuto un sacco di ragazze o se comunque hai quella reputazione?»

«Esatto.»

«E quindi...?»

Si morse il labbro. Possibile che Noah Flynn sembrasse...

nervoso? No, me l'ero immaginato. L'unica volta che aveva avuto quell'espressione era stato quando l'avevo visto con i boxer di Superman e l'avevo fatto arrossire.

«Voglio solo dire» riprese scandendo le parole «che non ti tratterei mai male come invece pensi tu.»

«Non ho ancora capito dove vuoi arrivare, Noah.»

«Nemmeno io» ribatté con una risatina e passandosi una mano sul viso. «Però...» Si avvicinò di nuovo, adesso ci separava appena un centimetro, e mi posò le mani sulle gambe. Avevo il fiato corto e il cuore che batteva contro le costole. «So che desidero baciarti ancora.»

Una parte di me voleva opporsi, allontanarlo con decisione. Non intendevo mettere in pericolo la mia amicizia con Lee per un bacio con Noah, e poi non riuscivo a immaginarci come una coppia. Senza contare che non ero mai stata una ragazza che non dava importanza a quel genere di cose, ero un'inguaribile romantica. O almeno così credevo.

Perché, quando Noah si protese verso di me, lo fece lentamente, dandomi tutto il tempo di respingerlo... ma non lo feci. Lasciai che posasse le labbra sulle mie e lo baciai per la terza volta quel giorno. Stavo baciando Noah Flynn. E dire che fino a quel mattino non avevo mai baciato nessuno.

Si strinse le mie gambe attorno alla vita e gli cinsi il collo, sfiorandogli i capelli. All'improvviso non riuscivo ad averne abbastanza di lui, del suo profumo, delle sue carezze. Non capivo come potesse avere un effetto simile su di me.

Mi sollevò dal bancone e mi prese in braccio, portandomi fuori dalla cucina. Non ero sicura che fosse una buona idea, ma il tocco delle sue labbra era travolgente e non ero in grado di ragionare. Fu quando ci ritrovammo su qualcosa di morbido – un letto, immaginai – che la mia coscienza si risvegliò di colpo.

«Noah» dissi, cercando di ritrarmi. Sapevo cosa stava per succedere. «Noah...»

«Sì?» sussurrò mordicchiandomi un lobo. Fui attraversata dai brividi e per un istante dimenticai cosa volevo dire.

«Non possiamo... io non...»

«Mmh?» Si tirò indietro quanto bastava per guardarmi negli occhi. Non riuscivo a parlare ma lui sembrò capire cos'avevo in mente, perché sgranò gli occhi e disse: «Oh, no, non intendevo... sai... cioè...»

«Non... non posso farlo» balbettai. Mi allontanai e mi alzai, diretta alla porta, sistemandomi la canottiera. Quand'ero così vicina a lui non riuscivo a pensare. Dovevo uscire da lì e riflettere con calma.

Con una mano Noah mi afferrò un braccio e con l'altra chiuse la porta davanti a me. Non avevo via di scampo: la porta dietro di me, la maniglia contro la schiena, Noah di fronte.

«Noah» dissi con decisione. «Non lo farò. Tra di noi non succederà nient'altro perché insieme non funzioniamo. Discutiamo in continuazione, tieni gli altri ragazzi lontani da me e non sono una... una specie di giocattolo con cui divertirti quando ti fa comodo. Hai capito?»

Lui sospirò piano e il suo respiro mi accarezzò il viso: profumava ancora di menta e zucchero filato. «Non ho mai pensato che fossi qualcosa da usare quando mi fa comodo» mormorò guardandomi negli occhi.

«Okay. Ma sii sincero: usciresti mai con me, playboy?»

Sospirò di nuovo, appoggiando la fronte contro la mia. «Dimmelo tu.»

Gemetti per la frustrazione. «Non mi stai affatto aiutando, Noah! Discutiamo e ti comporti come un idiota, per non parlare del fatto che sei il fratello maggiore di Lee, però...»

«Però?»

Per quanto fosse umiliante, non riuscii a trattenermi. «Però quando ci siamo baciati ho provato qualcosa. Non so cosa fare, ma non ho intenzione di baciarti per gioco!»

«Vuoi sapere la verità, Elle?» Anche il suo tono trasmetteva frustrazione, ma continuava a guardarmi negli occhi. «Sei l'unica ragazza che si comporta normalmente con me, e mi piace. Ma il fatto che tu non ricambi i miei sentimenti mi sta facendo impazzire. Sei l'unica che non cade ai miei piedi ed è assurdo. Non guardo nemmeno le altre, perché ci sei tu. Perché sei la sola a cui riesca a pensare.»

Wow. Okay, non aveva appena ammesso di essere innamorato di me da anni, però... chi l'avrebbe mai detto che io, Rochelle Evans, la ragazza che non aveva alcuna esperienza in campo sentimentale, avrei fatto impazzire Noah Flynn?

Rimasi a bocca aperta. «E da quant'è che ti senti così? Sono curiosa.»

Si strinse nelle spalle. «Da un paio di mesi.»

Annuii, sforzandomi di apparire tranquilla e padrona di me. «Credevo mi considerassi come una sorella minore.»

«Sì, ma poi sei cresciuta» disse semplicemente. «E ti ho fatto arrossire» aggiunse poi.

Lo ignorai. «Se è così, perché mi hai detto che per te ero come una sorella?»

Distolse lo sguardo. «Perché non sembravi interessata. Di solito non dico mai che cosa provo, lo sai. E sai anche che questo discorso è una vera tortura, per me.»

Sorrisi appena. «Invece ricambiavo tutto.»

Dalla sua espressione sembrava che avesse appena vinto alla lotteria. Piegò il viso in modo da sfiorare le mie labbra con le sue. «Però non… non devi pensare che voglio solo portarti a letto, okay? Non è così, davvero. Mi piaci, ma non unicamente per quello. Sei dolce e innocente. Diversa dalle altre, ed è bello.»

«Ah, sì?» Inarcai un sopracciglio, strappandogli un sorriso. «E pensare che credevo mi considerassi soltanto la fastidiosa migliore amica di tuo fratello.»

«Sì, anche.»

Ridacchiai e gli sfiorai il petto con un dito.

«Non mi interessi solo per *quello*, chiaro?» aggiunse dopo pochi secondi.

«Se così fosse mi verrebbero dei dubbi sulla tua capacità di giudizio» replicai, anche se provai un'ondata di calore a quelle parole.

Mi mise l'indice sotto il mento, facendomi sollevare il viso. La sua espressione, la sua fronte aggrottata… era molto accorto. Decisi di non considerarlo il fratello di Lee o un cretino che a volte mi proteggeva fin troppo. Decisi di non pensare alle orribili conseguenze di quella situazione, almeno per il momento. In quell'istante era semplicemente Noah. E mi avvicinai per baciarlo.

E com'era ovvio, visto che non avevo alcuna esperienza, i miei denti si scontrarono con i suoi. Non credevo potesse succedere davvero, e non sapevo come comportarmi. «Scusami» sussurrai, mordendomi l'interno della guancia.

Sentii le sue labbra fremere sulle mie e il suo petto vibrare per una risata trattenuta. «L'esercizio porta alla perfezione» mormorò. E quella volta non ci scontrammo.

Restammo sul suo letto a baciarci per ore. Parlammo un po' della scuola, dell'università a cui avrebbe fatto domanda (stava pensando di andare a quella di San Diego, dato che era la più vicina) e rischiammo di litigare quando dissi che gli All Time Low erano molto meglio dei Linkin Park (a lui piacevano i dischi più recenti, mentre io non li sopportavo). Scoprii che la sua compagnia era piacevole anche senza baciarci, e anche mentre discutevamo di musica.

Ma le chiacchiere duravano solo pochi minuti, perché poi ricominciavamo a baciarci. E a quel punto dimenticavo subito di cosa stavamo parlando, o il fatto che avrei dovuto tornare a casa. I suoi baci mi facevano venire le farfalle nello stomaco, ed era una sensazione travolgente.

Mi dicevo che dipendeva dal fatto che era bravo, che di sicuro tra noi non c'era un "legame" o cose del genere. Eravamo troppo diversi e non avevo la certezza che di lì a una settimana avrebbe voluto ancora frequentarmi, dato che non aveva mai avuto una storia lunga o seria.

«Allora» disse dopo un po', appoggiandosi su un gomito per guardarmi meglio. «Cosa stiamo combinando qui, di preciso?»

«Per me non è un'avventura» risposi con decisione.

«Te l'ho detto» sospirò toccandomi una gamba. «Nemmeno per me è così.»

Non avrebbe dovuto piacermi. Non doveva piacermi. Eravamo diversissimi ed era tutto sbagliato. Senza contare che non potevo dire a Lee che mi ero messa con suo fratello. Però... mi piaceva stare con lui. Mi piaceva baciarlo, la sensazione delle sue braccia intorno a me, la scintilla allegra nei suoi occhi mentre discutevamo di musica. Era bello essere lì con Noah, mi sembrava naturale.

Ma valeva la pena ferire Lee per quello? Non potevo fargli una cosa simile, vero? Aveva già detto che per lui sarebbe stato strano, che forse avrebbe messo in pericolo la nostra amicizia... e non volevo correre un rischio simile, per nulla al mondo. Giusto?

«Non... non lo so» ammisi dopo un po'. «È solo che... non dovremmo, e poi... Lee...»

«Capisco.» Rimase in silenzio per qualche istante, tracciando dei cerchi sul mio ginocchio con le dita. Osservai quel movimento, in attesa. Lui riprese a parlare all'improvviso: «Be', magari non c'è bisogno che Lee lo sappia».

Riflettei su quelle parole. «Mi stai suggerendo di mentirgli?»

«No, di non dirgli tutta la verità...» Le sue labbra si contrassero, come se faticasse a trovare le parole adatte. «Almeno finché non avremo le idee più chiare.»

Annuii. Se Lee non sapeva cosa stava succedendo, non avrebbe sofferto. Se tra me e Noah non avesse funzionato non ci sarebbe stato bisogno di dirglielo, e la situazione tra noi non sarebbe cambiata. Se invece tra me e Noah fosse filato tutto liscio... avrei affrontato la questione quando fosse stato il momento.

Lo sentii sospirare e lo guardai. Mi rivolse un sorriso triste.

«Te l'avevo detto che le ragazze non vogliono stare con uno che finisce nelle risse.»

Gli diedi un colpetto al braccio. «Non è quello... e poi so benissimo che non faresti mai del male a una ragazza, non sei quel tipo di persona.» E, prima di poterci riflettere con calma, aggiunsi: «Va bene».

«Va bene?»

«Lee non lo verrà a sapere.»

Noah annuì. «Certo.» Poi si sedette e si avvicinò per baciarmi il naso, ma io sorrisi e mi spostai, offrendogli le labbra. Sentii le sue piegarsi verso l'alto e, quando ci separammo, notai la fossetta sulla guancia che compariva solo quando sorrideva.

Poi guardai alle sue spalle e vidi le cifre rosse e luminose della sveglia. Sussultai: di lì a venti minuti avrei dovuto essere a casa per cena. Dov'era finito il pomeriggio?

«Devo andare» dissi in fretta.

«Oh...» Se non l'avessi conosciuto così bene, avrei detto che era deluso. «Vuoi un passaggio?»

Inarcai un sopracciglio. «So camminare, ho le gambe. Due, per la precisione.»

Sorrise. «Come preferisci. Volevo solo essere gentile...»

«Non c'è problema, davvero.» Avevo bisogno di schiarirmi le idee, e non ci sarei riuscita se Noah fosse stato nei paraggi. «Sei carino con quell'espressione» aggiunsi scrutandolo.

Fece una smorfia. «Non chiamarmi "carino", ti prego.»

«Oh, che carino!» lo provocai ridendo. Gli diedi una spallata leggera, che lui ricambiò sbuffando.

Andai a prendere il cellulare, che avevo lasciato sulla

cassettiera accanto al suo letto, e mi lasciai sfuggire una domanda: «Perché non vuoi che la gente ti chiami Noah?»

«Perché Noah non è esattamente un nome fico. Non spaventa nessuno, mentre Flynn...»

«... Ti si addice.»

«Esatto. E tu perché mi chiami sempre Noah?»

«Perché sono cresciuta con te. E perché ti dà fastidio. Ma lo trovo sexy.» Pronunciai quelle parole senza nemmeno rendermene conto. Chiusi la bocca di scatto e la coprii con una mano mentre arrossivo. Incredibile, l'avevo detto davvero! Pensavo sul serio che Noah fosse un nome sexy... magari non per tutti i ragazzi, ma nel caso di Noah Flynn sì. Era lui a renderlo sexy.

Lui sorrise e mi allontanò la mano dal viso, che doveva essere di un rosso acceso. «Se la metti così non sembra poi tanto male.»

Risi imbarazzata e lui mi diede un rapido bacio sulle labbra, poi mi lasciò andare la mano. Dovevo proprio scappare. Senza contare che, se avessi incontrato qualcuno al piano di sotto, la situazione sarebbe apparsa alquanto sospetta: nessuno avrebbe mai creduto che fossi stata in camera di Noah senza combinare nulla con lui.

Mi fermai in cucina per prendere la borsa e il videogioco per Brad. Quando mi voltai vidi Noah appoggiato allo stipite e mi spaventai. Era stato silenziosissimo e non mi aspettavo di trovarlo lì.

«Sei libera domani?» mi domandò.

«Non credo... ho un sacco di compiti da fare, quindi...»

Un attimo dopo pensai che avrei dovuto dargli una risposta

un po' meno diretta e più vaga, magari chiedergli cosa avesse in mente o dirgli che non lo sapevo. Ma scacciai immediatamente quel pensiero: non sarei mai risultata credibile.

«Che peccato.»

Aspettai che aggiungesse qualcosa ma non lo fece. Mi rivolse il solito sorrisetto e i suoi occhi luminosi fissarono i miei. Ipotizzai che volesse uscire con me, ma non disse nient'altro.

«Uhm» commentai.

Il suo sorriso divenne più grande. «Troverò un modo discreto per vederti, non ti preoccupare.»

Ricambiai il sorriso. Nel giro di appena un giorno ero passata da una vita sentimentale inesistente a una tresca segreta con il ragazzo più fico della scuola, e tutto per via di quella stupida kissing booth.

«Ciao» dissi piano, sfiorandolo mentre gli passavo accanto.

«Ehi, aspetta un attimo» ribatté afferrandomi un passante della cintura. «Esigo un bacio di addio.»

«Mmh, no.»

Wow, ho appena flirtato! Brava, così si fa!

«No?» Inarcò le sopracciglia scure con aria di sfida. Si piegò verso di me per baciarmi e stavo per cedere… ma si ritrasse dopo che le nostre labbra si furono toccate. Mi lanciò un'occhiata innocente e io sbuffai.

«Ciao, Shelly» mi salutò in tono allegro mentre mi allontanavo.

«Ciao, Noah» ribattei nello stesso tono, sorridendo.

Continuai a sorridere finché non arrivai a casa.

Quella sera, a letto, ripensai a tutto quello che era successo.

Non potevo sapere quanto sarebbe durato. Avevo sempre creduto di essere una ragazza portata per le relazioni serie e a lungo termine, ma da quello che avevo sentito dire la storia più lunga che Noah avesse mai avuto era durata una settimana. Eppure non potevo evitarlo. Non avevo intenzione di ferire Lee, però per Noah provavo un'attrazione che andava al di là dell'aspetto fisico… anche se non mi sarei mai innamorata di lui. Non ero così stupida. No, nemmeno per idea.

Di certo avrebbe potuto danneggiare la mia amicizia con Lee, e non sarebbe successo, non l'avrei permesso. Dovevo solo affrontare la situazione al meglio delle mie possibilità e, se questo significava nascondere il fatto che Noah e io stavamo insieme, l'avrei fatto. Non volevo rinunciare a lui, e bastava ripensare al pomeriggio appena trascorso per scaldarmi il cuore.

Probabilmente mi addormentai con il sorriso stampato in faccia.

11

Lunedì arrivò decisamente troppo in fretta. Ero pronta a raccontare alle ragazze del mio bacio con Noah perché ero sicura che avrebbero voluto sapere tutti i dettagli, ed ero pronta agli sguardi di invidia che avrei ricevuto. Ero anche pronta a smentire ogni loro teoria su una nostra relazione.

Il giorno prima Noah e io non eravamo riusciti a vederci perché eravamo stati troppo impegnati, ma ci eravamo scritti dei messaggi. L'ultimo che mi aveva inviato – *Sogni d'oro* – mi aveva fatto venire le farfalle nello stomaco. Non era da lui, però mi era piaciuto lo stesso.

Sentii un'auto accostare fuori da casa mia, quindi corsi giù per le scale gridando un «ciao».

«Ehi» salutai Lee sorridendo e sedendomi accanto a lui.

«Ehi! Come mai sei così allegra? Pensavo che saresti stata nervosa, visto quello che è successo alla kissing booth.»

Mi strinsi nelle spalle. «Non lo so. Non posso essere di buon umore?»

«Be', tanto per cominciare è lunedì. E inoltre non sei una persona mattiniera, lo so meglio di chiunque altro.»

«Non ti lamentare. Sono di buon umore... non facciamoci troppe domande.»

Lee rise. «Come vuoi...»

Arrivati a scuola fui assalita da gridolini e domande non appena scesi dall'auto. A quanto pareva tutte le ragazze della scuola volevano sapere del bacio.

«Lasciatela in pace, dai!» esclamò Lee ridendo.

«Oooh, sei davvero fortunata! Avrei voluto essere al tuo posto, sarei pronta a uccidere pur di baciare Flynn. Non riesco a credere che tu ti sia tirata indietro, Karen.»

«Io invece ti capisco. Immagino la paura che hai provato quando hai capito che avresti dovuto baciare proprio lui!»

«Perché non è toccato a me?»

«Non ci credo che l'hai baciato.»

«Non è strano, visto che sei la migliore amica di Lee?»

«No» ridacchiai. «Certo che no! Siamo amici, appunto.»

«Sì, ma hai baciato suo *fratello*. E l'ho visto, non è stato un semplice bacetto...» commentò Candice sgranando gli occhi.

«Okay, ma stiamo parlando di Lee.»

«Hai parlato con Flynn, dopo la fiera?»

«Ti piace, Elle?» mi chiese Faith, improvvisamente vicinissima. «Hai una cotta per lui?»

«Io non riesco nemmeno a formulare una frase intera, se è nei paraggi» disse qualcun'altra.

«E non sei l'unica!»

«Elle è la sola che riesca a parlare con lui.»

«Non riesco a capire come tu faccia a comportarti normalmente con lui» commentò Georgia.

Mi strinsi nelle spalle. «Siamo cresciuti insieme, visto che ero sempre con Lee. E, Faith, non saprei… è semplicemente Noah.»

«Semplicemente Noah?!» strillarono tutte in coro, scioccate.

Mi morsi l'interno della guancia: avrei dovuto riflettere prima di dire cose del genere.

«Stiamo parlando di Flynn! Come puoi dire una cosa simile?»

«Scusate, vado a salutare i ragazzi. Ho baciato Noah e, sì, è stato grandioso. Ma possiamo voltare pagina, adesso? Sono un po' stanca di questo discorso.» Mi sentii cattiva e cercai di non mostrare la rabbia che provavo mentre attraversavo il parcheggio. Quando finalmente raggiunsi Lee e gli altri sospirai di sollievo.

«Mi è sembrata una chiacchierata divertente» commentò lui.

Gli diedi una gomitata nelle costole.

«Oh, mio Dio. Devi *assolutamente* raccontarci tutto! Oddio! Non riesco a credere che tu abbia baciato Flynn! Cioè, pazzesco!» esclamò Cam con voce stridula, facendo ridere i suoi amici e irritando me.

«Non cominciate anche voi. Per favore.»

«Non preoccuparti, non ti chiederemo tutti i dettagli» mi rassicurò Dixon. «Però… davvero non uscite insieme?»

«Davvero.»

Annuì. «Ottimo.»

«Perché, sei interessato?» domandai battendo dolcemente le palpebre.

«Forse» rispose ridendo. E poi aggiunse: «No, solo... sai come funzionano i pettegolezzi».

«Informerò Noah, la prossima volta che lo vedrò» ribattei serissima, facendo ridere ancora i ragazzi e dando una spinta scherzosa a Dixon. «Cominciate a chiamare l'ambulanza.»

«*Touché.*»

«Ah» intervenne Warren all'improvviso. «Dimenticavo. I miei genitori il prossimo venerdì non saranno a casa, quindi... sapete cosa significa, vero?»

«Sì! Festa a casa tua!» urlò Lee dandogli il cinque. «Fantastico.»

«Non spargete troppo la voce, però. Non voglio che la situazione ci sfugga di mano.»

«Certo, nessun problema» risposero tutti.

«Tu vieni, Elle?» mi domandò Warren, visto che rimanevo in silenzio.

«Assolutamente sì. Ma questa volta non toccherò una goccia di alcol... Non mi va di proporre di nuovo di fare il bagno nudi.»

«Oh, Elle, ci speravo!» borbottò Cam con un sorriso.

Lee mi osservò, dubbioso. «Non preoccuparti, Shelly. Ti terrò d'occhio.»

«Ma figurati! Sarai troppo preso dalle labbra di Rachel» disse Oliver, scatenando altre risate generali.

In quel momento suonò la campanella ed entrammo a scuola per l'appello.

Il preside elogiò me e Lee per aver raccolto così tanti soldi durante la fiera. Ma non fu il solo a ricoprirmi di attenzioni:

i compagni che passavano accanto a me e Flynn continuavano a fare commenti e a fischiare, e la cosa cominciava a darmi fastidio. Non dissero nulla di particolarmente offensivo, però il loto tono mi fece infuriare.

Giovedì l'eccitazione per quel bacio era ormai scemata, sostituita da nuove dicerie e nuovi pettegolezzi, e non avrei potuto essere più felice. Non ne potevo più di parlare di quello che era successo alla fiera né di sentire le ragazze che mi ripetevano quanto fossero invidiose. Ero stanca degli sguardi in corridoio dei ragazzi, che ormai non mi consideravano più innocente come prima.

A coronare la settimana, giovedì pomeriggio andai come d'accordo a casa di Lee... per scoprire che non c'era.

«Io sto uscendo a fare la spesa» mi disse sua madre. «Ma se vuoi aspettarlo un po' non c'è nessun problema, anzi.»

«Okay, magari torna tra poco. Grazie, June.»

«Ciao, Elle!» mi salutò allegra prima di uscire. Sospirai e mandai un messaggio a Lee, chiedendogli dove fosse finito.

Da Rachel. Scusa! :(*Non sapevo che saresti passata da me.*

A quanto pareva aveva dimenticato il nostro appuntamento. Che strano, non era da lui.

Non ti preoccupare, torno a casa :)

Conclusi con un'emoticon per fargli capire che non ce l'avevo con lui... anche se in realtà ero un po' irritata. Non mi aveva mai dato buca per vedere una ragazza senza avvisarmi. Rachel doveva piacergli parecchio.

Mi diressi verso la porta quando sentii un movimento in cima alle scale e alzai lo sguardo.

«Ehi, ciao» disse Noah. «Lee non c'è.»

«Sì, me l'ha appena detto tua mamma. È andata a fare la spesa, tra l'altro.»

«Ah, okay.»

Dondolai sui talloni mentre lui scendeva i gradini, fissandomi. Non sapevo se restare o andarmene: ma adesso che avevo scoperto che Noah era in casa volevo assolutamente fermarmi. Nel corso della settimana, quando l'avevo visto nei corridoi o durante il pranzo, avevo ripensato alla sensazione delle sue labbra contro le mie e desiderato baciarlo di nuovo con tutta me stessa.

Indossava dei pantaloni della tuta logori e macchiati di grasso e una t-shirt bianca, niente di speciale. Come faceva a sembrare comunque un modello? Era proprio fuori dalla mia portata…

Stavo iniziando a convincermi che ciò che era successo con Noah il weekend precedente fosse un capitolo chiuso della mia vita, e che se ne fosse dimenticato anche lui. Che avrei dovuto dimenticare tutto e voltare pagina.

Mentre riflettevo lui mi baciò all'improvviso. Fui sorpresa di trovarmelo davanti e lasciai che mi spingesse contro il muro. Ricambiai il bacio con tutta la passione di cui ero capace. A quanto pareva, i miei dubbi e le mie preoccupazioni erano stati del tutto infondati e irrazionali.

Quando ci separammo per riprendere fiato, lui rimase vicinissimo a me e, quando parlò, la sua bocca toccò ancora la mia.

«Non aspettavo altro da tutta la settimana» disse piano.

A quelle parole fui attraversata da un brivido. Sperai di non arrossire e mi sforzai di apparire tranquilla e padrona di me stessa, per non svelargli quanto fossi sollevata e felice in realtà. Anche se sapevo benissimo di non dovermi legare troppo a lui; dovevo stare attenta, per il bene di Lee.

Cercando di essere la ragazza disinvolta e sicura di sé che non ero, ribattei: «Mi dispiace averti fatto aspettare».

Lui scosse la testa. «Ne è valsa la pena.»

E a quel punto non potei evitarlo: diventai rossa come un peperone.

«Secondo te quanto tempo abbiamo?» mi chiese poi.

«Mmh… almeno mezz'ora, direi» risposi con una punta di allegria nella voce.

Gli occhi blu di Noah erano persino più luminosi del solito. Mi diede un altro bacio rapido e mi prese per mano, guidandomi al piano superiore.

«Andrai alla festa di Warren?» domandò.

«Sì. E tu?»

Annuì. «Non metterti nulla di troppo corto, okay?»

«E perché no?» replicai curiosa. Non aveva mai fatto commenti simili, in occasione di altre feste.

«Non hai idea dei commenti che hanno fatto i ragazzi negli ultimi giorni» ribatté arrabbiato, mentre un muscolo della sua guancia si contraeva.

«Credo di sì» sussurrai senza pensarci.

«Cos'hai sentito?» ringhiò, ma sapevo che la sua rabbia non era rivolta verso di me.

Trattenendo l'impulso di alzare gli occhi al cielo, mi limitai a stringermi nelle spalle. Dovevo davvero imparare a tenere la bocca chiusa. «Solo dei commenti sulla kissing booth.»

«Tipo?» insistette. Sentivo la tensione crescere; lo conoscevo da anni e sapevo riconoscere i segnali di avvertimento:

lo spasmo della guancia, le nocche che faceva scrocchiare, la fronte aggrottata, le gambe divaricate come se fosse nel bel mezzo di una rissa... Li notai uno dopo l'altro.

«Hanno detto delle cose stupide, tutto qui» sospirai lasciandomi cadere sul letto. La situazione era così tesa che nemmeno la morbidezza del materasso mi fece sorridere. «Hanno commentato il fatto che ti avessi baciato, hanno chiesto se la tariffa di due dollari fosse ancora valida... Non è successo nulla, va tutto bene» lo rassicurai in fretta.

Noah scosse la testa. «Sei certa che nessuno abbia tentato di fare qualcosa di strano?»

Sospirai ancora. «Al cento percento. Adesso calmati, però.»

«Sono serio, Rochelle» ribatté, sempre accigliato.

Quel che si dice un'atmosfera romantica... pensai triste.

«Se qualcuno osa avvicinarsi a te...»

«Sono un'adulta e sono in grado di badare a me stessa. Non c'è bisogno che tu sia così... così... ossessivo, sempre! Rilassati.»

«Non sono ossessivo!»

«E invece sì!» urlai a mia volta, mettendomi a sedere. «Metterò quello che mi pare alla festa. Non puoi dirmi chi devo frequentare, come devo vestirmi o con chi posso parlare!»

«Voglio solo impedire che tu soffra!» gridò.

«Non soffrirò! Non sono tutti degli idioti come...»

«Come me?» mi interruppe.

«Sì, esatto. Come te!»

A quel punto ero di fronte a lui e cercavo di guardarlo negli occhi. Visti i centimetri di differenza tra me e lui non era facile, ma cercai ugualmente di fulminarlo con lo sguardo.

«Non vuoi proprio capire che alcuni dei ragazzi sono davvero senza scrupoli, eh?» ribatté. «Tu ti comporti normalmente, ma loro pensano che tu stia flirtando, e fraintendono. A un certo punto ci proveranno e tu non capirai perché, ma la verità è che li avrai illusi senza nemmeno accorgertene.»

«Non sto illudendo nessuno!» strillai indignata.

«È esattamente quello di cui sto parlando! Non lo fai apposta e non te ne rendi conto, ma quando sei te stessa e scherzi, alcuni ragazzi sono convinti che tu stia flirtando. E, se non starai attenta, finirai per soffrire.»

«Va bene! Ma non ho comunque bisogno che tu pianifichi ogni mia mossa!» Gli tirai un pugno in pieno petto e lui mi afferrò il braccio per poi baciarmi.

Quel bacio era stranamente dolce, alimentato da una rabbia che si era trasformata in passione. Era assurdo come fossimo passati da una discussione animata a uno scambio altrettanto animato ma completamente diverso.

Le dita di Noah si tuffarono tra i miei capelli, attirandomi a sé mentre scivolavamo sul letto. Quando mi baciava non riuscivo a pensare in modo lucido: mi faceva girare la testa e mi impediva di formulare qualsiasi ragionamento.

Ci staccammo per riprendere fiato e notai che il suo sguardo percorreva il mio corpo. Ero completamente vestita, eppure non mi ero mai sentita così a nudo. Mi fece sdraiare di nuovo, stringendomi con dolcezza, e mi baciò ancora. «Sei splendida, Elle, lo sai?»

Splendida. Non bella o sexy. Splendida.

Ogni tanto, quando mi aiutava nello shopping e gli chiedevo se stavo bene con un determinato vestito, anche Lee me lo diceva. Mio padre me l'aveva detto qualche mese prima, in occasione del ballo scolastico invernale. Ma sentire quella parola pronunciata da Noah fu totalmente diverso. Sorrisi e ricambiai il bacio.

«Non volevo controllarti» mormorò evitando il mio sguardo e giocherellando con i miei capelli, che si avvolse intorno alle dita. «È solo che… mi fa impazzire sentire i ragazzi che parlano di te a quel modo. Non voglio che tu soffra. Io… io tengo troppo a te.»

Ero certa che non lo intendesse in modo romantico (eravamo cresciuti insieme ed era ovvio che tenesse a me), però il mio cuore saltò comunque un battito. Sorrisi ancora. «È bello sentirtelo dire.»

«Anche se sono un idiota totale?»

Risi. «Anche se sei un idiota totale, sì.»

«Totale e sexy, no?» precisò con un sorrisetto.

«Mmh, questo è da vedere.»

Inarcò un sopracciglio e mi fece sdraiare sotto di lui, tenendomi ferme le braccia sopra la mia testa.

«Vuoi cambiare la tua risposta?» chiese. La sua voce era un ringhio basso nel mio orecchio, la sua bocca mi sfiorò il collo.

Ridacchiai perché mi faceva il solletico. «Okay, forse sei un po' sexy…»

«Non ci siamo ancora, Shelly» ribatté in tono calmo, quasi minaccioso, ma divertito. Cominciò a baciarmi il collo, solleticandomi ancora di più, e scoppiai a ridere, contorcendomi.

«Va bene, va bene» risposi con un filo di voce. «Sei molto, molto sexy.»

«Lo so.» Posò le labbra sulle mie e mi lasciò andare le braccia. Gli passai le dita tra i capelli.

Ci stavamo ancora baciando, ignari del mondo che ci circondava, quando sentimmo la portiera di un'auto sbattere.

«Merda» disse a bassa voce mentre scattavo in piedi. Mi imitò per andare a guardare fuori dalla finestra.

«Chi è?»

«Mia madre. È già tornata dal supermercato...» La sua voce si affievolì quando vide la sveglia: era passata quasi un'ora da quand'era uscita. Perché il tempo volava quand'eravamo insieme? «Vado ad aiutarla con i sacchetti, tu esci dalla porta sul retro.»

Annuii. «Okay.»

Si fermò sulla soglia, con un lampo divertito negli occhi.

«Che c'è?»

«È divertente fare le cose di nascosto» spiegò. «Non trovi?»

«Noah? Sono tornata!» lo chiamò June. «Mi dai una mano a scaricare la macchina?»

«Certo, mamma, arrivo» replicò lui prima di sorridermi. Scorsi la fossetta sulla sua guancia. «Vieni. Puoi scappare mentre è occupata con l'auto.»

Sgattaiolai sul pianerottolo e aspettai che Noah uscisse di casa. Sulla soglia mi fece un cenno e corsi verso la cucina per passare dalla porta sul retro. Attesi di sentire il fruscio dei sacchetti nell'ingresso e poi mi lanciai oltre il cancelletto e in strada.

In fondo Noah aveva ragione: fare le cose di nascosto era divertente. Mi chiedevo soltanto quanto saremmo durati, insieme.

12

Alle sette di sera non avevo ancora deciso cosa mettermi. Lee sarebbe arrivato nel giro di mezz'ora e nelle ultime due ore avevo lavorato al mio outfit, cambiandomi d'abito almeno cinquanta volte.

La settimana era trascorsa in un istante, ed era già arrivato il momento della festa di Warren. Ero davanti all'armadio aperto con le mani sui fianchi e stavo passando di nuovo in rassegna il mio guardaroba. «Sbrigati» mi dissi. «O di questo passo ci andrai in mutande, alla festa.»

Non volevo mettermi un vestito o una gonna (mi ero dimenticata di depilarmi), e la cosa limitava parecchio le mie scelte. Avrei voluto mettermi una maglietta nera lucida che lasciava la schiena scoperta a eccezione di sottili strisce di tessuto che si incrociavano; lo scollo copriva le clavicole, quindi non era affatto eccessivo... Ma non sapevo se fosse il capo giusto per andare a una festa. Sospirai, passandomi una mano sullo sterno per non rovinare il trucco. Perché mi importava tanto avere il look giusto?

In realtà conoscevo la risposta a quella domanda: volevo essere carina per Noah… ma sapevo che era una stupidaggine. In quell'istante decisi di mettere la maglietta nera, e pazienza se quell'abbigliamento non era adatto.

Infilai i jeans, azzurro chiaro e con degli strappi fatti ad arte, poi misi la maglietta e mi sedetti per finire di pettinarmi. Legai i capelli in una coda alta, poi applicai altro mascara per ingannare il tempo in attesa di Lee.

Poco dopo mi telefonò. «Lee, che succede?» chiesi subito, intuendo che qualcosa non andava. Per quale altro motivo avrebbe dovuto chiamarmi?

«Senti, ehm… Mi dispiace un sacco, ma ti scoccia se… ecco…»

«Sputa il rospo!» lo interruppi ridendo.

«Be', Rachel mi ha appena chiesto se posso accompagnarla perché la sua amica le ha dato buca all'ultimo momento e…»

«E vuoi sapere se puoi dare buca a me per accompagnare la tua ragazza? Certo che come migliore amico sei un disastro» commentai in tono asciutto, anche se stavo sorridendo ed ero certa che Lee l'avesse capito.

«No, volevo chiederti se Rachel può venire con noi. Non ti darei mai buca, lo sai!»

«Chiedo a mio padre se può darmi un passaggio» dissi. «Così lascio te e Rachel da soli.»

«Non ce n'è bisogno, Shelly! Non essere sciocca.»

«Ma no, Lee, non ti preoccupare, non mi pesa» risposi sincera. «Davvero.»

Le sue storie, fino ad allora, non erano mai durate, per colpa del fatto che io e Lee eravamo troppo legati e perché le sue ragazze non volevano passare in secondo piano. Non avevo intenzione di rovinare le cose tra lui e Rachel.

Ci pensò su per qualche istante. «Posso chiedere a Noah se ti accompagna. Non è ancora uscito.»

Lo sentii gridare qualcosa al fratello mentre dicevo: «No, tranquillo, non serve...» Sospirai.

«Elle? Shelly, sei ancora lì? Pronto?»

Ero immersa nei miei pensieri e non l'avevo sentito. «Sì?»

«Noah ha detto che ti darà un passaggio. Sarà da te tra venti minuti.»

«Ma... ma...» protestai debolmente.

«Grazie, Elle. Ti devo un favore. A dopo!»

«Ciao...» Sospirai e lasciai cadere il cellulare sul letto, poi mi coprii il viso con le mani.

Poco dopo mi alzai e mi studiai allo specchio. Avevo optato per un make-up semplice, osando solo con il rossetto bordeaux. I jeans facevano risaltare le mie curve e così la maglietta, che mi lasciava scoperta la schiena. Mi sentivo bene e sicura di me, anche se di certo Noah avrebbe avuto da ridire sul mio look. Non ero preoccupata per quello, però; temevo di più i pettegolezzi che si sarebbero scatenati quando la gente ci avesse visti arrivare insieme alla festa.

Un attimo dopo suonò il campanello. Infilai il telefono nella tasca posteriore dei pantaloni e scesi mentre mio padre mi chiamava. Aprì la porta e sgranò gli occhi. «Noah?»

«Salve, Elle è pronta?» chiese lui, stranamente garbato.

«Ehm...» Mio padre si voltò per chiamarmi di nuovo e mi

vide. Sembrava molto confuso. «Dacci solo un secondo, Noah.» Mi trascinò in cucina. «Cosa sta succedendo?» mi chiese.

«Lee accompagna la sua ragazza alla festa e così io vado con Noah.»

«Ah, meno male. Per un attimo ho pensato che usciste insieme.»

Mi sforzai di ridere. «Sì, come no.»

«Fai attenzione, però. Non so ancora se ci si può fidare di quel ragazzo, vista la sua tendenza a cacciarsi sempre in qualche rissa... per non parlare della moto...»

«Sì, lo so, papà. Ma Noah è un tipo a posto, non ti preoccupare.» Gli diedi un rapido bacio sulla guancia. «Ciao!»

«Niente alcol!» gridò alle mie spalle.

Tornai alla porta d'ingresso e la chiusi dietro di me. Sorrisi come se nulla fosse a Noah. «Pronto?»

Lui mi squadrò dalla testa ai piedi, lentamente. Anziché arrossire, sospirai. *Ecco, ci siamo...* riflettei, chiedendomi quanto fosse arrabbiato. Il suo sguardo mi fece battere più forte il cuore.

«Non ascolti una parola di quello che dico, eh?»

«Proprio così» ribattei con un altro sorriso e mi diressi alla macchina.

«Sul serio, Elle... dovevi davvero vestirti così... così...»

«Così come, Noah?» chiesi in tono teso, anche se una parte di me voleva sapere cosa pensasse del mio abbigliamento.

«Be', guardati!» sbottò con rabbia, digrignando i denti. «Non puoi metterti qualcosa di... di meno sexy?»

Non riuscii a trattenere un sorriso. Non avrei mai creduto che un giorno Noah Flynn avrebbe detto che ero sexy. Mi girava la testa, benché mi fossi sentita ancora più euforica quando mi aveva detto che ero splendida.

«Non c'è niente da ridere» mi rimproverò.

«Oh, rilassati. Avrei potuto mettere qualcosa di molto più succinto. Stiamo per andare a una festa e non ho intenzione di cambiarmi, Noah. Se non vuoi accompagnarmi verrò a piedi, ma non puoi fare niente per modificare la situazione. Se proprio vuoi che indossi qualcos'altro tornerò in casa e metterò la gonna più corta e la camicetta più aderente che ho nell'armadio.»

Ci sfidammo per qualche secondo con lo sguardo. Poi, con un sospiro, salì in macchina e sbatté la portiera. Io lo imitai e mi sedetti con le braccia incrociate. Ma ero felice di aver vinto quella piccola battaglia.

Poi disse: «Sei davvero sexy quando ti arrabbi».

Inarcai un sopracciglio. Mi stava prendendo in giro? Lui si limitò a farmi l'occhiolino, e capii che mi stava stuzzicando.

«Dai, su» aggiunse. Mi posò una mano su una gamba e si protese verso di me. «Non puoi essere arrabbiata con me per sempre, Shelly» mi sussurrò.

«Non mettermi alla prova.»

Ridacchiò e si ritrasse, poi accese il motore e uscì dal vialetto di casa mia, diretto alla festa di Warren.

«Continuo a non capire perché di colpo ti preoccupi tanto di quello che indosso per uscire la sera» aggiunsi. «In passato ho messo vestiti molto più provocanti.»

Lui si strinse nelle spalle. «Era diverso. I ragazzi erano più tranquilli e non osavano avvicinarsi a te. Ma, da quando hai concesso un appuntamento a Cody, sono tutti convinti che io abbia fatto un passo indietro e credono di avere una possibilità con te. E il nostro spettacolino alla fiera non ha di certo aiutato.»

Mi morsi l'interno della guancia, sentendomi avvampare. «Se lo dici tu...»

Noah mi accarezzò una gamba e ridacchiò.

Parcheggiammo in fondo alla via in cui abitava Warren, dietro una curva. A quanto pareva nessuno ci aveva visti arrivare insieme.

Non appena entrai fui presa da parte da alcune ragazze che parlavano di un sacco di cose: di quanto fosse fico Jon Fletcher, di quanto fossero volgari le scarpe di Hannah Davies, di quanto adorassero una certa canzone.

Dopo un po' individuai Lee sul retro, ma era piuttosto impegnato a baciare Rachel. Bevetti un sorso della mia Coca e tornai dentro, inebriata dall'atmosfera. Mi ritrovai in soggiorno, da cui erano stati tolti i mobili per creare una pista da ballo. Le luci erano spente a eccezione di alcune lampadine azzurre e verde fluo che si accendevano ritmicamente come delle strobo. Era fantastico e insieme stranissimo: con quei colori sembrava di essere sott'acqua. Ballai con gli altri, agitando i fianchi seguendo il ritmo della musica e sollevando le braccia.

Qualcuno mi cinse la vita per ballare con me. Quando mi voltai vidi che si trattava di Patrick, un ragazzo dell'ultimo anno che giocava a calcio.

«Patrick!» lo salutai con un sorriso. «Non ti avevo ancora visto stasera.»

Lui rise e inciampò in una sedia su un lato della sala. «Oops! Come va, Elle?»

«Tutto bene.»

«Fantastico. Ehi, vieni con me» ribatté prendendomi per mano.

«Dove stiamo andando?»

«A prendere una boccata di ossigeno. Qui dentro c'è un sacco di gente.»

«Okay.»

L'aria della sera era fresca in confronto all'afa che c'era all'interno.

«Brrr!» Lo sbalzo di temperatura mi diede un tremito e mi sfregai le braccia.

«Ti scaldo io» disse Patrick abbracciandomi da dietro.

Risi e scossi la testa ma, prima che potessi allontanarmi e dirgli di non fare il cretino, lui mi baciò su una spalla. Rimasi immobile, sconvolta, per un secondo, faticando a capire cos'era appena successo. Poi mi baciò sul collo, un po' più su, stringendomi i fianchi.

Mi voltai per spingerlo via, però lui non capì e intrecciò le dita dietro la mia schiena. Prima che potesse provare a baciarmi gli posai una mano decisa sulla faccia e mi divincolai dalla sua stretta. Avrei potuto anche tirargli un calcio in mezzo alle gambe, ma non mi era venuto in mente.

Quando lo colpii barcollò (era ubriaco e quindi non troppo stabile), ma fu qualcun altro a farlo cadere sull'erba e a mettermi una mano sul braccio.

«Ehi, rovini sempre tutto!» biascicò Patrick, tirandosi in piedi con qualche difficoltà. «Sei davvero un guastafeste, Flynn. Perché devi fare così?» Era più ubriaco di quanto avessi immaginato, visto che stava per scatenare una rissa… e non era certo uno stupido: da sobrio non avrebbe mai fatto una cosa del genere.

Fu colpito da un pugno nello stomaco e cadde di nuovo a terra, gemendo.

«Qualcun altro ha qualcosa da ridire?» chiese Noah a voce alta, scrutando con calma la folla che si era radunata in giardino senza che me ne accorgessi. La maggior parte della gente rientrò subito in casa, soprattutto perché la rissa era già finita. «Vieni» aggiunse rivolto a me, prendendomi per un braccio e portandomi su un lato dell'abitazione.

«Ahia, Noah!» protestai. Aveva le gambe decisamente più lunghe di me e camminava più in fretta; faticavo a stargli dietro. «Noah!» riprovai. «Mi stai facendo male!»

Quelle parole catturarono la sua attenzione, perché allentò la stretta e mi prese per mano anziché trascinarmi. Sentii la rabbia montare: chi credeva di essere? Erano appena le dieci, la festa sarebbe durata ancora qualche ora e non volevo andare a casa. Fino all'incidente con Patrick mi stavo divertendo. E, soprattutto, non mi andava di spiegare a mio padre perché me ne fossi andata così presto.

Quando arrivammo alla macchina di Noah lui la aprì e io rimasi accanto alla portiera del passeggero, con le braccia incrociate sul petto e uno sguardo di fuoco.

Lui si massaggiò le palpebre. «Puoi salire, per favore?»

«Non vado da nessuna parte con te. Soffri per caso di violenza patologica? E comunque non salirò su quell'auto: hai bevuto. Non mi interessa quanto alcol pensi di poter reggere.»

«Non ho bevuto, Rochelle! Credi che sia un idiota? E poi... cosa intendi con *violenza patologica*?»

Mi strinsi nelle spalle. «In ogni caso, non puoi costringermi ad andarmene. Non sono obbligata a seguirti, quindi resterò qui.»

Vidi la sua mascella contrarsi nella luce fioca. Aveva un'ombra sul viso e la sua espressione di rabbia controllata era un po' minacciosa. «Invece torni a casa prima che qualche altro deficiente ubriaco ti molesti.» Parlò con voce tesa e tagliente.

Continuai a fulminarlo con lo sguardo. «Avevo la situazione sotto controllo. Non è successo niente di grave.»

Lui fece un suono a metà tra uno sbuffo e una risata sarcastica, e la mia rabbia aumentò. «Niente di grave?» ripeté inarcando un sopracciglio. «Tu...»

«*Tu* stai esagerando» lo interruppi. «Ti stai comportando da idiota ossessivo e insopportabile, come sempre, e se pensi che verrò da qualche parte con te, be'...»

«Sali in macchina!» sbottò di colpo, colpendo il tettuccio. Il rumore improvviso mi spaventò, però strinsi i denti e non mi mossi di un centimetro. «Per favore...» aggiunse dopo qualche secondo.

Salii in macchina e, mentre si metteva alla guida, lui sospirò e disse: «Grazie».

Feci un cenno con la testa. «Non c'era bisogno di urlare.»

Dopo un attimo replicò: «Lo so, mi dispiace».

Giocherellai con i fili che spuntavano dai tagli sui miei jeans. «Guarda che Patrick non ha fatto niente.»

«Ma stava per...»

«Siamo solo usciti a prendere una boccata d'aria, è un crimine?»

«Ha usato quelle parole?»

«Be', sì...» esitai.

Noah sospirò ancora, appoggiando la fronte contro il volante prima di raddrizzare le spalle e guardarmi negli occhi. Sembrava essersi calmato, ma anche un po' sconsolato. «E secondo te voleva davvero prendere un po' d'aria?»

«All'inizio pensavo di sì.»

«Elle, è proprio questo che ho cercato di farti capire. Sei troppo ingenua quando ci sono di mezzo i ragazzi.»

«E di chi è la colpa?» replicai, girandomi sul sedile per guardarlo in faccia. «Se tu non fossi stato così protettivo nei miei confronti e avessi lasciato che qualcuno mi chiedesse di uscire, non sarei così ingenua, innocente e gentile, cavolo! Sei la persona più ipocrita del mondo, Noah.»

Mi fissò per un secondo e poi le sue labbra si posarono sulle mie. Fu un bacio rapido, però, e fu lui a ritrarsi per primo. «Direi che questo round l'ho vinto io» commentò con un sorrisetto.

«Non vale, hai barato. E comunque non hai vinto niente.»

«Ah, sì?» Lanciò un'occhiata allo specchietto retrovisore prima di uscire dal parcheggio. Odiavo il fatto che rispettasse a malapena il limite di velocità; non guidava in modo rilassato, e anzi spingeva la macchina al massimo consentito dalla legge.

«Dico davvero. Non sei stato corretto.»

«Allora finisci quello che stavi dicendo, Elle. Sono tutto orecchi.»

Aprii la bocca, pronta ad aggredirlo di nuovo, però... rimasi senza parole. Cosa stavo dicendo? I suoi baci erano inebrianti e avevo perso il filo dei miei pensieri.

Lui sorrise di nuovo, trionfante. «Ho vinto.»

«Aspetta e vedrai, Noah» borbottai. «Te la farò pagare.»

«Non sto nella pelle.» I nostri sguardi si incrociarono e mi strizzò l'occhio. Sentii le guance arrossire e mi augurai che lui non se ne fosse accorto a causa del buio. Restammo in silenzio, ma non fu spiacevole.

Quando accostò mi slacciai la cintura e scesi dall'auto. Mi fermai subito dopo: non eravamo a casa mia.

«Perché siamo qui?» chiesi, voltandomi mentre scendeva anche lui.

Si strinse nelle spalle. «La festa non è ancora finita, Elle.»

Il suo tono di voce mi fece arrossire ancora e mi sforzai di concentrarmi. «Ma... ma dove sono i tuoi genitori?»

«Domani hanno un corso in un'altra città, e così sono partiti stasera per evitare di alzarsi presto.»

Per un istante pensai che avrei fatto meglio a tornarmene a casa, ma faceva piuttosto freddo, era tardi e poi avevo voglia di trascorrere ancora un po' di tempo con Noah. Lo seguii dentro e mi diressi subito in cucina per bere qualcosa, perché avevo la gola secca.

«Stai bene?» mi chiese dalla soglia mentre posavo il bicchiere vuoto. Annuii e mi passai una mano sul viso. «Non stai per vomitare, vero?»

«Non ho bevuto. Dopo l'ultima festa ho deciso che per un po' è meglio evitare gli alcolici.»

«Ah.» Di colpo mi ritrovai circondata dalle sue braccia e lui mi baciò i capelli. «Okay, allora forse non hai bisogno che ti sorvegli in continuazione.»

Scoppiai a ridere. «Mi piace che tu voglia proteggermi. Non mi piace quando ti comporti come un idiota.»

Ridacchiò piano e mi baciò ancora sulla testa, giocherellando con la coda. «Vuoi andare a casa?»

Scossi il capo contro la sua spalla, poi lo guardai negli occhi. «No, vorrei restare un po' qui.»

«Se ti va puoi dormire nella stanza degli ospiti. Se non vuoi tornare a casa, ecco.»

Alzai le spalle, esitando. Quella decisione dipendeva da quanto volava il tempo in sua compagnia. Un attimo dopo ci baciammo di nuovo e cominciammo a salire le scale. Quindi gli sfilai la maglietta e, prima di ripensarci, tolsi anche la mia.

Le sue mani trovarono le mie e, tenendomi ferma, si staccò da me, ma senza arretrare: la sua fronte era contro la mia, le punte del naso che si sfioravano. Guardai nei suoi occhi blu che scintillavano al buio.

«Rochelle» mi disse in tono dolce «non siamo obbligati a farlo. Possiamo aspettare. Io posso aspettare.»

Quelle parole spazzarono via qualsiasi mio dubbio. Non avevo previsto che accadesse, di sicuro non così in fretta. Avevo sempre creduto che sarebbe successo quando avessi avuto una storia seria con un ragazzo che amavo. Ma in quel momento tutto mi sembrava perfetto, giusto, e non mi importava nient'altro.

E forse non sarei andata fino in fondo se non mi avesse detto con quel tono dolce che poteva aspettare. Però l'aveva detto, e sapevo che teneva a me.

E così risposi, a voce bassa come la sua: «Lo so. Ma voglio farlo».

13

Quando mi svegliai il profumo di agrumi che ormai conoscevo benissimo mi solleticò le narici, e il tamburellare della pioggia primaverile contro la finestra, attutito, mi trasmise una sensazione di calma.

La superficie dura e liscia su cui avevo posato la testa si muoveva ritmicamente su e giù, e le braccia che mi circondavano erano calde, mi facevano sentire al sicuro. Se ascoltavo con attenzione, potevo udire il battito regolare di un cuore.

Battei le palpebre più volte; ero stanca e il mio corpo si rifiutava di svegliarsi. Era una situazione così accogliente e confortevole... Quando misi a fuoco la stanza disordinata di Noah e la debole luce del giorno che cercava di farsi strada tra le tende, mi svegliai di colpo. E, quando mi resi conto di cos'avevo fatto, il mio cuore fece una capriola nel petto.

Ero andata a letto con il fratello maggiore di Lee. Ero andata a letto con Noah.

Ero troppo sconvolta e confusa per capire come mi sentissi davvero. La mia unica certezza era che, se Lee l'avesse mai scoperto, avrebbe sofferto tantissimo. Ero una persona orribile.

Cercai di restare immobile per non svegliare Noah. Dovevo chiarirmi le idee prima che... lui si mosse sotto di me, stiracchiandosi prima di abbracciarmi di nuovo. «Buongiorno» mi salutò come se nulla fosse.

«Io... io... devo proprio andare» balbettai, allontanando le sue braccia. «Se Lee mi trova qui...»

«Non credo che sia tornato a casa, ieri sera» mi interruppe Noah prima di sbadigliare.

Volevo correre alla finestra e controllare se la sua auto fosse lì. Se era rientrato dovevo assicurarmi che non mi vedesse mentre me ne andavo.

«Farò meglio a scappare» dissi di nuovo, alzandomi. Trovai mutandine e reggiseno e li infilai in fretta, in preda all'imbarazzo.

Oddio, ma cosa mi era venuto in mente la sera prima? Nascondere qualche bacio al mio migliore amico era un conto, ma... quello? Di sicuro si sarebbe accorto che c'era qualcosa di diverso e, se l'avesse scoperto... la sera prima non avevo minimamente pensato a Lee, anche se avrei dovuto. Avevo pensato soltanto a Noah, e non mi era neppure passato per la mente che stavo tradendo il mio migliore amico.

«Perché sei così di fretta?» mi chiese Noah stiracchiandosi di nuovo.

Lo osservai infilandomi i jeans. Avevo scostato le lenzuola

e lui non si era preoccupato di coprirsi. «Io… io… ecco… dovrei…»

Lui si accigliò, un po' confuso, e si alzò per avvicinarsi. Mi ero seduta sul letto, cercando di districare un piede dai jeans. Mi rimproverai per aver cercato di sbrigarmi, dato che avevo ottenuto l'effetto contrario.

«Elle?» Mi spostò i capelli sulle spalle, ma non lo guardai. «Che succede?»

«N… niente!» *Merda, ho balbettato! Non mi crederà mai.* Ci riprovai: «Niente».

«Elle…» Mi sfiorò un braccio, facendomi voltare. Vidi i suoi occhi incredibili, coperti dai capelli scuri, fissi nei miei.

«Devo andare» ripetei. Cercai di alzarmi, ma lui mi trattenne.

«Non te ne andrai finché non mi avrai detto qual è il problema. Perché ho l'impressione che tu ti sia pentita?»

Per poco non mi lasciai sfuggire la verità, però mi fermai appena in tempo. «Non… non è così.»

«Dai, Shelly. So benissimo quando mi stai raccontando una bugia.» Sospirò. «Avrei dovuto sapere che avresti reagito in questo modo.»

«In quale modo?» ribattei, subito sulla difensiva.

«Così» rispose indicandomi, come se quel gesto spiegasse ogni cosa. «Ti stai comportando in maniera strana, come se ti fossi pentita. Ed è perché ti sei pentita davvero, te lo leggo in faccia.» Chiuse gli occhi per un istante. Sembrava quasi… turbato.

«Non… Non è che mi sono pentita… Ho solo paura. Che Lee lo scopra. In quel caso, mi odierebbe. Cioè… è stato fantastico, però...» La mia voce si spense e mi morsi l'interno della guancia mentre arrossivo. «Mi dispiace, scusa.»

«Cosa? Oddio, no, non devi scusarti» disse piano, accarezzandomi i capelli. «Credo di dover essere io a scusarmi. Senti, te l'avevo detto, non voglio stare con te per il sesso, e le cose non sono cambiate. Io ci sarò anche se non vorrai rifarlo, okay? Non voglio rinunciare a questa cosa... di qualsiasi cosa si tratti.» Mi diede un bacio sulla tempia. Aveva un'espressione davvero... combattuta. «Sai che non sopporto parlare di ciò che provo, quindi ti prego di non torturarmi.»

Non mi ero affatto pentita della notte appena trascorsa e, finché Lee avesse ignorato cos'era successo, non avrebbe sofferto. Quindi dovevo soltanto assicurarmi che non lo scoprisse.

La cosa più sensata da fare sarebbe stata chiudere quella storia prima di esserne troppo coinvolta. Sarebbe stato sensato tirarmi indietro prima di fare qualcosa di stupido... come innamorarmi di lui. Ma non sarebbe successo, certo che no. Assolutamente no. Non mi sarei innamorata di Noah. Annuii come per rassicurarmi. Sarei stata attenta, ecco tutto. E, anche se forse era un errore, non avrei chiuso con lui. Non volevo farlo.

Mi protesi per baciarlo dolcemente sulle labbra. Lui mi posò una mano sulla nuca e sentii un formicolio. «Devo proprio andare» dissi. Non avevo alcuna voglia di farlo, però non potevo rischiare che Lee tornasse e mi trovasse lì. Senza contare che di sicuro mio padre si stava chiedendo dove fossi finita.

Quella volta Noah non protestò, si limitò a fare un cenno con il capo e a baciarmi di nuovo. «Va bene.»

E a quel punto me ne andai davvero.

Scoprii che Lee non aveva dormito da Rachel come credevo: era crollato sul divano di Warren perché aveva bevuto troppo per guidare. Lo sentii per telefono anziché incontrarlo, per paura che notasse qualcosa di diverso in me. Sapevo di non essere cambiata rispetto alla sera prima, tuttavia temevo che il mio atteggiamento mi tradisse.

«Va tutto bene?»

Sussultai. Anche se eravamo al telefono, cercai di calmarmi.

«Cioè, c'è stato l'incidente con Patrick e poi Noah ti ha trascinata via... Sicura di star bene?»

«Sì» risposi, ed ero sincera. «Sì, sto bene, Lee. Davvero. Non è successo nulla di grave.»

In ogni caso non aspettavo con ansia il lunedì: tutti mi avrebbero chiesto come mai me n'ero andata prima e probabilmente si sarebbero fatti delle domande su me e Patrick e su di me e Noah. Potevo inventarmi una bugia credibile senza troppi problemi, ma odiavo dover mentire. Tremavo solo all'idea.

Per quanto non volessi andare a scuola, non era quello il motivo per cui mi ritrovai sveglia alle tre del mattino, a fissare il soffitto e tentando disperatamente di addormentarmi. La vera ragione è che non riuscivo a smettere di pensare a Noah. Avrei voluto confidarmi con Lee e non potevo farlo. Non solo mi avrebbe odiata per avergli mentito e avrebbe sofferto se avesse scoperto la verità... sarebbe stato assurdo dirgli che ero stata a letto con suo fratello.

In momenti del genere sentivo particolarmente la mancanza di mia madre. Desiderare che fosse lì, però, non l'avrebbe riportata indietro, e così mi girai su un fianco e lasciai vagare lo sguardo sulla parete. La mamma mi mancava un sacco.

Era morta in un incidente stradale quand'ero molto piccola e Brad aveva tre anni. Avevo affrontato tanti momenti importanti (il primo ciclo, il primo reggiseno...) senza di lei. In un'occasione simile, però... non potevo certo parlarne con mio padre, e Lee non era neppure da prendere in considerazione. Avrei dovuto mantenere il segreto e sperare che nessuno scoprisse la verità.

Sospirai e mi passai una mano sul viso. Avevo gli occhi pesanti ma non riuscivo a prendere sonno, nella mente si agitavano troppi pensieri.

Stupido Noah. Era tutta colpa sua, mi dissi, mentre un sorriso mi incurvava le labbra mio malgrado.

Tutta colpa sua.

14

Lunedì mattina, per fortuna, Lee non si accorse di nulla, anche se forse dipendeva dal fatto che era immerso nella sua vita sentimentale. Parlò senza sosta di quanto Rachel fosse divertente, bella, gentile, sveglia e dolce, e non avrei potuto essere più felice. Filò tutto liscio finché arrivammo a scuola.

«Come mai sei andata via presto dalla festa di Warren?» mi chiese subito Jaime.

«Ehm, be', ecco...»

«C'entra Flynn? Patrick ti ha baciata davvero? Lui dice di no, ma non si sa mai. Ho sentito dire che Flynn era fuori di sé.»

«Sì, era furioso!» intervenne Olivia, che ci raggiunse in quel momento. «Ho assistito a tutta la scena. Ha colpito Patrick e se n'è andato.»

«Non mi ha baciata, però» precisai. «Patrick, voglio dire.»

«Allora, cos'ha fatto Flynn?»

«A quanto pare ha rotto una costola a Patrick.» Ci raggiunse anche Candice, all'improvviso, spaventandomi. Da dove cavolo saltavano fuori tutte quelle ragazze?

«Cosa?» esclamai.

«Dicevo: cos'ha fatto Flynn?» ripeté Jaime.

Fissai Candice a bocca aperta. «Sul serio? Patrick ha una costola rotta? E come sta?»

«Non lo so» ribatté. «Pensava di essersi rotto qualcosa e dei suoi amici mi hanno detto che è stato in ospedale, dove hanno confermato la diagnosi.»

«Oh, mio Dio» sussurrai senza fiato. Era impossibile che Noah gli avesse rotto una costola solo perché Patrick aveva cercato di baciarmi da ubriaco. Impossibile.

«Ehi! Ehi, Terra-chiama-Elle!»

Mi resi conto che stavano ancora parlando con me quando Jaime mi schioccò le dita davanti al viso.

«Eh?»

«Flynn ti ha accompagnata a casa?» domandò Karen. Quand'era arrivata? «Ho visto che ti trascinava via.»

«Ah, quello... Sì, mi ha portata a casa, poi credo sia tornato alla festa» dissi, sperando di sembrare convincente. Non ero un granché a mentire e, prima di quel pasticcio con Noah, l'avevo fatto raramente.

«No, mi sa di no» rifletté Olivia. «Anzi, ne sono sicura.»

«Che strano...» commentai alzando le spalle. «Torno subito, voglio sapere come sta Patrick.» Mi allontanai prima che potessero trattenermi. Il primo ragazzo in cui mi imbattei era Joel, e gli afferrai un braccio.

«Ehi, ciao» mi salutò con un sorriso. «Cos'è successo alla

festa? Ho sentito dire che Flynn ti ha riportata a casa dopo lo scontro con Patrick.»

«Patrick ha davvero una costola rotta?» replicai.

«Mmh… Pare di sì. Però non è in ospedale e oggi verrà a scuola.

«Flynn dev'esserci andato giù pesante.»

«Sono felice che non se la sia presa con me» rise Cam.

«Puoi dirlo forte» concordò Joel.

«Sapete se è già arrivato?» chiesi.

«Chi, Flynn? Non ne ho idea» ribatté Cam.

«No, no… parlavo di Patrick» puntualizzai in fretta.

Lui si strinse nelle spalle. «Non l'ho visto.»

«Okay, grazie.»

«Aspetta» mi fermò Joel. «Dove vai, Elle?»

«A cercare Noah» risposi impaziente e ad alta voce. Andai al parcheggio, al solito posto dove Noah metteva l'auto, sotto un grande albero. Era chiaramente arrivato: vidi ragazzine del primo anno che ridacchiavano parlando di lui e cercavano di nascondersi dietro le altre auto, altre ancora in macchina che lo sbirciavano.

Passai di fianco ai ragazzi che fumavano una canna sotto un albero e ad alcuni membri della squadra di wrestling sdraiati sotto un altro. Individuai Noah, appoggiato contro un enorme platano con una sigaretta tra le labbra. Stava armeggiando con il cellulare, e sembrava tanto occupato quanto annoiato.

Era sempre difficile capire quali fossero gli amici di Noah: a volte usciva con i suoi compagni di corso, altre con quelli della squadra di football. Non aveva una compagnia in particolare e non era nemmeno un tizio solitario, però non era amico di tutti come me e Lee. Probabilmente dipendeva dal suo carattere minaccioso.

«Noah!» urlai, ignorando gli sguardi stupiti delle ragazze che lo spiavano e degli altri presenti, che si stavano chiedendo cosa cavolo stessi facendo.

Lui sollevò lo sguardo e, accorgendosi di quant'ero arrabbiata, si allontanò dall'albero.

«Non riesco a crederci!» gridai ancora.

Si avvicinò e lasciò cadere la sigaretta, che spense sotto la suola degli stivali neri che indossava sempre. Si infilò il telefono nella tasca posteriore. «Che succede?» chiese con aria innocente.

Lo colpii sul petto con tutte le mie forze, più volte, accompagnando ogni spinta a una parola: «Gli... hai... rotto... una... costola...!»

«Di cosa stai parlando?»

I miei colpi non scalfirono minimamente il corpo muscoloso di Noah, ma capii che lo avevo irritato, come una mosca fastidiosa. «Di Patrick! Dicono tutti che gli hai rotto una costola! È dovuto andare in ospedale!»

Noah fece un sorrisetto. Non sembrava affatto dispiaciuto, anzi. «Sì, l'ho saputo.»

«Potrebbe denunciarti» sibilai.

«Già, ma sappiamo entrambi che non si azzarderà.»

«Non ha fatto niente! E tu non dovresti essere così allegro!» strillai ancora, spingendolo di nuovo. «Gli hai rotto una costola... per niente!»

«Non direi proprio!» urlò a sua volta. «Ti stava addosso e hanno visto tutti che stavi cercando di allontanarlo.»

«Era ubriaco!»

«Non mi interessa se era ubriaco, fatto o soltanto stupido» ribatté Noah a pochi centimetri dal mio viso. «Ti stavo proteggendo, Rochelle, e ha avuto quello che si meritava.»

«Una costola rotta? Probabilmente non potrà giocare a calcio per settimane!»

«Non avrebbe dovuto provarci con te» replicò lui deciso. «Non è un problema mio, se si è fatto male. E perché ti interessa, poi?»

«L'hai ferito per una stupidaggine... sei davvero un violento patologico!»

Gli colpii il petto con tutt'e due le mani, e lui mi afferrò i polsi. Lo fulminai con lo sguardo e cercai di divincolarmi, senza riuscirci: la sua presa era salda.

Le nostre grida avevano attirato un po' di gente e qualcuno mi diede un colpetto sulla spalla.

«Dai, Shelly» disse piano Lee. «Calmati. Anzi, calmatevi entrambi.»

«Calmarmi?» sbottai. «Tuo fratello ha picchiato un ragazzo che ha commesso un errore da ubriaco e gli ha rotto una costola! Non capisci che c'è qualcosa di sbagliato?»

«Non ho detto che non sia così» ribatté tranquillo. «Vorrei solo che ti calmassi.»

Strinsi i detti prima di capire che, come sempre, Lee aveva ragione. Allontanai le mani da Noah, che mi lasciò andare. Continuai a fissarlo negli occhi, però. «Non riesco a credere che tu l'abbia fatto davvero» dissi.

Noah si limitò a stringersi nelle spalle.

«A volte ti odio, lo sai, vero?»

«Sì, lo so» ribatté in tono noncurante, con gli occhi che brillavano… E il mio cuore saltò un battito.

No! Non permetterglielo! Resta arrabbiata con lui. Ce l'hai con lui, Rochelle, te lo ricordi? Ha fatto male a una persona senza motivo. Non smettere di essere arrabbiata con lui perché ti guarda in quel modo e perché vuoi baciarlo.

Prima di cedere all'istinto e di commettere una sciocchezza, presi Lee per un braccio e mi allontanai a grandi passi. Non dovetti neppure farmi largo tra la folla, che si aprì per lasciarmi passare prima di mettersi a spettegolare.

«Pensavo che l'avresti ucciso» commentò Lee senza riuscire a nascondere una punta di divertimento.

«Ci sono andata vicino» borbottai. «Oh, ogni tanto mi fa davvero impazzire! Dico davvero, non aveva alcun bisogno di rompere una costola a Patrick.»

«Senti, so che è quello che si dice in giro, ma proprio tu dovresti sapere che forse la situazione non è così grave. Magari i nostri compagni hanno ingigantito tutto. E poi è Noah… lo conosci. Non capisco perché tu ti sia arrabbiata tanto.»

«Non posso fare nulla senza che lui cerchi di proteggermi! E non ricominciare con la storia che sono troppo gentile, okay? Sono stanca del fatto che tutti vogliano difendermi.»

Forse, alla festa a casa loro, l'aiuto di Noah era stato utile. E gli ero grata per aver fermato Patrick. Ma non sopportavo il modo in cui si comportava, come se dovessi obbedire a ogni suo ordine.

Lee sospirò, sconfitto, e alzò le mani come per arrendersi. Sorrideva. «Senti, so che ce l'hai con lui, però non prendertela con me. Capisco cosa intendi e proverò a parlargli, che ne dici? Gli chiederò di fare un passo indietro.»

Non sapevo perché me la fossi presa tanto; forse era perché ero terrorizzata all'idea che Lee scoprisse dov'ero stata e cos'avevo fatto dopo la festa.

«Dubito che tu possa cambiare la situazione.»

«Anch'io.»

«Comunque grazie per la proposta.»

«Figurati. Allora, hai fatto i compiti di inglese? Perché io mi sono bloccato e non sono riuscito a scrivere una conclusione.»

Sorrisi. Lee mi tirava sempre su di morale. Era il mio migliore amico e gli volevo un gran bene. Il suo ottimismo era contagioso e mi impediva di restare arrabbiata troppo a lungo. Era l'esatto contrario del fratello, ovviamente. Un fratello stupido e sexy.

Forse era da vigliacchi, ma a pranzo mi rifugiai in biblioteca. Non avrei retto un'altra domanda sul perché fossi così arrabbiata con Flynn, su come avessi potuto parlargli in quel modo, e stavo addirittura pensando di saltare le lezioni del pomeriggio e di tornare a casa. Non sopportavo più nessuno, ma non riuscivo neppure a convincermi a farlo.

Lee, naturalmente, mi tenne compagnia, però dopo un po' se ne andò. Mentre mi dirigevo in aula temetti di incontrare Noah o una delle ragazze, ma non accadde. Il mio karma doveva aver preso una strada completamente diversa, dopo quella mattina.

Quando suonò l'ultima campanella della giornata non

avrei potuto essere più felice. Durante la lezione di chimica non avevo fatto altro che fissare la lancetta dei secondi che si muoveva al rallentatore, e non vedevo l'ora di andarmene.

Lee era al corso di biologia e lo aspettai davanti alla scuola, accanto alla sua auto.

«Ciao, Elle.»

Mi voltai, interrompendo la partita a solitario sul cellulare. Feci un sorriso teso. «Ciao, Patrick. Come... come va la costola?»

Accennò un sorriso anche lui. «Non così male come sostiene qualcuno. Ho un po' di lividi, ma mia madre ha preferito portarmi in ospedale perché aveva paura che mi fossi rotto qualcosa, tutto qui» disse in tono leggero, e mi sembrò che qualcuno mi avesse tolto un peso dalle spalle.

«Oh, fantastico! Cioè, no, non lo è, però tutti dicevano che avevi una costola rotta e... mi dispiace moltissimo, Patrick, davvero. È tutta colpa mia, non volevo ti facessi male e...»

«No, è colpa mia» mi interruppe. «Sono venuto a scusarmi adesso perché non ti ho vista a pranzo.»

«Non ce n'è bisogno» insistetti.

«E invece sì. Scusami. Non avrei dovuto provarci con te, e la birra che ho bevuto non è una giustificazione.»

«Va tutto bene, davvero» dissi con convinzione. «Mi dispiace che Noah si sia...»

«Sì, be', non preoccuparti. Flynn si è comportato come sempre. Non è colpa tua, Elle, quindi stai tranquilla.» Mi sorrise e lo imitai.

Qualcuno si schiarì la gola e mi voltai: era Noah, ed era chiaramente furioso. Lo ignorai e tornai a fissare Patrick, che faceva del suo meglio per nascondere il panico. «Spero che tu ti rimetta presto.»

«Grazie, Elle. E scusami ancora.»

«Non ti preoccupare. A presto.»

«Ciao» salutò allontanandosi in fretta.

Lanciai un'occhiataccia a Noah e ricominciai a giocare al solitario. Lui rimase lì a fissarmi.

«Cosa voleva?» chiese dopo un po'.

«Scusarsi.»

«Tutto qui? Voleva solo scusarsi?»

Chiusi il gioco e infilai il telefono in tasca, girandomi a guardare Noah. «Sì, anche se dovresti essere tu a scusarti per avergli fatto male! È andato in ospedale a causa tua.» Volevo farlo sentire in colpa e quindi non specificai che ci era stato per placare le ansie della madre.

«Non ricominciare...» Si avvicinò di qualche passo e si mise di tre quarti davanti a me, passandosi una mano tra i capelli.

«Cominciare cosa, Noah?» sbottai.

«Sei davvero sexy quando ti arrabbi, lo sai» replicò con voce roca.

La mia mente si svuotò per un istante e restai senza fiato. Perché aveva quell'effetto su di me? «Piantala, Noah. Vattene.» Dov'era finito Lee? Avrebbe già dovuto essere arrivato...

Mi guardai intorno. La maggior parte degli studenti ormai se n'era andata e i pochi rimasti nel parcheggio fissavano incuriositi me e Noah. Poco dopo vidi Lee e Rachel accanto all'auto di lei, che si scambiavano occhiate languide. Accidenti, perché non si sbrigava?

«Posso sempre accompagnarti io, sai?» disse Noah come

se niente fosse, e lo ignorai. «Elle...?» mi chiamò dopo qualche istante.

Alla fine fui costretta a guardarlo e, quando lo feci, notai che sorrideva trionfante, come se avesse avuto la meglio in quello scambio.

«Vuoi un passaggio o no? Sappiamo entrambi che Lee si fermerà ancora un sacco. La mia offerta resta valida per altri trenta secondi. La lancetta si muove...»

Volevo soltanto tornare a casa, ma se avessi aspettato che Lee salutasse Rachel, probabilmente il mio cellulare si sarebbe scaricato e io sarei morta di noia.

«Tic, tac» mi stuzzicò Noah.

«Sei in moto o in macchina?»

«In moto.»

«Allora no.»

Scoppiò a ridere. «Sai che non la odi davvero, Shelly. E poi la moto ti offre una scusa per avvinghiarti a me.»

«Ehm... no.»

A quel punto sul suo viso comparve un'espressione strana, sembrava quasi confuso o infastidito dalla mia reazione. Il giro in moto che avevamo fatto non mi era piaciuto, e non avevo intenzione di ripetere l'esperienza a meno che non fossi costretta. Se un'orda di scimmie ninja mi avesse inseguita, per esempio, e se la moto di Noah fosse stato l'unico modo per fuggire.

Sospirò e mi sfiorò una guancia, facendomi voltare verso di lui. «Dai, Elle. Non essere arrabbiata con me.»

Capii che non stava più parlando di Patrick. «Non sono arrabbiata con te. Be', sì, perché hai picchiato Patrick. A parte quello, però, non ce l'ho con te. Non me la sono presa per… quello che è successo l'altra sera.»

«Oh, per favore. Mi hai evitato per tutto il giorno e adesso ti comporti in modo strano.»

«Non mi sto comportando in modo strano.»

«E invece sì. Non hai discusso con me come avresti fatto di solito, e non sei allegra come sempre. Ce l'hai con me.»

Sospirai. «Non ce l'ho con te, è solo che…»

«Cosa?»

Oddio, non dire nulla! Inventati qualcosa! Qualsiasi cosa tranne la verità!

Ma, come sempre, la mia bocca sembrava vivere di vita propria, perché disse: «Sono preoccupata per Lee e… non voglio che tu ti dimentichi di me adesso che… be', lo sai. Adesso che l'abbiamo fatto».

Ho davvero detto "l'abbiamo fatto"? Brava, Elle. Sei un'idiota totale.

Noah non sembrò farci caso, però, e rispose: «Elle, pensavo che ne avessimo già parlato. Sai che questi discorsi per me sono una tortura. Ti ho detto che non ti sto usando per il sesso».

Dalla sua espressione capii che era sincero. Aveva uno sguardo onesto e limpido, nei suoi occhi non c'era traccia di ironia. E così annuii. «Va bene.»

Lui sospirò di sollievo. «Allora… ti porto a casa? Se vuoi ti accompagno direttamente lì.»

Il sorrisino adesso era tornato, perché era certo che non avrei saputo resistere alla possibilità di baciarlo ancora. E in effetti ero tentata… ma poi ricordai che era in moto.

«Noah, non salirò di nuovo su quella trappola mortale.»

Lui alzò le mani come per arrendersi. «Okay, okay... peggio per te.»

Mi accigliai. «E comunque sono ancora arrabbiata con te per aver quasi rotto una costola a Patrick. Hai perso la calma e ti sei comportato in modo stupido. È una roba seria» dissi in fretta per impedirgli di protestare.

Sospirò. «Lo so.»

Lo guardai negli occhi e riuscii a replicare solo con un cenno della testa. Lui mi rivolse un sorriso di scuse che lo fece apparire ancora più adorabile, ma rimasi impassibile.

«Mi dispiace.»

Annuii ancora. «Faresti meglio ad andare, adesso.»

«Mmh.» Non sembrava del tutto d'accordo con me.

«Ciao, Noah» dissi in tono asciutto.

Esitò per qualche secondo prima di allontanarsi, e mi parve di sentirlo ridacchiare tra sé.

Be'... sarebbe potuta andare peggio, pensai, ma allo stesso tempo una vocina nella mia mente mi sussurrò: *Non saresti in questo pasticcio se non avessi allestito una stupida kissing booth.*

15

La settimana scolastica era finita. Negli ultimi giorni non avevo incontrato spesso Noah, se si escludevano le volte in cui l'avevo incrociato in mensa o nei corridoi mentre andavo in aula, o quando l'avevo visto con Lee.

Era venerdì sera e il sole stava tramontando, colorando di rosa e rosso il cielo prima che diventasse nero come l'inchiostro e si riempisse di stelle. Era bellissimo, sembrava un quadro.

I ragazzi si stavano tuffando a bomba in piscina, sfidandosi a chi sollevava più schizzi, a chi faceva il salto più spettacolare e ad altre cose stupide che divertono solo i ragazzi. Io ero su una sdraio con Rachel e la ragazza di Cam, Lisa, con cui frequentavo alcune lezioni. Stavano valutando se andare a fare shopping, ma io stavo benissimo lì, con gli occhi chiusi, rilassata, a muovere un piede a ritmo con la musica che usciva dalle casse vicino a noi.

Faceva ancora abbastanza caldo per stare in bikini. Non era il clima ideale per prendere il sole – soprattutto alle nove di sera – però era piacevole stare sdraiata.

«Ehi, non vi tuffate?»

Aprii pigramente gli occhi e vidi che Oliver si scostava i capelli dal viso mentre si appoggiava al bordo della piscina.

«Magari tra un po'» risposi.

«Sì, forse» replicò Lisa. «Non saprei...»

«Non voglio bagnarmi i capelli» confessò Rachel con un sorriso imbarazzato.

Oliver alzò gli occhi al cielo ma sorrise a sua volta.

«L'acqua non è gelida?» chiese Lisa, dubbiosa.

«Dimmelo tu!» la sfidò Warren emergendo accanto a Oliver.

«No, grazie» rise Rachel. «Stiamo bene qui.»

Warren mi guardò, speranzoso. «Tu fai il bagno, Elle?»

«Chissà...» risposi in tono vago, richiudendo gli occhi.

«Elle, cosa sta succedendo tra te e Flynn? *Sul serio*, dico» mi domandò a bassa voce Rachel. Sentii una sdraio scricchiolare mentre Lisa si protendeva verso di me.

Mi strinsi nelle spalle. «Niente.»

«Però sembra che... non lo so. È strano. Sei così normale con lui.»

«Sì, ma non è una novità» replicai. «Sono cresciuta con Lee, e con noi c'era sempre anche Noah. È per questo che non lo chiamo Flynn... e anche perché so che gli dà terribilmente sui nervi sentirsi chiamare Noah.»

Lisa ridacchiò e sorrisi.

Rachel ribatté: «È molto protettivo nei tuoi confronti, e quindi ho pensato che forse... sai...»

Scossi appena la testa. «No. È semplicemente fatto così. Non c'è niente sotto.» Non era una vera e propria bugia, in fondo.

«Se lo dici tu» commentò Rachel.

«Credo che stareste bene insieme» intervenne Lisa. «Siete talmente diversi che formereste la coppia perfetta, non trovi?»

Non potei trattenere uno sbuffo scettico. «Non facciamo altro che litigare. Se anche stessimo insieme – e non succederà mai e poi mai – finiremmo per ucciderci a vicenda.»

Scoppiarono a ridere entrambe e poi cominciarono a parlare di un nuovo film. Io smisi di ascoltare, troppo in pace e rilassata per concentrarmi su ciò che dicevano.

Dopo qualche istante di tranquillità, qualcosa mi afferrò una caviglia. Poco dopo anche l'altra fu stretta in una morsa, e mi sentii sollevare le braccia. Nel giro di un secondo la sdraio scomparve.

Sgranai gli occhi e vidi Lee, Dixon, Warren e Joel ridere di fronte alla mia espressione terrorizzata.

Mi dimenai mentre mi portavano via. «Lasciatemi stare! Mettetemi giù!»

Continuarono a ridere e Lee disse: «Non possiamo accontentarti, Shelly, mi spiace».

«Mettetemi giù! Subito! È un ordine!»

«Se proprio insisti...» disse Joel in tono malizioso, e i ragazzi mi fecero ondeggiare avanti e indietro, più volte.

Gridai e poi risi anch'io. «Non ci provate!»

Ma era troppo tardi, ormai avevano lasciato la presa. Atterrai con un rumore sordo e schizzai acqua dappertutto, sentendo le risate dei presenti mentre risalivo in superficie. Un attimo dopo i ragazzi si tuffarono intorno a me.

L'acqua era davvero gelida! Riaffiorai in cerca d'aria, con i capelli incollati al viso e al collo. Battevo un po' i denti. «Vi odio!» urlai, ma in realtà ero divertita.

Loro risero e io guardai le ragazze, che non erano riuscite a trattenersi e ridacchiavano. «Vedremo quanto vi divertirete quando toccherà a voi!» le avvertii, facendole ridere ancora di più.

Nuotai fino alla scaletta per uscire.

«No, sei appena arrivata, non puoi andartene!» protestò Warren lanciandosi verso di me per allontanarmi dalla scaletta.

Risi e cercai di uscire, però fui troppo lenta e Warren mi afferrò.

«Perché state urlando?»

Raggiunsi la scaletta mentre Warren si avventava su di me. Il pezzo sopra del costume gli restò in mano e tutti si zittirono mentre Noah mi fissava con uno sguardo di disapprovazione. Mi coprii subito con le braccia, arrossendo violentemente.

Oddio, che umiliazione!

Avevo le guance in fiamme anche se il resto del mio corpo tremava per il freddo.

E poi sentii qualcuno che rideva, una risata che conoscevo fin troppo bene: era Lee. Quando ebbe interrotto quel silenzio pesante e imbarazzato, tutti lo imitarono.

«Warren, è ufficiale: ti odio!» dissi girandomi verso di lui quando fui sicura di essermi coperta bene con le braccia.

Lui fece un sorrisetto e rispose: «Mi dispiace, non volevo togliertelo... non era mia intenzione, davvero».

«Sei un idiota» ridacchiai.

«Lo rivuoi o posso tenerlo? Nel secondo caso non mi lamenterei» mi stuzzicò, e feci una risatina sarcastica.

«In questo momento ho le mani impegnate» dissi in tono piatto.

«Ah, già.» Mi lanciò il costume, che però atterrò dietro di me, fuori dalla piscina, schizzando gocce ovunque.

Nel frattempo Oliver si avvicinò e spinse Warren sott'acqua, tenendogli le spalle per qualche secondo prima di permettergli di riprendere fiato.

Risi insieme a tutti gli altri. «L'ho fatto per te!» mi disse Oliver orgoglioso.

«Aspetta che gli metta le mani addosso… se ne pentirà» minacciai, ma stavo ridendo troppo per risultare credibile.

«Più che altro aspetta che Flynn gli metta le mani addosso» sentii mormorare Dixon.

Mi girai e vidi Noah che ci fissava, accigliato. Sospirai. *Ci risiamo…*

«Lascia stare» gli sibilai. Uscii dalla piscina e mi diressi a passo deciso in casa. Per fortuna i suoi genitori erano usciti a cena, dato che Lee ci aveva invitati, e non erano ancora tornati: se ci fossero stati, sarebbe stato un po' imbarazzante andare in camera di Lee a prendere una maglietta coperta soltanto dalle mie braccia. I miei vestiti erano rimasti accanto alla piscina, dove li avevo lasciati piuttosto che doverli raccogliere mezza nuda davanti a tutti.

Frugai nei cassetti di Lee e trovai una t-shirt che avevamo comprato insieme a un concerto un paio di anni prima. La infilai sulla pelle umida, contorcendomi un po'. Era appena più grande della mia taglia.

Udii qualcuno che si schiariva la gola dietro di me, e il rumore mi fece sussultare: non avevo sentito nessuno sulle scale. Noah era appoggiato allo stipite con le braccia incrociate sul petto e un'espressione che mi fece venire i brividi. Il viso era abbastanza rilassato, ma l'ombra che gli oscurava gli occhi luminosi mi rese ansiosa.

«Hai quasi rotto una costola anche a Warren?» lo provocai, dissimulando il nervosismo con l'irritazione.

«No» rispose, aggrottando la fronte.

«Ah... Di che si tratta allora? Di una gamba? Di un braccio?»

Mosse un paio di passi verso di me. «No. Credo che abbia capito che deve starti lontano dallo sguardo che gli ho lanciato» disse compiaciuto. «L'ho spaventato per bene.»

«Non gli hai detto né fatto niente? Oddio, devo essere finita in un universo parallelo.»

Fece una risata sarcastica. «Non ho neanche dovuto. Aveva già capito da solo.»

Scossi piano la testa, incredula.

«E poi so benissimo che è stato solo un incidente» borbottò a denti stretti.

«Comunque nessuno ha visto... niente.»

«Tranne me.»

«Sì, okay, ma... cioè, tu... hai capito cosa intendo.»

Sorrise notando le mie guance arrossate e la mia confusione.

«E poi sei tu quello che indossa boxer di Superman» proseguii notando l'elastico che spuntava dai suoi jeans. Ricordavo benissimo come si era imbarazzato quando li avevo visti la prima volta.

«Già» disse in tono noncurante, ma evitando il mio sguardo. Feci un gran sorriso, sapendo di essere riuscita a metterlo un po' in imbarazzo.

Uscendo dalla stanza di Lee gli passai accanto e dissi: «Immagina cosa penserebbero tutti se scoprissero che quel duro di Flynn porta quei boxer...»

«Non lo faresti mai.»

Mi voltai appena e gli rivolsi un sorriso innocente, mordendomi un labbro come a sfidarlo a mettermi alla prova. Quando cercò di afferrarmi rimasi senza fiato e corsi nella stanza più vicina, cioè la sua. Non sapevo se ritenermi fortunata o meno, però a quel punto ero bloccata nella stanza di Noah, che chiuse la porta alle sue spalle sorridendomi. Arretrai, ma a ogni mio passo ne corrispondeva uno suo.

Quando la mia schiena aderì al muro e mi ritrovai senza via d'uscita, Noah approfittò del vantaggio e si appoggiò contro di me, il suo respiro caldo mi accarezzava il viso.

«A volte, Elle» sussurrò, sfiorandomi le labbra con le sue «sei fin troppo irresistibile.»

Fui attraversata da un brivido. Mi baciò sul collo, lasciandomi senza fiato e facendomi battere forte il cuore. Quando non riuscii più a resistere alle sue provocazioni gli presi il viso tra le mani e lo baciai. Non ci furono scontri di denti: ormai l'esercizio che avevamo fatto dava i suoi frutti.

Si staccò da me, ansimando, e aprii lentamente gli occhi per guardare i suoi. Noah mi scostò una ciocca di capelli umidi dal viso e mi accarezzò teneramente una guancia.

«Sei davvero splendida, Elle, lo sai?» disse piano, sfiorandomi la pelle con il pollice. Arrossii e lui accennò un sorriso.

Era stranissimo: le mie amiche mi avevano detto che ero bella, e i ragazzi mi dicevano che ero sexy… ma quando era Noah a dirlo il mio cuore faceva i salti mortali. «Adoro farti arrossire» aggiunse con una punta di divertimento.

«Piantala» sussurrai, colpendolo al petto con poca convinzione.

«Dovresti tornare giù, prima che gli altri si chiedano come mai ci stai mettendo tanto.»

«O prima che Lee pensi che ci siamo uccisi a vicenda.»

Noah ridacchiò. «Sì, è più probabile.»

Però non si spostò. Se l'avessi voluto davvero avrei potuto andarmene, ma restammo entrambi immobili e Noah continuò ad accarezzarmi la guancia. Osservai i suoi zigomi, la mascella, la linea irregolare del naso, le ciglia lunghe, le lentiggini appena visibili sulla punta del naso… tutte cose che non avevo notato prima di allora.

«Noah…»

«Sì?»

«Devo proprio andare» dissi mio malgrado, tradita dalla voce.

Lui sospirò e si fece da parte, lasciando cadere il braccio. L'elettricità tra di noi rendeva l'aria pesante e quasi mi impediva di respirare. Volevo soltanto restare lì con Noah ma sapevo di non poterlo fare, così scesi al piano di sotto.

La guancia mi formicolava nel punto in cui l'aveva toccata, e sentivo ancora il sapore delle sue labbra sulle mie. Dovetti fermarmi un istante e ritrovare il controllo di me stessa, in modo che nessuno capisse che era successo qualcosa. L'aspetto più difficile fu evitare di sorridere troppo.

«Flynn sembrava abbastanza irritato» commentò Rachel quando raggiunsi di nuovo le ragazze. «Che cos'ha detto?»

«Non l'ho visto, in casa» mentii. La facilità con cui lo feci mi irritò.

«Avresti dovuto vedere la faccia di Warren» ridacchiò Lisa. Prese il cellulare, premette qualche tasto e me lo passò; una foto di Warren riempì lo schermo: era pallidissimo, con gli occhi fuori dalle orbite e la bocca spalancata.

Scoppiai a ridere anch'io. «Oddio, è fantastico!»

Sospirai, investita da un'ondata di sollievo: a quanto pareva nessuno sospettava che tra me e Noah ci fosse qualcosa. Decisi di non pensare più a lui e di godermi il resto del venerdì sera.

16

Tra le lezioni e i compiti a casa i professori ci caricarono di lavoro, e le due settimane seguenti passarono in un baleno. Quando non ero in giro con Lee mi vedevo di nascosto con Noah. Andammo al cinema e trovammo qualche occasione per incontrarci (quando uno dei due aveva la casa libera).

Entrambi ci stupimmo del fatto che potevamo fare delle cose normali, insieme, e non solo baciarci. Dopo il film restammo per mezz'ora nella sua auto a chiacchierare, e in altri momenti giocammo ai videogame, guardammo la tv e fu... be', molto piacevole. Anche se, naturalmente, non eravamo d'accordo pressoché su nulla, nemmeno su cosa guardare in tv.

Non mi ero ancora abituata al brivido di frequentarlo di nascosto, però odiavo il senso di colpa che lo accompagnava: stavo mentendo al mio migliore amico, a mio padre e a tutti gli altri...

Un sabato sera afoso ero seduta su un tavolo da lavoro in garage mentre Noah armeggiava con la trappola su due ruote che definiva la sua moto. La porta era socchiusa, ma nessuno poteva vederci.

«Non riesco a credere» esclamai «che per te il secondo *Transformers* sia meglio del primo. Quello è imbattibile, fidati di me.»

«Ma dai! Le macchine gemelle erano una figata.»

Ridacchiai. «Sì, ma il primo era... epico!»

«Il secondo è meglio, Elle, credimi. Ehi, mi passi la chiave inglese?»

«Dov'è?» domandai guardandomi attorno. Non ero un'esperta di attrezzi ma sapevo che aspetto avesse una chiave inglese. Quello che non sapevo era cosa stesse combinando Noah, che però era molto sexy.

«Sullo scaffale sopra di te.»

Mi arrampicai sul tavolo e afferrai il bordo della mensola. Arricciai il naso di fronte alle ragnatele, sperando che non ci fossero ragni enormi pronti a saltarmi in testa, e cercai l'attrezzo con lo sguardo.

«Eccolo» esclamai quando lo trovai. Lo afferrai e mi girai per scendere, ma sbattei contro il ripiano. «Ahia!» strillai d'istinto, facendo cadere la chiave inglese per portarmi le mani sulla testa. Nell'agitazione persi l'equilibrio e scivolai dal tavolo. Con un tonfo e un grido, caddi a terra. Confusa, battei le palpebre più volte finché i puntini luminosi che vedevo non scomparvero e la stanza tornò a delinearsi. Fui investita da un'ondata di dolore.

«Merda» sentii Noah esclamare.

«Ahi» gemetti, portando una mano alla guancia. In bocca avvertii il sapore del sangue; dovevo essermi morsa la lingua.

Noah aveva lasciato cadere il cacciavite e lo straccio che stava usando e si era chinato accanto a me, mi teneva una mano sulla schiena e con l'altra mi scostava i capelli dal viso. «Elle, stai bene?»

Mi sfiorai la guancia con un dito e feci una smorfia: faceva davvero malissimo! «Ti sembra grave?» chiesi con voce lamentosa.

Lui ridacchiò. «No, è solo un graffio. Potrebbe venirti un livido però... Anzi, sarà meglio pulire la ferita. Conoscendoti si infetterà, e in quel caso potrebbe diventare grave.»

Non risi e risposi alla battuta mettendo su il broncio. Noah, però, aveva ragione. Era meglio pulire la ferita, visto che in garage c'erano polvere, benzina e ragnatele... Mi alzai, con la sua mano ancora sulla schiena a sorreggermi. Era una sensazione piacevole, essere circondata dal braccio di Noah: mi sembrava fosse al posto giusto.

Oh, devo davvero smetterla di leggere tutti quegli stupidi romanzi d'amore!

Feci un'altra smorfia.

«Che c'è? Che succede?»

«Sto bene» risposi con un cenno. «Ho sbattuto forte il sedere, ma sono tutta intera. Niente di grave.»

Mi raddrizzai lentamente. Okay. Sembrava fosse tutto a posto. Noah mi fissò a lungo e poi si strinse nelle spalle. Rientrammo in casa passando dalla porta che collegava il garage alla stanza con il tavolo da biliardo. Noah si guardò attorno prima di farmi salire le scale ed entrare in camera sua. Chiuse la porta con un calcio e andò in bagno, mentre io mi sedevo sul bordo del letto. Mi faceva male il sedere e gemetti piano.

«Sei proprio un'imbranata» ridacchiò Noah ricomparendo di fronte a me.

Alzai gli occhi al cielo. «Non sempre.»

«No. *Quasi* sempre.» Si inginocchiò davanti a me. Dopo avermi rivolto un sorriso di scuse mi prese il mento tra pollice e indice, con delicatezza, e mi fece voltare un pochino. Rimasi seduta lì, sforzandomi di non muovermi, mentre lui mi puliva la guancia con un panno bagnato e poi la spalmava di crema disinfettante, che bruciò un po'.

«Scusa» disse quando mi irrigidii per la quarta volta.

«Non ti preoccupare, non è colpa tua.»

«Non avrei dovuto chiederti di passarmi la chiave inglese.» Sembrava infastidito, ma sapevo che non era arrabbiato con me. «Sono stato un idiota.»

«Non c'è problema, davvero. È stato un incidente e sono stata io a perdere l'equilibrio. Non è successo niente di grave.»

Lui non rispose, anche se ebbi l'impressione che volesse dire qualcosa.

«Dove hai imparato a fare l'infermiera?» gli chiesi scherzando dopo qualche istante, nella speranza di riuscire a distrarre me dal dolore pulsante alla guancia destra e Noah dai suoi pensieri; quali che fossero, non sembrava allegro.

«Dato che finisco sempre per cacciarmi in qualche rissa ho dovuto imparare a prendermi cura di me stesso» ribatté, con il viso impassibile e un'espressione indecifrabile.

«Ah.»

«Dai, dillo.»

«Cosa?»

«Che sono un violento patologico. È quello che pensi, no?»

«Perché è la verità» ribattei semplicemente. «Perché ti lasci coinvolgere da tutte quelle risse, in fondo? Ti ho visto fare a botte, Noah: non è una cosa positiva, e...»

Il suo sospiro profondo mi interruppe a metà frase.

«Okay, va bene, sono un idiota che fa a botte per il gusto di farlo. Hai ragione» disse poi, in fretta. Aveva sempre odiato dover ammettere i propri errori, lo sapevano tutti. Ma aveva appena affermato di avere torto... e che io avevo ragione. Non ero felice di aver vinto quella discussione, ma in ogni caso provai una punta di soddisfazione. Chissà se Noah si sentiva così dopo i nostri bisticci.

«Hai appena ammesso che ho vinto...» commentai, prendendolo un po' in giro nonostante le mie migliori intenzioni.

Noah alzò gli occhi al cielo. «Già, proprio così. Okay, hai avuto il tuo momento di gloria.»

«Dicevo sul serio, però» insistetti. «Sul fatto che a quanto pare... ti piace fare a botte.»

Si sedette sul pavimento, continuando a guardarmi negli occhi. Ogni traccia di divertimento era sparita dalla stanza.

«So che eri seria, e che è la verità. Non posso farci niente. Ricordi l'estate in cui tu e Lee siete andati al campo estivo di calcio? Avevate più o meno tredici anni. Quando sei tornata non facevi altro che parlare di quanto fosse buona la cheesecake.»

«Mmh, sì, e quindi?» *Si ricorda di quando sono stata al campo estivo di calcio? Persino io me l'ero quasi scordato!* Quelle settimane erano state divertenti, ma ormai erano soltanto una macchia indistinta nel passato, e avevo dimenticato anche la cheesecake.

«Quello è stato l'anno in cui ho cominciato a partecipare alle risse a scuola, e i miei genitori mi hanno mandato da un paio di psicologi. Volevano darmi una mano, lo capisco benissimo, però...» Sospirò. «Ci hanno provato, ma hanno fallito miseramente. Sono una testa calda e lo sarò sempre. Sono fatto così.» Si strinse nelle spalle come se non gli importasse.

I rari momenti come quello, in cui vedevo Noah per ciò che era al di là del sorrisetto sexy, in cui scorgevo il suo lato più vulnerabile, mi piacevano molto. Ignoravo che fosse andato da uno psicologo, e forse non lo sapeva neppure Lee.

«Sei carino quando sei in imbarazzo» lo provocai per alleggerire un po' l'atmosfera.

«Tanto per cominciare non sono imbarazzato» replicò, stando allo scherzo. «E poi ti ho già detto di non darmi del "carino"» concluse dandomi un colpetto con il ginocchio.

Scoppiai a ridere e lui mi sorrise, mostrando la fossetta sulla guancia sinistra. Provai una fitta di dolore e gemetti, portandomi una mano alla ferita. Noah la scostò, si chinò in avanti e mi baciò dolcemente proprio in quel punto. Mi vennero le farfalle nello stomaco: a quanto pareva i bacini alla bua non funzionavano soltanto con i bambini piccoli...

D'un tratto però sussultai: non dovevo lasciarmi trascinare a quel modo, dovevo fare attenzione a ciò che provavo per Noah. Si era confidato con me e quindi ci eravamo avvicinati, ma... non era un buon segno. Il nostro legame non doveva diventare più profondo e non potevo permettermi di provare dei sentimenti importanti per lui; se fosse accaduto saremmo stati nei guai, la situazione ci sarebbe sfuggita di mano, Lee mi avrebbe odiata e non ci sarebbe stato neppure Noah a consolarmi. Avrei sofferto tantissimo.

In quel momento però Noah mi baciò sulla guancia e poi mi guardò negli occhi: trattenendo una risatina mi resi conto che riuscivo a pensare soltanto a lui. A quanto mi piaceva stare con lui, a quant'era bello sentire le sue braccia intorno a me, a com'erano luminosi i suoi occhi…

«Elle…» disse, con un'espressione seria, ma lo interruppi.

«Credo di essermi fatta male anche alle labbra» sussurrai indicandole.

Lui rise piano e scosse la testa, avvicinandosi a me.

Prima che potessimo staccarci, la porta, rimasta socchiusa, si spalancò.

«Cosa sta succedendo?»

Noah scattò in piedi e si girò; io rimasi sul bordo del letto, incapace di muovermi. Nella mia mente passarono imprecazioni che non avrei mai osato pronunciare a voce alta quando vidi Lee sulla soglia.

«Ho chiesto che cosa sta succedendo» ripeté, osservando a occhi socchiusi prima me e poi il fratello. Il suo sguardo tornò a posarsi su di me e rimase a bocca aperta. «Oddio, Shelly! Cos'è successo alla tua faccia?»

«Be', grazie» mormorai sarcastica, ma senza le energie sufficienti ad alleggerire l'atmosfera.

Lee si precipitò da me per studiare la guancia ferita. Si voltò all'improvviso verso il fratello. «Che cosa le hai fatto?»

«Cosa?» replicò lui, duro. «Cos'hai detto?»

«Sei diventato sordo?» borbottò Lee. Quindi, a voce più

alta, aggiunse: «Ho chiesto che cosa le hai fatto. Hai picchiato Elle?»

Noah strinse i denti con tanta forza che vidi i tendini del collo irrigidirsi. «Pensi davvero che potrei... farle una cosa del genere?»

«Be', non mi sento di escluderlo!» sbottò Lee. «Cosa cazzo le è successo? Cosa stavate facendo?» Imprecava solo quando era davvero arrabbiato.

Sapevo che le cose si stavano mettendo male. In ogni caso, non riuscivo a muovere un muscolo.

Noah ribatté in tono sprezzante: «Non devo rispondere a te delle mie azioni, fratellino».

Lee strinse e rilassò i pugni, irritato. «E allora cos'è successo a Elle?»

«Non è niente» intervenni timidamente. Si girarono entrambi verso di me, furiosi. Abbassai la testa e lasciai che i capelli mi coprissero il viso, poi alzai di nuovo lo sguardo su di loro. «Non è nulla di grave, sto bene...»

«Sì, certo» mugugnò Lee, cupo. Mi indicò e urlò: «Cos'è successo?»

«Era venuta a cercarti in garage ed è inciampata. Non è un dramma, calmati. Sta bene.»

A irritare più di ogni altra cosa Lee era quel tono impertinente, ed ero sicura che Noah lo sapesse. Me la sarei presa anch'io.

«Non è colpa sua» provai a dire, ma mi ignorarono entrambi.

«Certo che lo è. Di sicuro è stata la sua roba sparsa in giro a farti inciampare.»

«Non ho il potere di controllare la sua goffaggine, sai?»

Oh, grazie mille, Noah.

«Quindi è stata colpa tua, lo sapevo!» sbuffò Lee scuotendo la testa e mordendosi l'interno della guancia. Di certo capiva che non era stata colpa del fratello, ma era troppo arrabbiato per pensare lucidamente.

«È stato un incidente» sibilò Noah a denti stretti, gli occhi fiammeggianti.

Lee scrollò le spalle, facendolo infuriare ancora di più. «Questo non toglie che non mi stupirei se fossi stato tu a farle del male.»

«Basta così» esclamò Noah avventandosi sul fratello, che stava già per colpirlo.

Mi alzai di scatto e mi misi tra loro due prima che si uccidessero. Cercai di allontanare Noah con una spinta; non servì a nulla, ma la mia presenza li fece fermare.

«Noah» dissi in tono calmo. «Noah, guardami.»

Staccò gli occhi dal fratello e li posò su di me, con un'espressione un po' più tranquilla. «Sai che non ti farei mai del male, Elle. Se avessi potuto, ti avrei impedito di cadere. Non ti picchierei mai, lo sai, vero?»

Annuii, paziente. «Certo che lo so. Ma non c'è bisogno di litigare con Lee, okay? È solo preoccupato per me.»

«Non ti picchierei mai» ripeté Noah, stringendo di nuovo i denti.

«Lo so» dissi cercando di calmarlo. Gli posai una mano sul petto, che si alzava e abbassava rapidamente: aveva il fiato corto. «Lo so. Però adesso rilassati, per favore. Ti credo, davvero, ma stai tranquillo.»

Ricambiò il mio sguardo per qualche secondo e poi arretrò,

passandosi le dita tra i capelli. Mi voltai e presi Lee per mano, trascinandolo fuori dalla stanza e poi in camera sua.

Quando si chiuse la porta alle spalle disse: «Wow, non avevo mai visto qualcuno riuscire a calmarlo come hai fatto tu. È stato... strano. E dire che di solito non fate altro che urlarvi addosso...»

«Senti, non ci pensare più. L'importante è che non siate venuti alle mani» sospirai lasciandomi cadere sul suo letto morbido. Si sdraiò accanto a me e poi si avvicinò per sfiorarmi una guancia. Trattenni il fiato e feci una smorfia a quel contatto.

«Scusa» disse subito. «Raccontami cos'è successo.»

Cosa gli aveva detto Noah? Che lo stavo cercando in garage e... Borbottai che ero arrivata a casa sua e avevo sentito qualcuno in garage. Ero passata dalla stanza del biliardo pensando di raggiungerlo ma ero inciampata e avevo battuto la faccia. Avevo lo stomaco annodato e provavo una forte nausea, chiari segnali del senso di colpa. Odiavo mentire a Lee, ma non potevo dirgli la verità, soprattutto non in quel momento. Anche se si stava calmando, era ancora arrabbiato con Noah.

Insomma, ero nel vostro garage a flirtare con tuo fratello. Ci siamo baciati un po' e poi lui ha ricominciato ad armeggiare con la moto, e io sono caduta dal tavolo. Ah, tra l'altro volevo dirti che nelle ultime settimane l'ho visto di nascosto, quindi non preoccuparti. Lo facciamo spesso, anche se non scivolo sempre giù dai tavoli.

Sì, sarebbe stata una conversazione fantastica. Mi ripetei che non era il momento adatto per informarlo di come stavano le cose.

«Okay, quindi non è stata colpa sua» mugugnò «però...»

Non gli lasciai finire la frase, perché avevo una domanda urgente da fargli… benché la risposta mi spaventasse. «Pensavi davvero che mi avesse picchiata?»

Lee mi scrutò per qualche secondo, poi abbassò lo sguardo. «Lo so, lo so, è mio fratello. Ma per un attimo ho creduto che avesse perso la pazienza e che tu ti fossi trovata nel posto sbagliato al momento sbagliato, o che aveste litigato di nuovo… Non sono felice di aver pensato una cosa del genere, ma…»

«Non mi picchierebbe mai» dissi in tono tranquillo, giocherellando con l'orlo della maglietta. Notai che si era strappata; doveva essere successo quand'ero caduta dal tavolo. «Persino Noah sa quando fermarsi.»

«Lo spero» borbottò Lee.

«Io ne sono sicura.»

«Fino a ieri non vi sopportavate e oggi lo difendi?» Non era un'accusa, bensì una semplice affermazione.

«Anche tu hai perso la pazienza in fretta» gli feci notare. «Che succede?»

Lui sospirò, spettinandosi i capelli. «Sono un po' nervoso in questi giorni. Ho preso un'insufficienza nel compito di storia, ricordi? I miei genitori dicono che forse sto passando troppo tempo con Rachel… sono stressato, tutto qui.»

Tesi un braccio verso di lui e gli strinsi la mano, intrecciando le dita alle sue. Ricambiò con forza la mia stretta e fece un respiro profondo.

«Comunque non cambiare discorso, signorina. Da quand'è che tu e Noah siete amici? Quando sono entrato nella sua stanza mi siete sembrati piuttosto in confidenza.»

Il mio cuore cominciò a battere più veloce. Probabilmente

non aveva visto nulla: dato che non era uno che girava intorno alle cose, se avesse avuto dei sospetti me ne avrebbe già parlato.

Non è il momento giusto. Non adesso. Puoi dirglielo in un'altra occasione, ma non ora…

Lo stomaco mi si annodò ancora di più. Dovevo dirglielo. In fondo l'avrebbe scoperto ugualmente, quindi perché non confessare subito, prima che lo venisse a sapere da qualcun altro? Dovevo vuotare il sacco e basta. Eppure non volevo farlo, perché sapevo che mi avrebbe odiata. Presi coraggio e cominciai: «Lee, ti prego, non detestarmi, ma…»

«Elle?» mi chiamò una voce dalla soglia.

Mi interruppi con un sospiro e mi rigirai sul letto. Noah aveva il tempismo peggiore del mondo. Proprio quando stavo per dire la verità a Lee…

«Che cavolo vuoi?» gli chiese il fratello quando io non risposi.

Noah lo fulminò con lo sguardo e disse a me: «Elle, posso parlarti per un secondo?»

«Certo.» Strinsi ancora la mano di Lee prima di alzarmi. Gli rivolsi un sorriso che sperai fosse rassicurante e mi chiusi la porta alle spalle.

Noah si stava grattando la nuca e aveva la mascella serrata. Impiegai qualche istante per decifrare la sua espressione: stava riflettendo a fondo su qualcosa. Aprì la bocca, la richiuse e mi trascinò nella sua stanza, assicurandosi di chiudere la porta.

«Lo capisco… se non vuoi… se vuoi lasciar perdere… quello che abbiamo fatto finora, qualsiasi cosa sia. Se non vuoi vedermi più, ecco.»

Mi accigliai. Perché mi stava dicendo quelle cose, di punto in bianco? «Perché dovrei voler smettere di vederti?»

Alzò le spalle. «Lo capirei. Insomma, prima abbiamo parlato del fatto che sono violento, e poi Lee ha detto che... che credeva che potessi picchiarti e... lo capisco.»

Mi accigliai ancora di più.

«"Violento patologico" non è tra le cinque caratteristiche che una ragazza cerca nel proprio fidanzato, eh?» commentò amareggiato. «Non farei mai ciò di cui mi ha accusato Lee, però. Lo sai, vero? Sono serio. Non ti farei mai del male, Elle, lo giuro.»

Annuii. «Lo so benissimo, okay?»

«Ma comunque capisco se non vuoi... andare avanti. Con questa... cosa tra noi. Se vuoi chiudere...»

«Non voglio» ribattei. «Non voglio che finisca» precisai notando la sua espressione delusa.

Lui sorrise, ridacchiò e mi tirò a sé, posando la fronte contro la mia. «Ho una pessima influenza su di te. Ti faccio prendere decisioni stupide.»

«Quali decisioni stupide?»

«Stare con me, per esempio.» Mi diede un rapido bacio sulle labbra, poi arretrò di un passo e aggiunse: «Torna di là, prima che mio fratello immagini che ti ho buttata giù dalla finestra o cose simili».

Scossi la testa e risi, poi uscii. Lee mi aspettava in corridoio, vicino alla sua stanza, ma non stava origliando: mi aspettava e basta.

«Cos'è successo?»

Gli dissi che Noah aveva ribadito che non mi avrebbe mai

fatto del male e accompagnai quelle parole con un cenno noncurante. Il mio cuore batteva all'impazzata, in attesa che Lee credesse a quella bugia.

«È il momento in cui mi confessi che la mia migliore amica e mio fratello si sono innamorati?»

Sbuffai e poi risi. «Certo che hai proprio una bella immaginazione.»

Io, innamorata di Noah Flynn? Nemmeno per idea.

Quando gli dissi che ero inciampata nel garage di Lee, mio padre si limitò a sospirare e a raccomandarmi di fare più attenzione.

«Devo ammettere» commentò «che sei più goffa di tua madre. Ricordi la volta in cui cadde dalle scale mobili al centro commerciale? Per poco non hanno dovuto darle dei punti.» Scosse la testa, sorridendo con un po' di nostalgia al ricordo.

Nemmeno a scuola qualcuno dubitò della mia versione dei fatti, e in fondo era normale: non era una bugia… almeno quella. Le menzogne sembravano andare di pari passo con la mia storia con Noah, e la cosa mi infastidiva. A quanto pareva stavo diventando sempre più brava, e non ne ero certo orgogliosa.

A pranzo, mentre aspettavo che Lee e gli altri finissero di riempirsi i piatti, d'un tratto il tavolo a cui ero seduta venne invaso dalle ragazze.

«Stavo pensando» esordì Jaime, guardandomi «a Flynn.»

«Uuuh, sentiamo» esclamò Tamara impaziente.

«Sta con qualcuno?» mi chiese Jaime senza girarci intorno.

Tutti sapevano che Flynn era single e che non aveva storie

serie ma solo flirt. Quindi perché di colpo qualcuno mi chiedeva se stesse con una ragazza? Eravamo stati imprudenti? Ci aveva visti? Perché lo stava domandando proprio a me?

Deglutii e mi accorsi di avere i palmi sudati. Decisi di risponderle nel modo più semplice possibile. «Non sono al corrente di tutto quello che fa Noah.»

«Lo sei molto più di noi. Beata te...» borbottò Olivia, ma rivolgendomi un gran sorriso e strizzandomi l'occhio.

Scoppiai a ridere, un po' sollevata. «Perché vuoi saperlo?» chiesi poi a Jaime.

Lei scrollò le spalle. «Niente, avevamo in mente una teoria.»

«Una teoria?» ripetei. Lei annuì e Candice si avvicinò, abbassando la voce fino a sussurrare. Io presi una forchettata di pasta come se il mio cuore non stesse battendo all'impazzata.

«Siamo convinte che Flynn abbia una ragazza segreta.»

Rimasi a bocca aperta e per poco non feci cadere la forchetta.

Samantha sbuffò. «Ne dubito. Stiamo parlando di Flynn. È un playboy, non riesco a immaginare che faccia sul serio con qualcuno.»

«Be', se incontrasse la ragazza giusta...» ridacchiò Karen, indicando e stessa.

«Pensaci, però» proseguì Candice. «Sono settimane che non frequenta nessuna, zero. Di solito lo vediamo baciare qualche ragazza fortunata alle feste, ma ultimamente...»

«Oh, mio Dio!» strillò Tamara. «Hai ragione! Non c'è nessuna da settimane. Però avete notato il succhiotto che aveva qualche giorno fa, vero?»

«E come avrebbe potuto sfuggirci?» rise Olivia.

Stavo cercando con tutte le mie forze di non arrossire e di

non apparire troppo colpevole o preoccupata. Quelle ragazze erano molto più attente di quanto dessero a vedere.

«Tu l'hai in visto in compagnia di qualcuno, Elle? Dico a casa sua, quando sei con Lee.»

Scossi la testa. «No, non ho visto nessuna ragazza.»

«Chissà chi è...»

«Ammesso che esista» puntualizzò Faith.

E poi buttai lì, con tutta la naturalezza di cui ero capace: «Forse è gay».

Per un istante calò il silenzio e continuai a mangiare con calma la pasta. Mi stavano fissando tutte.

«Impossibile.»

«Non può essere gay.»

«Non lo pensi davvero!»

«No, non esiste.»

Quando non riuscii più a trattenermi, scoppiai a ridere. «Stavo scherzando! Avreste dovuto vedere le vostre facce... Oh, dovevo farvi una foto.»

Candice mi diede un colpetto sul braccio. «Non si scherza su queste cose, Elle.»

«Scusate» ridacchiai. «Non ho resistito.»

Quella battuta, però, le aveva distratte dalla fidanzata misteriosa di Noah Flynn, e per il momento ero al sicuro. Provai un'ondata di sollievo e le ascoltai discutere di ragazzi. Avevo sentito abbastanza pettegolezzi su Noah quando non stavo con lui; non sapevo se sarei sopravvissuta, se a scuola si fosse saputo che l'innocente Rochelle si vedeva di nascosto con quel duro di Flynn.

Sembrava poco credibile. Come se avessi detto a tutti che mi ero comprata una moto.

17

Arrivò la metà di maggio, prima di quanto desiderassi.

Come se non avessi abbastanza preoccupazioni (la storia segreta con Noah e gli esami di fine anno che si avvicinavano), dovevo anche sorbirmi il consiglio studentesco.

«Allora, il ballo d'estate si terrà all'inizio di giugno» annunciò Tyrone.

«Cosa? Ma c'è pochissimo tempo!» protestò qualcuno ad alta voce.

Tyrone alzò le mani in segno di resa e tutti fecero silenzio. «Non scelgo io le date, mi dispiace. Non c'erano altre possibilità per usare la sala da ballo del Royale.»

«Sei riuscito ad avere la sala del Royale?» strillò Kaitlin, dando voce ai pensieri di tutti i presenti. Il Royale era un albergo assurdo, sui toni del bianco e dell'oro e pieno di marmo.

Lui annuì. «Sì. Siamo riusciti a farlo rientrare nel budget, ma dovremo risparmiare un po' sulle decorazioni e sulla band, a meno che non alziamo il prezzo dei biglietti.»

«Be', si può fare. In fondo, stiamo parlando del Royale: a nessuno dispiacerà spendere di più per andarci.»

«Hai ragione» concordò, e tutti annuirono. «In ogni caso dobbiamo decidere qualcosa per il cibo, la band, i biglietti e...»

«Ci serve un tema» intervenne una delle ragazze posando le mani sul tavolo.

Faith saltò su dalla sedia, emozionata. «Dovremmo assolutamente scegliere il Medioevo! L'ho visto in un programma in tv ed era fantastico!»

«No» esclamarono i ragazzi, quasi in coro. Ridacchiai notando l'espressione inorridita di Lee.

«Che ne dite di bianco e nero?»

«Non è molto estivo.»

«Qualcosa di vintage, tipo gli anni Sessanta? Anzi, no: i ruggenti anni Venti! I ragazzi potrebbero vestirsi da gangster con completi appariscenti, e noi potremmo indossare lunghe collane di perle, che ne dite? Sarebbe grandioso!» suggerì Bridget, eccitata.

«Ehm... no» replicò qualcuno in tono piatto.

«Posso avere una pistola se mi vesto da Al Capone?» scherzò Tony, uno studente dell'ultimo anno.

«Sarebbe perfetto» intervenne sarcastico Max, un ragazzo con cui seguivo il corso di letteratura inglese. «Il proibizionismo a un ballo scolastico, certo... perché nessuno cercherà di introdurre dell'alcol di nascosto, rischiando di far sospendere qualsiasi festa.»

«Allora potremmo organizzare un ballo in maschera...»

«Sì! Oh, mio Dio, sì! Che meraviglia!»

Gemetti e posai la fronte sul tavolo prima di rialzarmi. «Dai! Non vi sembra un po' abusato? Tutti organizzano dei balli in maschera in questo periodo. Anche nelle serie tv. Ci sarà pure qualcos'altro...»

«Abbiamo già usato uno stupido tema per il ballo d'inverno. Cos'era, Hollywood o roba del genere?» si lamentò Eric. «Almeno la festa in maschera è divertente.»

«Ma ormai è roba vecchia!»

«Sono d'accordo» intervenne Lee.

«Certo che lo sei» sentii commentare Tyrone mentre scuoteva la testa, fissandoci.

«Ehi, potremmo organizzare una mini fiera» propose Lily con gli occhi che brillavano. «Con una cartomante, lo zucchero filato... e un'altra kissing booth.»

«Se la gestisce Elle, per me va benissimo!» rise Tony strizzandomi l'occhio.

Sbuffai e sperai di non arrossire. Nonostante fosse passato del tempo, si parlava ancora del mio bacio in pubblico con Noah.

«No, niente kissing booth» rispose Lee, con un tono secco che avrebbe potuto usare suo fratello. Lo fissai sorpresa.

«Be', allora...» intervenne Tyrone, che stava perdendo la pazienza. «Quanti in favore del ballo in maschera?»

Alzarono tutti la mano tranne me e Lee.

«Perfetto. Lee, Elle, vi occupate voi dei poster e dei biglietti?»

«Certo» replicammo all'unisono. Mentre a noi venne imposto un compito, senza che ci venissero fornite indicazioni particolari, gli altri si divisero a piacere le varie incombenze.

In realtà non vedevo l'ora di partecipare al ballo d'estate.

Sarebbe stato fantastico, soprattutto perché si sarebbe tenuto al Royale, ma non sopportavo l'idea di dovermi trovare un accompagnatore.

La nostra scuola organizzava balli destinati agli studenti di tutte le età, e quelli d'estate e d'inverno venivano presi molto sul serio. All'ultimo ero andata con Lee, dato che in quel momento non aveva una ragazza. Però sapevo che adesso avrebbe invitato Rachel, e quindi non mi avrebbe accompagnata... Da sola non sarei andata, e mi chiesi chi sarebbe stato il mio accompagnatore.

Sapevo con chi volevo andare, ma se l'avessi fatto, se mi fossi presentata con Noah Flynn, i pettegolezzi si sarebbero sparsi come un'epidemia, e il solo pensiero mi dava la nausea. Senza contare che in quel caso avrei dovuto spiegare la situazione a Lee, e affrontare la sua reazione. Ma quando avrei potuto dirglielo? E dove avrei trovato il coraggio per farlo?

Grazie a Noah i ragazzi non stavano facendo la fila per chiedermi di uscire, ma cercai di guardare il lato positivo della questione: era un ballo in maschera e magari, se anche fossi andata da sola, nessuno, vedendomi, avrebbe capito che si trattava di me.

In fondo al mio cuore speravo che Noah mi invitasse, per quanto fosse improbabile. Mi chiesi se fosse il caso di farglielo capire, e l'occasione si presentò un paio di giorni dopo. Lee e io stavamo facendo delle prove per i poster al computer quando gli squillò il cellulare.

«Ciao, Dixon... Eh? Cosa? Dici sul serio? Arrivo subito!» Si alzò di scatto e si infilò le sneakers, emozionato come un bambino la mattina di Natale.

«Che succede?»

«Dixon è al centro commerciale con gli altri e indovina chi sta comprando delle ciambelle?»

«Ehm...»

«Matt Cain dei San Francisco Giants. Hai presente, il giocatore di baseball, il lanciatore?»

«Ah, sì. Che fico. Quindi stai correndo lì?»

«Ci puoi scommettere!» disse con una risata. «Ah, hai visto il mio cappellino da baseball?»

«È nell'armadio» risposi indicandolo. Frugai nel caos di uno dei cassetti della scrivania, trovai un pennarello e glielo diedi prima che uscisse.

«A dopo!» mi urlò sbattendo la porta di casa alle spalle.

Scoppiai a ridere. Avevo sentito parlare di Matt Cain, ma non ero un'appassionata di baseball. Era divertente giocarci e assistere alla partita e ogni tanto ero stata allo stadio con mio padre e Brad, e anche con Lee, ma preferivo il football. Specialmente se giocava Noah... In quel momento mi ricordai che quel venerdì avrebbe giocato, si trattava dei quarti di finale o delle semifinali di campionato, e probabilmente sarei andata a vedere la squadra con qualche compagno di scuola.

Salvai il progetto sul computer e presi le mie cose, pronta a tornare a casa. Lee sarebbe stato fuori a lungo e non mi andava di rimanere lì da sola. Uscendo sentii dei rumori provenire dal garage. Mi voltai e vidi che la porta era socchiusa; udii un'eco metallica e le scariche di una radio che interferivano con la musica.

Mi infilai all'interno. «Noah?» lo chiamai mentre osservavo il garage vuoto. Eppure doveva esserci...

Udii un altro rumore e all'improvviso sbucò da sotto la sua auto, sdraiato su uno skateboard. Aveva macchie di grasso sul viso, sulle braccia e sulla maglietta, e stringeva un attrezzo in mano.

«Ehi, ciao» mi salutò. «Ho appena sentito Lee che usciva.»

«Sì, al centro commerciale c'è un giocatore di baseball ed è corso lì. Stavamo lavorando ai poster per il ballo.»

Noah gemette. «Odio gli eventi all'insegna dello spirito scolastico.»

«Non è obbligatorio partecipare, lo sai.»

«Per i membri della squadra di football è un po' diverso» borbottò. «Come per la fiera, la nostra partecipazione è "fortemente incoraggiata", ma sappiamo tutti che, se non ci andiamo, dovremo stare in panchina per una partita.»

Risi. «Non ci credo, dai.»

«È tutta una questione di immagine, in quella stupida scuola.»

«E allora perché la frequenti?»

Fece un sorrisetto. «Ehi, mi conosci... ho ottimi voti e gioco bene a football. Il preside chiude un occhio sulle risse. Anche perché non sono mai io a scatenarle.»

Alzai gli occhi al cielo.

«Quindi tu e Lee andrete anche a questo ballo insieme?» domandò tornando sotto la macchina. Non mi disturbai a chiedergli cosa stesse facendo, tanto non l'avrei capito.

«No, porterà Rachel.»

Noah rispuntò dall'auto e mi lanciò uno sguardo preoccupato. «E tu con chi andrai?»

«Non lo so» confessai.

A giudicare dalla sua espressione avrebbe picchiato il primo ragazzo che mi avesse invitata, ma finsi di non accorgermene.

«È un ballo in maschera, comunque» lo informai.

«Ah, sì?»

«Già.»

Annuì e scivolò di nuovo sotto la macchina. Non riuscivo quasi mai a intuire cosa gli passasse per la testa, ed era una delle cose che mi infastidivano di lui. Lee e io ci completavamo le frasi a vicenda e sapevamo sempre cosa pensava l'altro... se si escludeva la mia relazione segreta con Noah. Ero stata fortunata... o forse Lee aveva deciso di ignorare i segnali.

Con Noah la questione era completamente diversa. Era come un cubo di Rubik, un enigma impossibile da risolvere ma a cui non volevo rinunciare perché era troppo intrigante, troppo attraente.

«Be', se qualcuno ti invita, rifiuta.»

«Come, scusa?»

«Non voglio che tu ci vada con qualche idiota che ci proverà con te, okay?» La sua voce era un po' attutita per via della musica e dei rumori metallici, ma colsi ugualmente il tono deciso. «Se te lo chiede qualcuno come amico, per esempio Dixon, va bene, accetta pure. Altrimenti...»

«Non puoi decidere chi posso o non posso frequentare.» Sapevo che avrebbe reagito in quel modo, ma mi faceva infuriare il fatto che pensasse che avrei obbedito ai suoi ordini.

«Elle...»

«Andrò al ballo con chi mi pare e piace, okay? Che mi invitino come amica oppure no.»

Noah riemerse da sotto la macchina e posò a terra la chiave

inglese. «Senti, Elle. Sto cercando di proteggerti e tu non mi stai rendendo le cose facili. È un ballo, e alle feste i ragazzi ci provano. Pensa a cos'è successo alla festa con Patrick. E, visto che saremo in maschera, di sicuro tutti proveranno a strappare un bacio alle ragazze.»

Va bene, forse non ha torto. E allora?

«Non tutti i ragazzi sono degli idioti, Noah.»

«Molti sì.»

«Be', forse non mi importa» sbottai. In realtà mi importava eccome, ma non gliel'avrei data vinta senza discutere. Anche se aveva ragione. «E magari ho voglia di essere baciata mentre ballo un lento.»

«A me importa eccome» ribatté con decisione, ma senza urlare. Adesso era in piedi e torreggiava su di me. Odiavo essere tanto più bassa di lui, soprattutto quando cercavo di incenerirlo con lo sguardo.

«Perché? Perché ci tieni?» chiesi d'istinto, socchiudendo gli occhi. Immaginavo come avrebbe risposto, ma ero arrabbiata con lui.

«Perché voglio che tu sia tutta mia durante quel ballo» replicò.

Probabilmente credeva che quella frase sdolcinata mi avrebbe calmata, dato che ero un'inguaribile romantica, e in effetti funzionò: quando mi baciò ricambiai con il cuore che batteva a mille, scossa dai brividi.

«Ti odio» mormorai contro le sue labbra, sorridendo.

«Lo so» ribatté, sorridendo a sua volta.

Vederlo di nascosto, la paura di essere scoperti da qualcuno, rendeva assurda e insieme divertente quella situazione.

Sapevamo che prima o poi avremmo dovuto smetterla, ma volevamo godercela finché fosse durata.

«Dicevi sul serio, poco fa?» gli chiesi senza fiato dopo qualche minuto. «A proposito del lento...»

Lui annuì. «Sì, certo. Anzi, voglio passare tutta la serata con te.»

«Ah, sì?»

«Già.» Mi diede un altro bacio rapido.

«Mi stai forse invitando a venire al ballo con te?»

«Non proprio» ridacchiò baciandomi ancora. «Ma quasi.»

«Mi accontenterò, allora.»

Mi baciò un'ultima volta prima di ricominciare a lavorare alla macchina. Mi vidi riflessa sul tettuccio lucido dell'auto: avevo macchie di grasso sul viso e sul collo, e avrei dovuto cercare di lavarle via prima di tornare a casa.

«Ci siamo» sussurrai mentre un sorriso mi illuminava il volto. «L'ho trovato.»

«L'hai detto anche degli ultimi cinque vestiti che hai provato» si lamentò Lee, con lo stesso tono che usava Brad quando per cena c'erano delle verdure.

«Sì, ma di questo sono sicurissima.»

«Davvero? Lo eri anche degli altri. Quello rosa mi piaceva.»

«Sì, solo perché si vedevano le tette.» Alzai gli occhi al cielo e guardai Lee che rideva, riflesso nello specchio. «Immagina cosa direbbe tuo fratello se lo indossassi.»

«Non riuscirebbe a toglierti le mani di dosso.» Per un istante mi sembrò così serio che mi si annodò lo stomaco e il panico mi assalì, ma poi scoppiò a ridere. «Oppure passerebbe tutta la serata ad allontanare i ragazzi da te con un bastone. Comunque, sei sicura che sia l'abito giusto?»

«Al cento percento» confermai con un sorriso.

«Quanto costa?»

«Sessanta dollari. È in sconto.»

«Perfetto.»

Lisciai di nuovo la gonna, ammirandomi allo specchio. L'abito era verde mela scuro e mi sfiorava le ginocchia. La gonna si allargava in vita e frusciava a ogni mio passo, e la schiena restava completamente scoperta. Due strisce di tessuto si legavano sulla nuca e la scollatura a V, decorata da perline argentate che brillavano alla luce, non era troppo profonda. Lo adoravo.

«Sei sicura che sia quello giusto?» chiese conferma Lee.

«Sì. Mi sta bene, vero? Dimmelo, prima che lo compri.»

«Sì, Shelly, sei bellissima.»

«L'hai detto anche quando ho provato quello azzurro. E quello nero.»

«Be', ti stavano bene tutti e due» replicò, con una sincerità che mi strappò una risata. Lee era fantastico in occasioni del genere, perché mi diceva quello che pensava, non si limitava a commenti come: «Stai benissimo» o: «Non ti fa sembrare grassa»; mi diceva chiaro e tondo se un abito mi cadeva male o non mi slanciava.

Rientrai nel camerino per infilarmi gli shorts e la maglietta. Il vestito mi piaceva da morire. Lee avrebbe indossato lo smoking che aveva comprato per il ballo d'inverno. I ragazzi erano proprio fortunati; io non avrei certo potuto rimettere il vestito blu a maniche lunghe che avevo acquistato in saldo per l'ultima festa, a meno che non volessi essere riconosciuta.

Senza contare che sarebbe stato troppo caldo per l'occasione. Essere una ragazza aveva i suoi svantaggi!

Pensai che, visto che eravamo già al centro commerciale, potevo comprare anche delle scarpe. Uscendo dal negozio ripensai a delle décolleté color argento che avevo adocchiato. Poi dovevamo cercare delle maschere e…

Oh, no.

«Che succede?» chiese Lee sentendomi gemere.

«Ci servono delle maschere.»

«Per un ballo in maschera? Davvero?» esclamò ironico.

Gli diedi una spinta con la mano libera. «Grazie tante, signor Sarcasmo. Volevo dire che ci servono delle maschere che si abbinino ai nostri vestiti. Quindi tu dovrai trovarne una viola, in tinta con la cravatta, e io una verde mela che stia bene con l'abito… Non sarà facile. A meno che non ne prenda una argentata…»

«Avresti dovuto comprare l'abito rosa» mi stuzzicò Lee.

«Oh, piantala.»

Individuammo un raffinato negozio di abbigliamento che sul fondo aveva una piccola selezione di maschere. Lee ne afferrò subito una grande a forma di uccello, con un becco gigantesco e delle piume verdi, e me la piazzò davanti al viso.

«Che ne dici?»

«Ma vuoi crescere?» risposi ridendo. Ero di fronte a uno specchio e l'effetto era davvero ridicolo.

Non stavamo prendendo troppo sul serio la questione. Lee voleva comprare una maschera viola mostruosa, da zombie; io ne trovai una da cyborg deforme color argento, che sarebbe stata benissimo con l'abito.

Dopo un po' il commesso cominciò a guardarci male e così prendemmo una decisione: Lee optò per una maschera viola che gli copriva solo gli occhi, un po' da supereroe, niente male; io ne scelsi una più elaborata, che mi copriva il viso fino al naso, appena più scura dell'abito ma con delle perline e dei lustrini argentati lungo i bordi. Era perfetta, anche se un po' costosa. Mi dissi però che il vestito era scontato e che potevo spendere qualcosa in più per gli accessori.

«Adesso ti manca solo un accompagnatore» disse Lee.

Mi fermai sui miei passi e gemetti di nuovo. «Cavolo.»

Cos'avrei fatto se mi fossi presentata al ballo con Noah? Qualcuno avrebbe riconosciuto uno dei due di sicuro... Di certo le ragazze avrebbero capito che si trattava di Flynn. Ero nei guai e dovevo inventarmi qualcosa.

Oppure potresti dirgli la verità... commentò una vocina nella mia testa, che scacciai subito.

«Non ci voglio pensare.»

«Manca ancora una settimana» esclamò Lee con un sorriso. «I ragazzi avranno un sacco di tempo per...»

«Alcuni mi hanno invitata. Tre, per la precisione. Ma Noah li ha dissuasi prima che potessi accettare. È sempre nei paraggi, osserva ogni mia mossa e ha anche un tempismo incredibile.»

Lee scoppiò a ridere. «Ehi! Perché non vai con Noah?»

Lo fissai, sperando non si accorgesse che il cuore mi batteva all'impazzata. Ma sul suo viso sorridente c'era così tanta sincerità che capii che non sospettava nulla. «Perché?»

«Be', lui non ha una ragazza con cui andare e impedirà a te di andarci con qualcuno. Unite le vostre solitudini e sfruttatele al meglio.»

Alzai gli occhi al cielo. Anche se forse non aveva tutti i torti. In fondo mi aveva proposto lui di andarci con il fratello, quindi perché non farlo?

Oppure potresti dirgli la verità... ripeté la vocina.

Se Lee avesse detto a tutti che Noah e io avremmo partecipato al ballo insieme perché nessuno dei due aveva un accompagnatore, chi avrebbe dubitato della sua parola?

Oppure potresti dirgli la verità!

Riflettei su quella possibilità e mi sembrò una buona idea.

Poco dopo comprai le scarpe e poi Lee e io andammo nell'area ristoranti per un gelato enorme e qualcosa da bere.

«Non riesco a credere che il ballo sarà tra una settimana» commentò.

«Già, e tra poco più di due sarà il nostro compleanno!» esclamai.

«Lo so!» replicò con un sorriso. «Sai già che regalo riceverai?»

«Credo una macchina, ma non sono sicura. Mio padre non vuole dirmelo.»

«Quindi è una sorpresa solo a metà?»

«Più o meno» ridacchiai. «Ha cercato di nasconderle, ma ho visto un sacco di brochure di auto, in giro per casa. E tu?»

«Niente di speciale» bofonchiò con la bocca piena di gelato. «Forse un computer nuovo, se contribuisco con un po' dei miei risparmi. Quello che ho ormai è vecchio e lento... più di quelli della biblioteca della scuola.»

«Lo so, te ne sei lamentato abbastanza. Sono ancora convinta che ti sia preso un virus giocando online con quei tizi olandesi.»

«Ehi, quelle corse automobilistiche erano una figata!»

«Ma se non capisci nemmeno quello che succede, è tutto in olandese.»

«E allora?»

Risi, ma con poca convinzione. «Come dici tu.»

«Okay, Shelly» replicò Lee posando il cucchiaino. Era risaputo che, se smetteva di mangiare, la situazione era seria, così mi concentrai. «Che succede?»

«Eh?»

«Non fare la finta tonta con me. Sei preoccupata, si vede. Pensi prima o poi di dirmi di che si tratta?»

«Non è niente di grave, tranquillo.»

«C'entra Noah, vero?»

Sgranai gli occhi, sicura che avesse capito tutto. Ormai quella storia andava avanti da più di un mese e sentivo che la fortuna ci avrebbe abbandonato di lì a poco: non potevamo nasconderci e passarla liscia per sempre. Però fino a un attimo prima non mi era sembrato sospettoso… a cosa si stava riferendo? Ero molto confusa.

«Lo sapevo.»

«Lee, io… non…» balbettai, in difficoltà. Avevo i palmi sudati e lo stomaco annodato. All'improvviso il gelato al caramello con le fragole non mi sembrava più tanto appetitoso.

«Non lasciarti influenzare da lui, Elle» disse Lee con dolcezza, posando una mano sulla mia e sorridendomi con affetto. «Vuole soltanto proteggerti e, anche se so che è un po' estremo… cerca di sopportarlo, okay? Tra un paio di settimane la scuola finirà, lui andrà all'università e l'anno prossimo le cose saranno più semplici. Vuole solo impedire che tu soffra.»

Ero senza parole. Non aveva idea che vedessi Noah di

nascosto. Non sapeva che tra me e lui c'era qualcosa. Pensava che fossi preoccupata per il comportamento iperprotettivo del fratello e per il fatto che non voleva che andassi al ballo d'estate con qualche ragazzo. Ero combattuta tra la gratitudine, il sollievo e il senso di colpa, provavo tutte e tre quelle emozioni.

Mi costrinsi a sorridergli. A volte era davvero dolcissimo. «Grazie» borbottai. «E sì, hai ragione. Avevo dimenticato che a settembre Noah si trasferirà per il college. Sai già dove andrà?»

Lee scosse la testa. «So che voleva andare a San Diego, ma credo che non abbia ancora deciso. Ha fatto domanda anche a un paio di università della Ivy League.»

«Sul serio?»

Lee annuì, ficcandosi una cucchiaiata di gelato in bocca.

«Be', comunque sarà strano non averlo sempre intorno.»

«Capisco cosa intendi, però almeno le acque si calmeranno un po'. E poi diventerò ufficialmente il ragazzo più fico della scuola» replicò con un sorrisetto arrogante molto simile a quello del fratello. La somiglianza con Noah era evidente: entrambi avevano i capelli scuri, luminosi occhi blu e mascelle decise. Prima che Noah se lo rompesse avevano anche lo stesso naso e, sebbene il maggiore fosse un po' più muscoloso, il più piccolo si impegnava in palestra e con il nuoto, e quindi non era affatto male.

Scoppiai a ridere. «Ti piacerebbe, Lee.»

«Solo perché hai una cotta per mio fratello...» mi stuzzicò.

«Smettila! Non è vero!»

Rise ancora, mangiando una cucchiaiata enorme di gelato. Alzai gli occhi al cielo prima di tornare a concentrarmi sul mio, ma una parte di me continuava a pensare al fatto che Noah sarebbe partito per il college. Speravo che non si trasferisse troppo lontano dalla nostra città, in modo da poterlo vedere. Sarebbe stato strano, senza di lui, e di sicuro avrei sentito la mancanza dei suoi baci... e, mi resi conto all'improvviso, mi sarebbe mancato passare del tempo con lui.

Un'altra parte di me, però, diceva che non sarebbe stato male se avesse scelto un'università lontana. In quel caso sarei stata più tranquilla a scuola, visto che lui non avrebbe più minacciato qualsiasi ragazzo che mi avesse proposto di uscire. A parte quello disastroso con Cody, e se si escludevano quelli di nascosto con Noah, non avevo mai avuto un appuntamento vero e proprio.

Sospirai. La mia vita era diventata davvero incasinata.

18

«Allora, ehm...» Warren si appoggiò agli armadietti accanto al mio.

«Sì?» dissi quando esitò.

«Sai già con chi andrai al ballo?»

Scossi la testa. «No, Noah ha terrorizzato tutti i ragazzi.»

Lui ridacchiò nervosamente. «Già, lo so... però stavo pensando... magari ti va di andarci con me?»

«Come amici o...?»

«Avevo in mente più un appuntamento, in realtà» ammise evitando il mio sguardo.

Gli rivolsi un sorriso rassicurante, capendo quanto fosse teso. Di solito era un tipo piuttosto sicuro di sé. «Non saprei, Warren...»

«Possiamo anche andarci come amici, se vuoi.»

«Ti faccio una proposta. Se non trovi nessuna con cui andare verrò con te, okay? Ma sono sicura che un sacco di ragazze ti vorranno come accompagnatore» ribattei con un altro sorriso.

Lui ricambiò, anche se sembrava un po' deluso. «Ci conto.»

«Certo» ridacchiai. «Buona fortuna.»

«Mi servirà» replicò. «Tutti hanno cominciato a invitare le ragazze non appena sono comparsi i poster, e ormai manca solo una settimana.»

«Lo so, è assurdo. Pensa che ho comprato il vestito sabato.»

«Davvero?»

Annuii.

«Allora vedrò di cercare una ragazza da portare al ballo. Ciao, Elle.»

Chiusi l'armadietto e mi voltai. Sussultai quando mi trovai di fronte Thomas. Era arrivato all'improvviso e mi sorrideva con aria maliziosa. «Ehi, Elle.»

«Ehm, ciao...» Avrei voluto allontanarmi o dirgli di andarsene, ma non riuscii a trovare il coraggio di farlo. Ripensai a quello che mi avevano detto Noah e Lee, che ero troppo gentile. Forse non avevano tutti i torti...

«Come mai gli hai detto di no?» mi domandò indicando con un cenno Warren.

«Non sono affari tuoi» replicai seccamente. «E se adesso vuoi scusarmi...» Cercai di superarlo ma mi bloccò la strada. Mi spostai dall'altro lato e lui fece lo stesso, ostacolandomi. Stavo cominciando ad arrabbiarmi, quando lui avanzò di un passo, costringendomi ad arretrare verso gli armadietti.

«Che ne dici di venirci con me?»

«No, grazie.»

«Oh, Elle, dai. Perché no?» chiese in tono arrogante e

saccente. «Non hai un accompagnatore e anche io sono solo. Perché no?»

«Non mi va di andarci con te, va bene?»

Stava per protestare quando qualcuno lo spinse contro gli armadietti, spaventandomi e facendomi battere il cuore a mille.

«Stalle lontano» ringhiò Noah, minaccioso.

Thomas si accigliò e lo allontanò, ma poi se ne andò con uno sguardo cupo. Prima che potessi reagire, Noah mi prese per mano e mi trascinò via.

«Dove stiamo andando?»

Mi fece entrare in una delle aule studio, piena di computer, librerie, divanetti e con una macchinetta del caffè rotta. Chiuse la porta alle nostre spalle e per fortuna (o per sfortuna?) la stanza era vuota. In quell'istante suonò la campanella, il segnale che dovevamo presentarci in classe. Io avevo un'ora libera, ma non era quello il punto. Nessuno dei due si mosse.

«Quanti ragazzi te l'hanno chiesto, oggi? Quattro, cinque?»

Sbuffai. «A dire la verità, due. E Warren non conta, quindi uno.»

«Adesso capisci cosa intendevo?»

Alzai gli occhi al cielo.

«Ti ho sentita dire che hai comprato un abito» proseguì. «Com'è fatto?»

«È corto, scollato e molto attillato» ribattei sarcastica. Lui inarcò un sopracciglio e sospirai. «Mi arriva alle ginocchia ed è verde. Il tessuto fruscia a ogni movimento. È molto carino.»

Noah annuì. «Sembra proprio di sì. Sono sicuro che ti sta benissimo.» Abbassò la voce. «Ah, visto che ormai siamo in ritardo…» Si avvicinò di un paio di passi e io sorrisi, alzandomi sulle punte dei piedi per baciarlo.

Sapevo che avrei dovuto inventarmi una scusa per andarmene, ma non volevo farlo. Mi cinse la vita con una stretta calda e avvolgente, e sorrisi contro le sue labbra.

«Ehi, Elle? Noah? Siete…» La voce di Lee si spense.

Mi staccai di colpo da Noah, inciampando e rischiando di cadere. Il mio corpo era diventato un ammasso di gelatina e faticavo a respirare. Lanciai un'occhiata a Noah, che fissava immobile il fratello, con un'espressione indecifrabile.

In corridoio la folla di studenti diretta in classe si diradò e poco dopo noi tre ci ritrovammo immersi nel silenzio.

Lee chiuse la bocca, rimasta aperta per la sorpresa, e prese un respiro profondo, come se stesse per dire qualcosa. Dalle sue labbra, però, non uscì una sola parola. Anch'io ero sconvolta. Non potevo perderlo, e doveva capire perché mi fossi comportata così. Non era previsto che lo scoprisse in quel modo e temevo che mi avrebbe odiata per sempre. Dovevo dire qualcosa, ma non sapevo come evitare di peggiorare la situazione.

Guardai di nuovo Noah, che scosse appena la testa: nemmeno lui aveva idea di come sistemare le cose.

«Noah?» sussurrò Lee dopo un po', gli occhi fissi su di me. Il suo sguardo non era triste né arrabbiato, solo scioccato. «Noah? Shelly, ti prego, dimmi che non è come sembra. Dimmi che c'è una spiegazione ragionevole.»

«Io… Lee, io… Devi credevi, noi non…»

«Rochelle» mi interruppe lui con voce tesa. «Dimmi che non è come sembra.» Mi guardò dritto negli occhi, speranzoso, anche se sapevo che non ci credeva neppure lui. Si avvicinò a me, a passo lento e pesante, ma poi si fermò come se qualcosa lo trattenesse. Le parole che uscirono dalla sua bocca furono una supplica disperata, che mi spezzò il cuore. «Ti prego.»

Purtroppo potevo dargli una sola risposta, che l'avrebbe fatto soffrire ancora di più. «Mi dispiace, Lee, mi dispiace tanto...» Tentai di prendergli la mano, di dirgli con lo sguardo che non avrei mai voluto che succedesse tutto ciò. Lui però si scostò, allontanandosi come se fosse disgustato. I miei occhi si riempirono di lacrime e avvertii un nodo in gola. Non mi sarei permessa di piangere, tuttavia; non volevo che Lee mi trovasse patetica.

«Ti prego, Lee, non è... Non stavo...»

«Non stavi... cosa?» scattò. La sua voce era venata di rabbia, ma colsi anche il dolore che provava per essere stato tradito. «Mi hai mentito per scoparti mio fratello?»

«Lee!»

«Quando pensavi di dirmi la verità, eh? O magari pensavi di potermi nascondere tutto per sempre? Credevi che non avessi notato le... "bruciature della piastra" sul tuo collo e come ti emozionavi ogni volta che ricevevi un messaggio? Secondo te non mi ero accorto di nulla?» chiese in tono sprezzante.

«Io non... non...» balbettai. Presi un respiro profondo, cercando di mettere ordine nei miei pensieri. «Se lo sapevi, perché non hai detto nulla?»

«Aspettavo che lo facessi tu, Elle!» urlò. «Sei la mia migliore amica da sempre, eppure mi hai nascosto questa storia! Non ci sono mai stati segreti tra di noi e credevo che, di qualsiasi cosa si trattasse, avessi le tue ragioni per non dirmi niente, ma che quando fossi stata pronta l'avresti fatto.»

Prima che potessi rispondere, rise amareggiato.

«Ed ecco cosa mi stavi nascondendo. Ecco il motivo di tutte le tue bugie. E ho dovuto scoprirlo così...»

«Non dovevi venire a saperlo in questo modo!» gridai disperata. Doveva ascoltarmi, doveva capire... doveva perdonarmi.

«Allora avresti dovuto dirmelo subito» rispose, furioso.

Non riuscivo nemmeno a ricordare l'ultima volta che avevamo litigato. Ogni tanto discutevamo, come capitava a tutti, ma mai così. Non eravamo mai arrivati a urlarci addosso.

«Dai, Lee. Non è tutta colpa di Elle» intervenne Noah con un tono tranquillo e insieme irritante.

Lee e io restammo in silenzio per qualche secondo.

«Lasciala in pace. Tu...»

«Tu» lo interruppe Lee, talmente arrabbiato che la sua voce diventò una specie di ringhio. «Non farmi dire cosa penso di te. Sei un vero ipocrita, lo sai? Hai detto a tutti i ragazzi di stare alla larga da Elle, perché non volevi che soffrisse... e poi la tratti come una facile conosciuta in qualche locale!»

Un muscolo della guancia di Noah si contrasse e vidi che stringeva i pugni. «Non sai di cosa parli.»

«Vorresti farmi credere che non siete andati a letto insieme?» Lee inarcò le sopracciglia e ci guardò con aria accusatoria. Il nostro silenzio fu la risposta che cercava. Sbuffò e si passò le dita tra i capelli. «Lo sapevo. Quindi ti sei davvero scopata mio fratello. E mi hai mentito. Hai preferito lui, un ragazzo qualsiasi, al tuo migliore amico. Se mi aveste detto che siete follemente innamorati l'uno dell'altra forse avrei reagito in modo diverso, ma...»

«No, Lee, le cose non stanno così, te lo giuro. È successo solo una volta.»

Tacque per qualche secondo e poi chiese: «Quando?» Parlò a voce così bassa che per un istante pensai di aver sentito male. Di sicuro non gli importava quando fosse accaduto.

«Come?»

«Quand'è successo?» scandì, guardandomi negli occhi che io però abbassai per la vergogna. «Rochelle…»

«Più o meno due mesi fa» mormorai, fissando il pavimento. «Dopo la festa a casa di Warren.»

«Cioè, dopo… dopo che ve ne siete andati?»

Annuii.

«Quand'era ubriaca?» gridò Lee, girandosi verso il fratello. «Te la sei portata a letto dopo che aveva bevuto? Dopo tutte le stronzate che hai detto…»

«Non ero ubriaca» lo interruppi. «Non sono stupida.»

«Ah, davvero?» replicò lui. «Non sono affatto d'accordo.»

In quell'istante Noah smise di trattenersi e avanzò verso il fratello. Gli afferrò il colletto della polo e lo sbatté con forza contro il muro. «Pensi davvero che la tratterei così? Pensi che non la rispetti?»

«L'hai costretta a mentirmi per mesi.»

«È stata una sua scelta» sibilò Noah, spingendolo di nuovo contro il muro.

Gli occhi di Lee si posarono su di me, e io non potei fare a meno di ricambiare con uno sguardo mortificato: sì, avevo scelto io di farlo.

Mi morsi il labbro per qualche secondo, osservando il viso del mio migliore amico. Per la prima volta in vita mia, non avevo idea di cosa gli passasse per la mente. Aveva un'espressione neutra, uno sguardo impassibile, una postura quasi rilassata. Per un istante mi sembrò identico a Noah, e la cosa mi spaventò.

Lee, però, non mi parlò. Colpì il fratello con un pugno alla mandibola, abbastanza forte da fargli allentare la presa e da permettergli di divincolarsi. Mi lanciò un'ultima occhiata, con un'aria incredibilmente delusa, e poi uscì a passo pesante in corridoio.

Noah si massaggiò il volto. «Niente male...»

Sgranai gli occhi, ma poi decisi che non era il momento giusto per discutere con Noah. L'unica cosa importante era non perdere Lee. E così, una frazione di secondo dopo, corsi dietro di lui, gridando il suo nome nel corridoio, e lo seguii mentre scendeva le scale e usciva dalla scuola, diretto al parcheggio. Sentii Noah alle mie spalle, però non gli prestai attenzione. Lee era l'unica cosa che contava.

«Lee, per favore, fermati!» gridai, tenendomi un fianco. Ero senza fiato.

Lee era la persona più importante della mia vita. Se si escludeva la mia relazione con Noah, sapeva tutto di me. Sapeva che taglia di reggiseno portavo. Sapeva che odiavo il profumo dello shampoo all'olio di jojoba che usava. Sapeva persino della voglia a forma di fragola che avevo sul sedere. Era l'altra metà di me e non potevo perderlo. Volevo che restasse il mio migliore amico finché non fosse arrivata la morte a separarci... E magari avremmo lasciato questo mondo insieme: in fondo, eravamo nati a pochi minuti di distanza.

Secondo alcuni la persona di cui ci si innamora è quella

con cui trascorriamo il resto della nostra esistenza; quella che conosce i nostri segreti più intimi e nascosti e ci ama ugualmente; quella che sa sempre cosa dire per farci sorridere o tirarci su di morale; quella senza cui non possiamo vivere. Ma a me, in tutta sincerità, non importava nulla della persona di cui mi sarei innamorata. Volevo soltanto non perdere Lee.

In quell'istante lui si fermò, dandomi le spalle. Vedevo i muscoli tesi della sua schiena e che aveva il respiro affannato. Dopo pochi secondi, che a me sembrarono un'eternità, si voltò a guardarmi, proprio mentre Noah mi raggiungeva e si fermava dietro di me.

Lee aveva le mani strette a pugno, ma tremavano, come le labbra: si stava sforzando con tutto se stesso di non piangere.

«Ti prego» dissi piano. «Non è come pensi.»

«E allora com'è?» scattò. «Non riesco a crederci, Elle. Mi hai mentito per mesi e, tra tutte le persone che potevi scegliere, hai deciso di frequentare di nascosto proprio mio fratello. Sai cosa si prova quando la tua migliore amica preferisce tuo fratello a te, e solo per fare sesso?»

«Non volevo… cioè… Non ho deciso nulla. No, aspetta, volevo dire… Non era per…» Scossi la testa, tentando di trovare delle parole sensate. «Non sapevo cos'altro fare! Sapevo che, se te l'avessi detto, avresti reagito così, ma… Non potevo… Credevo di fare la cosa migliore per te, io…»

«Sai una cosa, Rochelle? Risparmia pure il fiato, perché a me non interessa quello che hai da dire.»

Salì in macchina, avviò il motore, uscì in retromarcia dal parcheggio e se ne andò.

Non sapevo se sarebbe mai tornato.

19

Rimasi a fissare il punto in cui fino a poco prima c'era stata l'auto di Lee. Il rombo del motore e lo stridio delle gomme mi risuonava nelle orecchie. Crollai a terra, consapevole che il mio migliore amico non era più lì a sorreggermi.

Noah si avvicinò lentamente, a passi cauti. Lo sentii e vidi la sua ombra proiettata su di me, ma non mi girai a guardarlo. Non ero in grado di farlo. Si fermò alle mie spalle e dopo qualche secondo mi costrinsi a rialzarmi e a ripulirmi dalla polvere.

Lee mi aveva abbandonato. Era il mio migliore amico, il mio gemello, la mia metà. E se n'era andato. Mi odiava. Avevo rovinato tutto. Se solo gli avessi detto la verità prima, se solo io e Noah non fossimo stati così stupidi da baciarci a scuola, se… se non avessi mai cominciato a uscire con Noah.

Sospirai e mi passai le dita tra i capelli. Cosa sarebbe successo se Lee non mi avesse mai più rivolto la parola? E se l'avessi perso per sempre, se non fosse stata una reazione passeggera?

Noah mi posò con delicatezza una mano sulla spalla. «Elle» disse piano, ma io mi scansai. Se non fosse stato per lui e per quella stupida kissing booth, nulla di tutto ciò sarebbe mai successo.

«Elle» ripeté mentre mi allontanavo.

«Lasciami in pace» dissi. Avevo un tono abbattuto e sconfitto, ma non riuscivo a esprimere quello che provavo davvero. Noah non provò a seguirmi e rientrai a scuola da sola.

Per il resto della giornata non fui in grado di concentrarmi sulle lezioni. Di Lee non c'era traccia e quando gli altri mi chiesero che fine avesse fatto risposi che era andato a casa perché non si sentiva bene. Evitai Noah e mi sforzai di comportarmi come se fosse tutto a posto.

Non risposi ai messaggi di Noah e fu Dixon ad accompagnarmi a casa.

«Sicura che vada tutto bene, Elle? Sembra che tu stia per vomitare da un momento all'altro» commentò Cam.

Dixon inchiodò. «Se devi vomitare, fallo fuori dal finestrino, per favore.»

Scossi la testa e mi sforzai di ridacchiare. «Non ho la nausea, non preoccupatevi. Forse... Lee mi ha contagiata.»

«Non mi stupirebbe» scherzò Cam. «Voi due non riuscite a non fare tutto insieme, eh?»

«Proprio così» borbottai.

Quando arrivai a casa vidi la macchina di mio padre nel vialetto. Avevo dimenticato che gli allenamenti di calcio di Brad erano stati annullati per quel giorno... *L'unico giorno in cui avrei voluto stare a casa da sola*, pensai entrando con un sospiro.

«Elle, sei tu?» mi chiamò papà dalla cucina.

«Sì, ciao.» Lo raggiunsi e gli sorrisi. «Sei occupato?»

Annuì. «In ufficio stiamo cercando di concludere un accordo entro mercoledì, ed è abbastanza stressante. Più tardi, alle cinque e mezzo, ho una conference call. Durerà più o meno un'ora, quindi prepari tu la cena a Brad? Ci sono delle lasagne nel congelatore.»

«Certo, nessun problema.»

Preparai il caffè per entrambi e bevetti il mio in salotto per permettere a mio padre di lavorare. Brad era sdraiato sul pavimento, circondato da fogli e dal libro di matematica. Entrando nella stanza, però, sentii le note attutite della musica di Super Mario, e mio fratello sussultò vedendomi.

«Dammelo» ordinai.

«Di che stai parlando? Dei compiti di matematica? Prendili pure. Stiamo studiando gli angoli.»

Risi sarcastica. «Molto divertente. Dammi il videogame.»

Brad mi fissò, testardo, anche se vedevo benissimo la plastica rossa del Nintendo DS che spuntava da sotto il suo braccio.

«Come vuoi» dissi in tono allegro. «Sarò costretta a cucinare della verdura in più per cena. Pensavo a dei broccoli.»

Lui socchiuse gli occhi. «Non lo faresti mai.»

«Ne sei proprio sicuro?»

«Uffa! E va bene! Sei davvero insopportabile, Elle.» Fece scivolare la console sul pavimento, verso di me, e cominciò a fare i compiti.

Mi sedetti sul divano con il libro di poesie che stavamo

studiando al corso di letteratura, bevendo il caffè e sforzandomi di non pensare a Lee e Noah. Ma leggere i versi di Larkin non impedì alla mia mente di vagare: cosa sarebbe successo quando Noah fosse tornato a casa? Avrebbe litigato con il fratello?

Non volevo parlare con Noah. Avevo bisogno soltanto di Lee, e sapevo che se gli avessi telefonato non mi avrebbe risposto, quindi non avevo modo di scoprire come andavano le cose. Avrei voluto andare a casa loro, però stava diluviando: mio padre non mi avrebbe mai permesso di uscire e, se Lee si fosse rifiutato di farmi entrare, avrei dovuto raccontare la verità a papà. Non pensavo che non avrebbe capito... più che altro non sapevo da dove iniziare. Non potevo certo andare in cucina e dire: «Ah, per la cronaca ho frequentato di nascosto Noah Flynn, Lee l'ha scoperto e adesso mi odia. Per caso vuoi un'altra tazza di caffè, papà?» No, quella possibilità era da escludere.

Non seppi nulla fino a quella sera quando, verso le otto, squillò il telefono.

«Pronto?» rispose mio padre. «Ciao, June, come stai?»

Non riuscii a distinguere le sue parole, ma capii che era fuori di sé. Papà lanciò un'occhiata a me e Brad prima di spostarsi in corridoio per avere un po' di privacy.

«Che succede?» chiese mio fratello.

«Come faccio a saperlo?» risposi, secca.

«*Come faccio a saperlo?*» ripeté con voce cantilenante.

Gli scagliai addosso un cuscino, cercando di sentire cosa stava dicendo papà. Avevo un nodo allo stomaco. Cosa stava accadendo?

Dopo un po' mio padre rientrò in salotto, fissando il telefono che stringeva in mano.

«Noah è sparito.»

Il mio cuore saltò un battito. «In che senso è sparito? Dov'è andato?»

«Lui e Lee hanno avuto una brutta discussione. June mi ha detto che ha fatto le valigie e se n'è andato. Non ha detto dove né quando sarebbe tornato. Non risponde al cellulare e Matthew è in giro a cercarlo.» Scosse la testa, abbattuto.

«Ma... cioè... non può essere andato molto lontano, no?» balbettai.

«Non lo so. È uscito una ventina di minuti fa.»

Il mio stomaco fece una capriola come se fosse sulle montagne russe. «June ti ha... ti ha detto perché stavano litigando?»

Mio padre mi guardò negli occhi e poi disse: «Brad, perché non vai a farti una doccia e a prepararti per andare a letto?»

«Cosa? Non è giusto, non sono nemmeno le nove!»

«Brad...»

«Va bene» brontolò mio fratello prima di avviarsi a passo pesante al piano di sopra. Sentii la porta della sua camera sbattere.

Mio padre sospirò e si sedette sulla poltrona. Lo imitai.

«A quanto pare» esordì unendo le mani «hanno litigato per te. C'è qualcosa che vorresti dirmi, Elle?»

Rimasi senza fiato, sopraffatta dalla nausea. «Cosa ti ha raccontato June?»

«Rispondimi, signorina.»

Abbassai lo sguardo. «Ho... insomma... Sono uscita con Noah.»

«In che senso sei uscita con Noah?»

«Be', ecco… allo stand dei baci alla fiera lui… mi ha baciata e poi… insomma… ci siamo visti di nascosto.»

«Stai uscendo con lui.»

«Non proprio. È complicato.»

«Farai meglio a vuotare il sacco, allora.»

Come potevo spiegargli la situazione senza deluderlo? Sapevo benissimo che non vedeva di buon occhio Noah, perché finiva sempre in qualche rissa e guidava una moto, ma fino ad allora non era stato un problema… però lo sarebbe diventato, perché non avrebbe mai accettato che fosse il mio ragazzo.

«Ci siamo visti di nascosto perché non volevo che Lee lo scoprisse. Noah e io non facciamo che litigare e discutere, e non pensavo che tra noi avrebbe funzionato, per quanto lo desiderassi… È per questo che abbiamo continuato a frequentarci, ma poi Lee ci ha sorpresi e ho rovinato tutto e la mia vita è finita» dissi d'un fiato.

Mio padre sembrava… be', l'unica parola per descrivere la sua espressione era "scioccata", come se non riuscisse a credere a quello che avevo appena detto, come se non volesse crederci. Abbassai di nuovo lo sguardo sul pavimento.

«Da quanto va avanti questa storia, Rochelle?»

«Più o meno da due mesi. Dalla fiera.»

Papà si mise gli occhiali sulla testa e si sfregò gli occhi, come faceva sempre quand'era stressato. «E in tutto questo tempo non l'hai detto a Lee?»

«Credevo di proteggerlo» mi giustificai.

Lui scosse il capo. «Hai scelto uno strano modo per farlo.

Ma, in ogni caso... Noah? Con tutti i ragazzi che ci sono? Non è molto... affidabile, per quanto riguarda le relazioni.»

«Lo so, lo so, non è proprio una scelta azzeccata, però...»

«Sei innamorata di lui, per caso?»

«Cosa? N-no!» esclamai. «Certo che no!»

Mio padre si limitò a sospirare di nuovo.

Continuai a parlare, tentando di aggiustare un po' la situazione. «Mi rende felice, papà.»

Mi guardò con un'espressione accigliata. «Ne sei sicura, Elle?»

Annuii. «Sì.» Lo dissi a voce bassa e non riuscii a trattenere un sorriso. Scuotendo la testa per cercare di schiarirmi i pensieri, mi alzai e aggiunsi: «Allora, cos'è successo tra Lee e Noah? Cosa ti ha detto June?»

«Stavano cenando» rispose «e all'improvviso Lee è sbottato. Si è messo a urlare contro Noah e hanno litigato, poi Noah è andato in camera sua, ha fatto le valigie ed è uscito in fretta.»

Il telefono, posato sul tavolino, squillò ancora, e lo guardammo entrambi. Mio padre rispose e io rimasi in ascolto, tesa come una corda di violino.

«Pronto. Mmh-mmh. Sì, gliene ho appena parlato. Come? No, no, non ne ho proprio idea...» Sospirò ancora e rimase in silenzio; dopo qualche secondo mi passò il cordless. «Vuole parlare con te.»

Lo presi con mani tremanti. «Pronto?»

«Ciao, Elle. Senti, ti viene in mente dove potrebbe essere andato Noah? Non risponde al cellulare, Matthew non riesce a trovarlo e... non sappiamo proprio dove cercarlo.»

«Mi... mi dispiace, ma non so nulla.» La sentii sospirare e

così aggiunsi: «Sappiamo tutti che è impulsivo. Sarà andato a fare un giro in moto per sfogare la tensione. Tornerà, non preoccuparti».

«Be'» ribatté lei, in tono secco «immagino che tu lo conosca meglio di tutti noi, giusto?»

«Io… io non intendevo…» Non riuscii a risponderle in modo coerente, non trovavo le parole adatte.

«Non ti preoccupare. Sospettavo che ci fosse una ragazza nella sua vita, si comportava in modo diverso dal solito. Non pensavo che fossi tu, però.»

Rimasi ancora in silenzio.

«Ascolta, se… se lo senti, puoi per favore farmi sapere se sta bene? Ti prego.»

«Certo.» Poi, prima che potesse salutarmi, chiesi d'impulso: «C'è Lee? Posso parlargli?»

Lei esitò. «Non credo che sia una buona idea in questo momento, Elle. Mi dispiace.»

«Non vuole vedermi, vero?»

«Già» ribatté suo malgrado. «Potresti ripassarmi tuo padre, per cortesia?»

«Sì, subito.»

«Ciao, Elle.»

Diedi il telefono a mio papà, ma la loro conversazione durò poco. Lui disse soltanto: «Mmh-mmh, lo so, sì… No, capisco… Sì, certo».

Non parlammo un granché per il resto della serata. Pensai di chiamare Noah: se mi avesse risposto avrei potuto tranquillizzare sua madre, ma non riuscii a farlo.

Sapevo che mio padre era deluso da me. Avrei preferito

che urlasse, che mi dimostrasse in qualche modo che era turbato o arrabbiato, e invece un disagio silenzioso appesantiva l'atmosfera.

Alle ventuno e ventitré la tensione divenne troppo pesante. «Vado a dormire» annunciai alzandomi.

Mio padre non disse nulla finché non fui sulla soglia del salotto. «Capisco che tu non me l'abbia detto, però con Lee la situazione è diversa. Devi parlare con lui, Elle. Quando avrà superato lo shock tornerà tutto come prima. Siete amici da sempre, non puoi permettere che questa cosa rovini il vostro rapporto.»

«Spero che tu abbia ragione, papà. Lo spero con tutta me stessa.»

20

Per quanto mi sforzassi non riuscivo a dormire; era impossibile rilassarmi con tutte quelle preoccupazioni. Ero in pensiero per Noah, naturalmente, ma soprattutto per Lee. Noah era in grado di prendersi cura di sé ed ero certa che in fondo stesse bene. Lee, invece… non poteva risolvere tutto in un attimo.

A mezzanotte cedetti, irrequieta. Presi il cellulare e chiamai il secondo numero preferito della mia rubrica. Il telefono squillò e squillò per quella che mi sembrò un'eternità. Poi, subito prima che scattasse la segreteria, rispose.

«Shelly?»

Espirai con forza, anche se non mi ero neppure accorta di aver trattenuto il respiro. «Lee.»

Passò qualche secondo di silenzio, il nostro fiato era l'unico segnale che la telefonata fosse ancora in corso. Fui io a parlare per prima.

«Come stai?»

«A essere sincero, non lo so.»

Annuii anche se non poteva vedermi. «Mi dispiace tantissimo, Lee. Non volevo che succedesse tutto questo, che le cose andassero così.»

Lui sospirò. «Sì, però hai permesso che accadesse.»

«Lo so, hai ragione. Ho combinato un casino.»

«È l'eufemismo del secolo» sbuffò, ma capii che il colpetto di tosse che diede era in realtà una risatina. Sorrisi.

«Già. Mi dispiace. È solo che... non dirtelo mi è sembrata la cosa migliore da fare. Sapevo che avresti sofferto se avessi scoperto che avevo visto di nascosto tuo fratello... Sono stata una vera idiota. Continuavo a dirmi che dovevo chiudere quella storia e odiavo mentirti, però alla fine non ho chiuso un bel niente, ho lasciato che andasse avanti e...» Mi sentii impotente e la mia voce si spense. «Pensavo di fare la cosa giusta. Se le cose con Noah non avessero funzionato, tu non ti saresti trovato nel mezzo... Ero convinta di proteggerti.»

Lui rimase in silenzio a lungo, però sapevo che non aveva riattaccato perché lo sentivo respirare.

«Mi dispiace, Lee. Scusami.»

Avevo gli occhi pieni di lacrime, ma la cosa non mi stupì. Tirai su con il naso, cercando di non piangere. Lee l'avrebbe capito anche senza vedermi.

«Mi odi?» gli chiesi dopo un po'. Non riuscii a impedirmelo, dovevo sapere. «Lee?»

«Non... ti odio» rispose esitante. «Ma in questo momento non sei tra le persone che preferisco al mondo. Non riesco a credere che tu me l'abbia tenuto nascosto per tutto questo tempo! E anche Noah... pensavo che non poteste stare nella stessa stanza per cinque minuti senza litigare.»

Non dissi nulla per paura di peggiorare le cose, e trattenni uno sbadiglio.

«Vai a dormire, Elle» sospirò Lee in tono gentile, premuroso. «Ci vediamo domattina.»

«Nel senso che mi accompagnerai comunque a scuola?»

«Certo che sì. Perché non dovrei?»

In quel momento scoppiai a piangere, ma di sollievo. Mi asciugai subito le guance con il dorso della mano perché non volevo che Lee mi sentisse e mi giudicasse patetica.

«Ci vediamo domattina» ripeté. «'Notte, Elle.»

«Buonanotte» ribattei. Ma, prima che potesse mettere giù, aggiunsi: «Lee?»

«Sì?»

«Sai che ti voglio bene, vero?»

Capii che stava sorridendo dal modo in cui pronunciò le parole seguenti. «Lo so. E ti voglio bene anch'io. Ma questo non significa che tu debba starmi sempre simpatica.»

Sorrisi a mia volta. «Già.»

Si dice che, se si ama qualcuno, bisogna lasciarlo libero; personalmente non avevo alcuna intenzione di lasciare libero il mio migliore amico senza combattere.

Chiudemmo la telefonata e mi addormentai in pochi minuti.

La mattina seguente ero davanti allo specchio e cercavo di coprire le occhiaie con il correttore. Non volevo che qualcuno sospettasse che qualcosa non andava e non potevo permettere che la mia storia con Noah diventasse di dominio pubblico: Lee non l'avrebbe di certo presa bene.

Due brevi colpi di clacson all'esterno mi avvisarono che era arrivato. Mi allontanai dallo specchio con un sorriso enorme, presi lo zaino e corsi giù per le scale.

«A più tardi!» gridai.

«È arrivato Lee?» domandò mio padre.

«Sì. Ciao!»

Scivolai sul sedile del passeggero della Mustang e abbracciai Lee. Il freno a mano mi si conficcò tra le costose e colpii il volante con il gomito, ma non mi importava. L'unica cosa che contava era essere con Lee.

Lui ridacchiò e ricambiò l'abbraccio. «Sono felice anch'io di vederti.»

«Sono disposta a tutto pur di farmi perdonare, davvero. Mi dispiace tantissimo.»

«Lo so. E sappi che ci conto.»

«Sono disposta a tutto purché sia ragionevole» precisai. «Quindi non sognare una fornitura di milkshake a vita. Devo risparmiare per il college, lo sai.»

Lui esitò un attimo, con la mano sul cambio, e mi guardò negli occhi. «Hai ragione. Allora che ne dici di un bacio?»

Battei le palpebre, confusa. «Come, scusa?»

«Hai sentito bene.» I suoi occhi brillavano, ma non riuscivo a capire se stesse scherzando o meno.

«È arrivato il momento in cui il mio migliore amico mi confessa di essere follemente innamorato di me?» Tentai di fare una battuta, ridacchiando nervosa.

Lee distolse lo sguardo, si schiarì la voce e avviò il motore. Il mio cuore saltò un battito. «Be'...» Diede un colpetto di tosse e si girò sul sedile, tendendo la cintura.

Rimasi a bocca aperta per qualche secondo e poi Lee scoppiò a ridere. Gli sorrisi, ancora confusa, e poi mi unii alla risata. Lo colpii a un braccio e lui si scostò.

«Sto scherzando» disse. «Figurati. Non ho potuto trattenermi, però. Pensavi davvero che facessi sul serio? Dai, Shelly, sarebbe troppo strano.»

Sorrisi di nuovo. «Puoi dirlo forte.»

Si allontanò dal marciapiede e restammo in silenzio per un attimo.

«Hai... ehm... hai parlato con tuo fratello dopo ieri sera?» chiesi poi, cauta.

Le dita di Lee si strinsero attorno al volante e le sue nocche diventarono bianche. «No» rispose a bassa voce. «E sai che c'è? Sono contento che se ne sia andato. Se non è in grado di affrontare il casino che ha combinato è un vero codardo. So che nemmeno tu sei innocente, ma non avrebbe dovuto trattarti così. Ti meriti di meglio.»

Non ero d'accordo e scossi la testa.

«Non cambierà mai, Elle. Sarà sempre un playboy egoista che pensa solo a se stesso.»

«Non lo pensi sul serio.» Nessuno dei due aveva mai avuto la certezza che le voci sul conto di Noah fossero vere, eppure Lee sembrava crederci.

Si strinse nelle spalle. «Stiamo parlando di Noah» disse, come se fosse una risposta esauriente. Ma non era quella la risposta che volevo, quella che avrebbe sistemato ogni cosa.

Quel mattino mi ero svegliata insolitamente presto e non ero riuscita a riaddormentarmi. Ero troppo preoccupata per Noah e il nostro rapporto… di qualunque tipo fosse. Lui mi rendeva felice, certo, però Lee era ancora la persona più importante della mia vita e non potevo rischiare di nuovo di perderlo. Se per evitarlo il prezzo da pagare sarebbe stato rinunciare a Noah, l'avrei fatto senza esitazioni.

Eppure non sapevo cosa ne pensasse Noah. Voleva ancora stare con me? Forse per lui la nostra era stata una relazione con una data di scadenza, che avrebbe chiuso quando fosse partito per il college a settembre. Una storia che aveva causato già troppi problemi.

«Che c'è?» mi chiese Lee.

«Va tutto bene, non ti preoccupare.»

Per una volta, non insistette.

A scuola nessuno sembrava essersi accorto che era successo qualcosa e non circolava nessun pettegolezzo. Era tutto assolutamente normale, come avrebbe dovuto essere.

Lanciai un'occhiata a Lee mentre chiacchieravamo con gli altri. Lui se ne rese conto e mi rivolse un sorriso debole, stringendosi nelle spalle. Anche lui, come me, faticava a comportarsi come se niente fosse.

Andò tutto bene finché non ci dirigemmo nell'aula dell'appello, quando mi sentii chiamare in mezzo alla folla di studenti in movimento.

«Elle! Aspetta un secondo, Elle!»

Alzai la testa di scatto. Era la voce di Noah. Afferrai Lee per un braccio e lo guardai a occhi sgranati. Cosa dovevo fare?

«Elle!» Si stava avvicinando, e in quel momento non avevo voglia di affrontarlo.

Girai nel primo corridoio che vidi, trascinando Lee con me. Ci fermammo fuori da un'aula.

«Non me la sento di parlargli adesso» spiegai a Lee a bassa voce, lasciandogli il braccio.

«Sì, capisco.» Sorrise. «Non ci pensare.»

«La fai sembrare facile... Non posso evitarlo per il resto della mia vita. È pur sempre tuo fratello!»

«Grazie per avermelo ricordato» borbottò irritato. Sospirò e si passò una mano tra i capelli, spettinandoli più di prima. «Lasciamo stare. Immagino che tu abbia ragione e che le cose tra voi saranno un po' strane.»

«Ti ringrazio per il sostegno» dissi sarcastica.

«Vieni.» Mi guidò nella stanza dell'appello, ponendo fine alla conversazione.

Riuscii a evitare Noah fino all'ora di pranzo. Mi sedetti con Rachel e Lee sotto un albero vicino al campo da football.

«Molto salutare» commentò lei osservando la lattina di aranciata e il dolcetto che avevo in mano.

«Già, sai come sono fatta. Adoro il cibo sano.»

«Ho saputo di te e Flynn... cioè, Noah» disse piano, sorridendo comprensiva.

In quel momento Lee si alzò e si piegò per darle un bacio rapido. «Vado a giocare a football con gli altri. A dopo.»

«È ancora un argomento delicato» borbottai. «Per Lee, almeno.»

«Pare di sì... però pensavo che due chiacchiere con un'amica ti avrebbero fatto piacere.»

«Hai assolutamente ragione.»

«Allora...» Si girò e si puntellò sui gomiti, e la imitai. «Ti piace davvero? O era solo una storia di sesso?»

Arrossii. «È successo una volta sola. Dopo ho avuto paura di essere troppo coinvolta.» Sospirai, cercando le parole giuste. «Non so se i suoi pregi superino i difetti. Sa essere iperprotettivo, finisce sempre in qualche rissa, è impulsivo...»

«Ed è incredibilmente figo» sottolineò lei. «Non dirmi che non conta.»

Scoppiai a ridere. «Ehi, stai parlando di tuo cognato! Attenta a quello che dici.»

Lei si strinse nelle spalle e si unì alla mia risata. Avrei voluto cambiare discorso, ma non sapevo come farlo senza risultare sfacciata, e così Rachel proseguì.

«Lee sarà un po' combattuto se tu e Noah deciderete di continuare a frequentarvi. Capisco che per lui sia una situazione strana. Senza contare che, se tu dovessi soffrire, potresti non volerlo più vedere. Gli mancheresti e so che non vuole nemmeno tagliare i rapporti con il fratello...» Si interruppe, mordendosi un labbro.

«Ti ha detto Lee tutte queste cose?»

Mi rivolse uno sguardo carico di senso di colpa. «Ieri mi ha chiamato e sembrava sull'orlo delle lacrime. Non vuole perderti. Siete praticamente gemelli.»

Strappai un filo d'erba e me lo arrotolai intorno all'indice. «Quasi tutte le sue ex si sono sentite minacciate dalla nostra vicinanza. Sospettavano sempre che in fondo fossimo innamorati l'uno dell'altra, ma è semplicemente ridicolo. È il mio migliore amico, sarebbe assurdo. Comunque, ecco...

sono contenta che tu non la pensi così.» Sorrisi amaramente. «Credo che tu sia la prima a non odiarmi.»

«Siete molto legati, ma non riesco a immaginarvi in una relazione sentimentale.»

«Esatto! Finalmente qualcun altro che lo capisce, a parte Cam e Dixon!»

«Però... da come ne parli, sembra che Lee abbia avuto un sacco di fidanzate.»

«Non così tante, in realtà. Ma ti dirò un segreto.»

«Uuuh, sentiamo!» esclamò, e ridemmo entrambe. «Spara.»

«Sei la prima ragazza per cui mi ha dato buca, quindi deve considerarla una storia importante.»

«Lo spero. Mi piace davvero tanto.»

«E hai visto lui come ti guarda?»

Il suo viso si illuminò. «Allora non me lo sono immaginato?»

Scossi la testa. «State benissimo insieme.»

«Grazie.»

Rimanemmo in silenzio per qualche istante, osservando i ragazzi che giocavano di fronte a noi.

«Allora, cosa pensi di fare con Flynn? Cioè, con Noah. Lee continua a dirmi di chiamarlo così, ma non sono abituata.»

Sospirai. Credevo che avessimo abbandonato l'argomento. «Non lo so. Non dovrei fare nulla ma vorrei fare qualcosa e... sono confusa. E poi Lee...» Sospirai di nuovo. «Non lo so.»

«Be', credo che dovrai prendere una decisione, e in fretta.»

«Perché?»

«Perché sta venendo qui.»

Mi sedetti di scatto, rovesciando l'aranciata sull'erba. «Merda» borbottai, alzandomi prima che mi bagnasse i pantaloni. Mi tolsi la polvere di dosso e sollevai lo sguardo: Noah stava attraversando il campo da football e si dirigeva verso di me con un'espressione decisa. Tutti lo stavano fissando... a parte qualche ragazza gelosa che guardava me.

«Elle! Dove vai?» mi gridò Rachel.

Corsi verso il bagno come se ne andasse della mia vita. Mi chiusi in una delle toilette e rifiutai di uscire, malgrado diverse ragazze – Rachel, Lisa, Olivia, Jaime, Karen – me lo chiedessero.

Cedetti solo quando qualcuno cominciò a battere con forza contro la porta e sentii Lee urlare: «Shelly, esci immediatamente!»

Spalancai la porta. «Non puoi entrare, è il bagno delle ragazze!»

«Chi se ne frega. Dai, calmati ed esci.»

«Lee Flynn! Cosa pensi di fare qui dentro?» strillò una professoressa spuntata dal nulla. Era la signora Harris, l'insegnante di matematica.

«Ehm... ho un problema da donne. Dei crampi terribili.»

«Esci subito da qui, ragazzino, prima che ti metta in punizione per due settimane!»

Lee alzò gli occhi al cielo e mi afferrò per un braccio, senza lasciarmi il tempo di dire o fare qualcosa. Non volevo che finisse nei guai e così lo seguii all'esterno. Per un attimo la fortuna fu dalla mia parte, perché in quell'istante suonò la campanella. Quando mi fui seduta al mio posto nell'aula di letteratura, guardai il cellulare. Avevo ricevuto un altro messaggio da parte di Noah.

Lo cancellai senza neppure leggerlo.

21

Noah non tornò a casa martedì e nemmeno mercoledì. I suoi genitori non avevano ancora parlato con lui, ma sapevano che Lee l'aveva visto a scuola e che era sano e salvo. Io continuai a ignorare i suoi messaggi e a evitarlo nei corridoi. Mercoledì sera mi telefonò a casa. Rispose mio padre, che mise subito giù.

Giovedì mattina la fortuna mi abbandonò. Prima dell'appello andai in bagno e, uscendo, mi imbattei in qualcosa, o meglio in qualcuno.

«Oh, scusa» dissi d'istinto. Ero così persa nei miei pensieri che non mi sarei stupita se mi fossi scusata con il muro. In effetti era duro e solido come...

Oh, no.

«Ehm.» Cercai di passargli accanto, ma mi fermò posandomi una mano sul braccio. Lo guardai: Noah aveva un aspetto...

be', terribile. A giudicare dalle sue occhiaie sembrava che non dormisse da giorni, e puzzava vagamente di fumo.

Ehi, è pur sempre Flynn, non dovrei essere troppo sorpresa. Magari ha anche bevuto...

«Dobbiamo parlare» disse con voce un po' roca.

Senza aspettare una mia risposta mi trascinò nell'aula vuota più vicina e chiuse la porta.

«Come stai?» mi chiese guardandomi dritta negli occhi.

Io aggrottai la fronte, confusa e stupita. «Molto meglio da quando Lee mi ha perdonata, se è questo che ti interessa.»

«Almeno ha perdonato uno di noi due» borbottò passandosi le mani sul viso. «Ormai è troppo tardi per tornare indietro.»

Ebbi l'impressione che mi stesse accusando e mi misi sulla difensiva. «Senti, non volevo certo dirglielo così e...»

«Non ti stavo incolpando, Elle» mi interruppe. «Io... senti, devo parlarti e...»

«E allora parla» dissi, più tranquilla e sicura di me di quanto mi sentissi in realtà. Speravo che non si accorgesse di quant'ero nervosa, di quanto battesse forte il mio cuore, di quanto fossero sudate le mie mani, del nodo che avevo allo stomaco.

«Io...» Deglutì e vidi il suo pomo d'Adamo andare su e giù. «Mi dispiace. Ho approfittato di te e ho visto quanto hai sofferto quando Lee ha scoperto tutto. È stato terribile. Avremmo dovuto dirgli subito la verità, non avrei dovuto permetterti di mentirgli. È stata anche colpa mia, ho fatto un casino. E mi dispiace.»

Parlò molto in fretta, come se volesse pronunciare quelle parole prima di rimangiarsele, e per un istante pensai di aver sentito male. Ma il suo tono mi fece capire che era sincero, che era combattuto.

«So che probabilmente non vorrai vedermi mai più, e hai ragione, però...» riprese, in tono più lento.

«Posso chiederti una cosa?»

«Ehm... certo.»

«Dove sei stato negli ultimi giorni?»

Mi sorrise amaramente e sollevò lo sguardo da terra per posarlo su di me. «In un motel. Non volevo peggiorare la situazione tra te e Lee. Ho cercato di dimenticarti. Non riuscivo a dormire e così ho fatto dei lunghi giri in macchina. Non ho smesso un secondo di pensarti» disse a bassa voce.

Non era certo la risposta che mi ero aspettata, però conoscevo Noah e sapevo che non mentiva.

Si avvicinò a me, talmente tanto che scesi dalla scrivania su cui ero seduta per non ritrovarmi in trappola.

«Non so perché, Elle, però non posso... non riesco...»

«Cosa?»

«Mi fai impazzire» disse piano. «Completamente. Ho bisogno di te.»

Il mio cuore saltò un battito e poi iniziò a galoppare furiosamente. Cosa voleva dire? Di sicuro non era innamorato di...

Lee mi aveva appena perdonata. Anche se ci sarebbe voluto del tempo per superare la cosa, mi aveva perdonata. E adesso Noah voleva... riprendere da dove ci eravamo interrotti? Se pensava che potessi fare una cosa del genere, era fuori di testa. Avevo rischiato di perdere il mio migliore amico e non desideravo altro che finire l'anno scolastico in pace. Era chiedere troppo? Senza contare che Noah sarebbe partito di lì a poco per il college. Non potevo tornare con lui, non sarebbe stato giusto.

Ma allora perché era tanto difficile convincermene?

«Elle» aggiunse, scostandomi i capelli dal viso. «Shelly...»

Scossi la testa, decisa. «No, non esiste. Non posso...»

«Elle» ripeté, con gli occhi azzurri che si scurivano mentre si avvicinava di un passo. «Mi stai facendo soffrire.»

«Sei ubriaco?»

«No, sono sobrio e quello che ti ho detto è vero. Ho bisogno di te.»

Scossi ancora il capo, arretrando finché mi trovai con le spalle al muro. Lui avanzò e posò le mani contro la parete, ai lati della mia testa. Il suo corpo aderì al mio e il suo fiato mi accarezzò il volto.

«Ehi.»

Lo guardai negli occhi. Ero certa che stesse dicendo la verità, eppure non volevo credergli. Avrei voluto impormi, chiudere quella porta e dimenticare tutta quella storia. Non volevo che mi sfiorasse o mi baciasse, non volevo provare di nuovo quelle sensazioni esplosive perché sapevo che non sarei più riuscita a lasciarlo. Se non l'avessi fatto subito, non l'avrei fatto più... se non quando fosse stato troppo tardi.

Riuscii a dire una sola parola: «No».

Lui sbatté il palmo contro la lavagna alle mie spalle, facendo vibrare il muro e cadere un poster appeso male.

Scossi la testa e chiusi gli occhi, sperando che non vederlo mi rendesse più decisa. Non funzionò. «No» ripetei comunque.

Mi posò le mani sulle spalle e, quando aprii gli occhi, vidi che mi stava supplicando con lo sguardo.

«Spostati» gli ordinai, cercando di spingerlo via. Pregai che non mi baciasse, perché sapevo che non l'avrei rifiutato.

«Possiamo fare le cose nel modo giusto, questa volta» disse. «Non ci nasconderemo.»

«Non voglio stare con te» replicai debolmente.

Noah sospirò e appoggiò la fronte contro la mia. Mi irrigidii, ma non perché avessi paura di lui. Avevo paura di me stessa. Ormai eravamo quasi abbracciati e non desideravo altro che mi stringesse e mi baciasse.

Ma non potevo. Non potevo tornare in quella situazione, perché non sarei mai riuscita a uscirne. Non potevo fare una cosa del genere a Lee.

«Noah, ti prego… no.»

«Non posso evitarlo» ribatté teso, e un muscolo della sua guancia si contrasse quando arretrò per guardarmi. «Ci ho provato, credimi. Non so perché, ma mi stai facendo impazzire. Ho bisogno di te.»

«Ho detto di no.» Lo spinsi con forza e passai sotto il suo braccio, allontanandomi. «Noah, non posso farlo. Mi dispiace, ma la risposta è no.»

«Perché?»

«Io… io non posso farlo.»

La campanella accorse in mio aiuto: i corridoi si riempirono di studenti diretti in classe. Noah però rimase immobile, e anch'io scoprii di non riuscire a muovermi.

«Devo… devo andare» balbettai prima di scappare via, facendomi strada in mezzo alla folla e spingendo i miei compagni.

L'unica cosa che mi importava era andarmene da lì. Non avevo paura di Noah, però. Avevo paura di ciò che provavo per lui.

«Mi stai dicendo che per il tuo diciassettesimo compleanno… Anzi, no, scusa. Mi stai dicendo che per il *nostro* diciassettesimo compleanno non hai idea della festa che vuoi organizzare?»

Scoppiai a ridere. «Non ci ho pensato molto negli ultimi tempi, ma dobbiamo inventarci qualcosa, e in fretta. Manca solo una settimana.»

Lee fece un sospiro esagerato. «E poi dici che sono io quello che rimanda sempre tutto! Allora, cosa preferisci? Una festa per pochi intimi con amici e familiari?»

«Pochi intimi? Ma stai scherzando? Dobbiamo invitare i nostri compagni e i ragazzi dell'ultimo anno.»

«Vero. Allora una festa per molti intimi con amici e familiari. Che ne dici? I miei genitori hanno detto che possiamo affittare un locale per la serata.»

«Sarebbe fichissimo… ma anche costoso.»

«Okay. Allora organizziamo a casa mia?»

«Forse è la cosa migliore. Non abbiamo tante alternative, no?»

Lee e io avevamo deciso mesi prima che avremmo fatto una festa memorabile. E, dato che il nostro compleanno cadeva dopo la fine della scuola, era sempre stato un'occasione per festeggiare anche quella. Siccome i nostri amici dell'ultimo anno sarebbero partiti di lì a poco per il college, però, volevamo organizzare qualcosa di persino più grande e indimenticabile.

Sapevo che Lee voleva una festa incredibile, e glielo dovevo. Non gli avevo detto di me e Noah e avevo agito di nascosto, comportandomi da egoista. Ero in debito con lui e dovevo inventarmi qualcosa di grandioso. E a quel punto mi venne un'idea.

«Ti ricordi la festa in maschera che abbiamo organizzato in seconda media? Era in quel posto che poi hanno chiuso, c'era anche una piscina con le palline...»

«Sì, io mi ero travestito da gatto con gli stivali e tu da principessa Disney, ma non ricordo quale.»

«Esatto.»

«E quindi? Ah, oddio, no. Non esiste. Scordatelo.»

«E invece sì.»

«No.»

«Perché no? Sarà divertentissimo!»

«Shelly, ti rendi conto di quanto sarebbe infantile?» protestò ridendo.

«Lo so benissimo, e sarebbe una figata proprio per quello! Siamo le uniche persone al mondo che possono organizzare una cosa del genere e renderla l'evento dell'anno. Fidati di me.»

«Sei sicura?»

«Certo.»

«Okay, allora voglio un impegno ufficiale prima che tu cambi idea.»

Annuii e gli sorrisi, tendendo il pugno chiuso verso di lui. Lee fece lo stesso e, quando le nostre nocche si toccarono, imitammo il suono di un'esplosione.

«Non lo facevamo dalle medie» commentò poi.

«Mi sembrava l'occasione giusta» ridacchiai.

«Quindi organizzeremo davvero una festa in maschera?»

«Assolutamente sì. E ci travestiremo da gemelle Olsen.»

Mi spettinò i capelli e io mi allontanai, sedendomi sull'erba a gambe incrociate.

«Chi vuoi essere, Ashley o Mary-Kate?» mi chiese.

«Be', in fondo sono uguali... Ma sono sicura che Rachel sarebbe felice di vederti con una parrucca bionda...»

«Forse è una pessima idea!» esclamò scuotendo la testa, facendomi ridere ancora di più. Poi aggiunse: «Quando facciamo la festa? Magari venerdì prossimo, dopo la consegna dei diplomi?»

«Sì, perfetto. Il nostro compleanno è domenica, quindi... se beviamo troppo potremo...»

«... smaltire l'hangover sabato» concluse Lee al posto mio.

«Esatto.»

«Ottimo. Comincio ad avvisare gli altri?»

«Be', stavo pensando che...»

«Ehi, non ti affaticare troppo.»

Mi accigliai e ribattei sarcastica: «Molto divertente. Stavo per dirti di sì, prima che mi interrompessi come un vero maledu...»

In quell'istante il suo telefono emise un *bip* e lui sollevò un indice. «Aspetta un attimo» esclamò, interrompendomi di nuovo. Risi mentre estraeva l'iPhone dalla tasca e digitava qualcosa, informando una cinquantina di nostri amici della festa. C'era sempre tempo per invitarne altri.

Anche il mio telefono squillò e lo tirai fuori.

«Chi è?» domandò Lee.

«Noah.»

Sollevò di scatto la testa. «Che cavolo vuole adesso? Non ti ha già disturbato abbastanza?»

Premetti il tasto "ignora" per evitare la chiamata. «Non mi ha disturbato, Lee...»

«Mmh, forse. È solo che non credo che vada bene per te, Elle. Sto cercando di proteggerti perché conosco mio fratello.»

«E pensi che io non lo conosca? Non mi ha mai trattato male.»

«Ma non ti ha nemmeno trattato come meriti» sottolineò. Poi, sospirando, aggiunse: «Lasciamo stare, non voglio più discutere. Allora, da cosa ci vestiamo?»

«Oh, non ti preoccupare» risposi con un sorriso furbo. «Ho in mente la soluzione perfetta.»

22

Venerdì, quando non mi trovavo a lezione, ero al telefono per assicurarmi che tutto fosse pronto per il ballo scolastico dell'indomani. Era un compito piuttosto stressante, che però mi permetteva di non pensare a Noah.

La mattina seguente Rachel, May, Lisa e io saremmo andate in un piccolo centro estetico per una manicure e una messa in piega. La mamma di Lisa lavorava lì e ci aveva fatto ottenere uno sconto. Mi sentivo un po' fuori luogo, però: le ragazze non facevano altro che parlare dei loro accompagnatori, di come i loro abiti si abbinassero alle cravatte dei ragazzi, del fatto che avrebbero ballato un lento, di quanto stessero bene i maschi in smoking…

E poi c'ero io, senza accompagnatore. Mi sarei presentata al ballo da sola. Non potevo invitare nessuno dei ragazzi, nemmeno come amici, perché sapevano già con chi andare.

Probabilmente ero l'unica studentessa della scuola in quella situazione.

«Possiamo sempre andarci in gruppo, no?» disse Lisa venerdì a pranzo. Avevo pochi minuti per mangiare qualcosa. Lei sarebbe andata con Cam, Dixon avrebbe accompagnato May e Warren avrebbe portato una ragazza del corso di storia che non conoscevo molto bene.

«Buona idea» concordò Lee. «Così non dovrai presentarti da sola.»

«Tutto risolto, Elle» tentò di rassicurarmi Dixon.

«E non dimenticare che hai rifiutato un sacco di inviti» osservò Cam.

«Non proprio. È stato *lui* a rifiutarli per me» replicai, senza bisogno di specificare di chi stessi parlando.

«A proposito, tuo fratello verrà al ballo, Lee?» gli chiese Rachel.

«Non lo so e non me ne potrebbe importare di meno.»

Rachel e io ci scambiammo un'occhiata, sapendo benissimo che gli importava eccome.

Sospirai: avremmo noleggiato una limousine e saremmo andati al ballo tutti insieme, ma sarei stata comunque da sola. Mi massaggiai le tempie. Potevo dare la colpa a Noah o prendermela con me stessa per avergli permesso di allontanare i ragazzi che mi avrebbero accompagnata, però sapevo perché non mi ero opposta più di tanto. Perché avevo dato per scontato che sarei andata con lui, trattandosi di un ballo in maschera. Avevo sperato di passare la serata con lui, e me l'aveva anche chiesto, quel pomeriggio in garage, benché a modo suo.

Ma ormai non sarebbe successo. E quante probabilità

c'erano che qualcuno mi invitasse, dato che il ballo si sarebbe tenuto l'indomani? Zero.

I miei capelli erano stati asciugati e pettinati alla perfezione, fino a risultare morbidi, lisci e lucenti, e anche la french era curatissima. Mi ero truccata per mezz'ora seguendo un tutorial professionale online, anche se non sarebbe servito a molto, dato che metà del mio viso sarebbe stato coperto dalla maschera.

Il vestito mi stava benissimo, e il verde mela rendeva luminosa la mia pelle e mi faceva luccicare gli occhi castani dietro la maschera. Il tessuto ondeggiava a ogni mio movimento, accarezzandomi le gambe. Le scarpe argentate con i tacchi a rocchetto stavano d'incanto con le perline del vestito e della maschera.

Ero uno schianto… anzi, mi sentivo uno schianto! Era da tantissimo tempo che non provavo quella sensazione di normalità, come se la storia con Noah non fosse mai esistita.

Se devo andare al ballo da sola, ci andrò dando il meglio di me, pensai. Poi però mi ricordai cosa succedeva di solito al ballo estivo: avrei condiviso la limousine con gli altri, certo, ma non avrei posato per la foto di rito con il mio accompagnatore, mio padre non mi avrebbe immortalata in scatti imbarazzanti con lui prima di uscire di casa… Ero pronta per la serata, vestita e truccata, ma d'un tratto non mi sentivo più così a mio agio.

Sospirai e in quell'istante suonò il campanello. Presi la clutch argentata e mi guardai un'ultima volta allo specchio. Erano in anticipo, ma non era un problema.

«Elle, sono arrivati» mi chiamò mio padre mentre apriva la porta.

«Sì, eccomi.»

Scesi al piano inferiore e sul pianerottolo infilai la testa in camera di Brad. «A più tardi.»

Lui mise in pausa il videogame a cui stava giocando e mi squadrò. «Wow. Finalmente.»

«Finalmente… cosa?»

«Finalmente non sei più un orribile troll… Sei quasi carina» spiegò, rivolgendomi il suo sorriso sdentato. Non mi offesi e gli andai vicino per scompigliargli i capelli. «Dai, piantala! Sei insopportabile!»

Scoppiai a ridere e lo salutai. Mi voltai e mi fermai all'istante.

«… vorrei parlare con lei.»

«Ma lei non vuole parlare con te. Credo che faresti meglio ad andartene.»

«Non prima di averle parlato.»

«No. E adesso sparisci, prima che chiami la polizia.»

Noah tentò ugualmente di superare mio padre per entrare e, mentre lui glielo impediva, dalle mie labbra uscì uno strano suono, una sorta di squittio che li fece girare entrambi verso di me.

«Chi ci fai qui?» sibilai a Noah, affrettandomi lungo i gradini e stringendo il corrimano per non inciampare sui tacchi. «Noah, che cavolo ci fai qui?»

«Se ne stava andando…» ribatté mio padre in tono irritato e minaccioso, che mise a disagio Noah. A giudicare dalla sua espressione doveva essere un po' spaventato.

Lo guardai, aspettando che rispondesse. E poi mi resi conto

di chi avevo di fronte. Indossava una camicia bianca elegante e una sottile cravatta verde dal nodo un po' storto. Portava uno smoking nero, che però aveva abbinato ai suoi soliti stivali in tinta: l'accostamento era bizzarro, ma su di lui era molto sexy. I capelli scuri gli coprivano gli occhi e nel complesso aveva un look arruffato ma piacevole.

Si grattò la nuca, nervoso. «Sono venuto per parlare con te.»

Sospirai e chiesi a mio padre: «Puoi lasciarci da soli un minuto?»

«Va bene» acconsentì dopo una lunga pausa. Puntò l'indice su Noah. «Se solo la sfiori, ti giuro che...»

«Papà!» lo interruppi, facendogli segno di andare in cucina. Lui fulminò Noah con lo sguardo e si allontanò. Sentivo ancora la musica del videogioco di Brad, che ignorava cosa stesse succedendo all'ingresso.

Osservai Noah, appena oltre la soglia. «Allora? Non volevi parlare?»

«Te l'ho detto, Elle. Voglio fare le cose come si deve.» Richiuse la porta.

Rimasi a fissarla, in preda alla confusione, per almeno un minuto. E poi il campanello suonò. Senza parole, la riaprii. E davanti a me vidi Noah, naturalmente. Stringeva in mano una calla bianca con un nastrino. Ed era in ginocchio.

«Cosa stai facendo?» gli chiesi con una risata nervosa.

«Elle Evans, ti va di venire con me al ballo d'estate?»

Non riuscii a trattenermi e scoppiai a ridere. Lui si accigliò a quella reazione e mi sforzai di darmi un contegno, mordendomi un labbro.

Stava succedendo davvero? Chi avrebbe mai immaginato

che Noah Flynn, il (presunto) playboy ribelle, violento patologico, fosse in grado di inginocchiarsi davanti a una ragazza per chiederle di accompagnarlo al ballo? Era una situazione talmente surreale da risultare comica.

«Dici sul serio?»

«Sì. Allora, vuoi uscire con me?»

Esitai. Avrei voluto accettare – e dovevo ammettere che era stato un gesto molto dolce – ma sapevo che non era il caso. Dire di sì sarebbe stata una pessima decisione, per cui mi sarei detestata. D'altra parte, se avessi rifiutato non me lo sarei mai perdonato...

Noah si alzò e mi rivolse uno di quei rari sorrisi contagiosi che rivelavano la fossetta sulla guancia sinistra. «Dai, Shelly, dammi una mano. Ci sto provando, no? So di essere stato un vero idiota e di averti ferito. Ho detto un sacco di cose di cui mi sono pentito e... sto cercando di farmi perdonare. Vieni con me al ballo, per favore?» Mi tese la calla e io la osservai: era meravigliosa ed emanava un profumo delizioso. Poi tornai a guardare il suo viso; Noah stava ancora sorridendo e aveva una scintilla di speranza negli occhi blu. Come avrei potuto dirgli di no?

«Io... io non...» sussurrai. «Non credo sia una buona idea.»

«Lascia stare quello che diranno e penseranno gli altri. *Tu* cosa vuoi?»

«Non dovremmo... cioè, non possiamo...»

«Chi se ne frega della cosa giusta. Tu cosa vuoi?» ripeté.

Lo guardai negli occhi e capii cosa desideravo. La parte razionale della mia mente si stava opponendo, e sapevo che era la cosa giusta da fare, ciò che tutti si aspettavano da me.

«Shelly?» mi chiamò, tendendomi di nuovo la calla.

Presi un respiro profondo e chiusi gli occhi per un istante. Era il momento di scegliere, una volta per tutte. Ora o mai più. L'istinto e la ragionevolezza mi dicevano di non farlo, di rifiutare…

Allungai un braccio. «Sì, Noah, verrò al ballo con te.»

Lui ridacchiò. «Sul serio?»

Annuii, guardandolo negli occhi. Lui mi rivolse il sorriso più felice che avessi mai visto e mi allacciò il fiore al polso.

Accantonai le voci che mi dicevano con insistenza che stavo commettendo un errore e chiesi: «Hai una maschera? Sai che è un ballo in maschera, vero?»

«Certo.» Alzò gli occhi al cielo come se fosse una domanda scontata.

«Okay.»

Mi sorrise di nuovo e non potei fare a meno di ricambiare.

«Devo essere completamente impazzita.»

Lui fece un cenno con la testa. «Già. Allora, sei pronta?»

«Sì, un secondo» dissi spostandomi in cucina e lasciandolo sulla soglia. Non appena entrai capii che mio padre si era appena seduto e stava sfogliando la guida televisiva per nascondere il fatto di aver origliato la nostra conversazione. «Non ti arrabbiare» dissi piano, sperando di non averlo deluso troppo.

«Non sono arrabbiato… però non sono convinto che sia una buona idea» osservò scuotendo la testa. «Dopo tutto quello che è successo con Lee…»

«Lo so, ma…»

Mio padre sospirò e si tolse gli occhiali per massaggiarsi le tempie. «C'è un "ma". Perfetto. Proprio quando pensavo che…»

«Si è inginocchiato per chiedermelo» lo interruppi. «Credo sia davvero dispiaciuto.»

«Mmh.» Non sembrava convinto. «O è dispiaciuto o gli interessa una cosa sola.»

«Papà, per favore. Stiamo parlando del ballo scolastico, tutto qui. Non significa che... non lo so, che torneremo insieme o roba del genere.»

«Il fatto che tu abbia accettato di andare con lui la dice lunga, Elle. Senti, fai ciò che ti sembra giusto, ma stai attenta. Non voglio che tu soffra. Né che tu rimanga incinta, se è per questo» replicò in tono serio.

«Sì, papà» dissi alzando gli occhi al cielo.

«Dico davvero, tesoro. Fai quello che ti senti, quello che ti sembra giusto. Non posso certo fermarti, però sappi che non penso sia la persona giusta per te.»

«Non so cosa fare» sospirai. Mi sembrava di avere sette anni anziché quasi diciassette, e così mi comportai come avrebbe fatto qualsiasi bambina vulnerabile: abbracciai mio papà. «Non so cosa fare» ripetei.

Mi strinse a sé. «Lo capirai.»

«Lo spero proprio, cavolo.»

Lui ridacchiò e mi osservò. «Ma guardati, Elle. Quand'è che sei cresciuta così tanto?»

Gli sorrisi.

«Stai benissimo. E troverai una soluzione a tutto questo, ne sono sicuro.»

«Mi rende davvero felice, papà.»

Mi rivolse un sorriso stanco, e improvvisamente ebbi l'impressione che fosse molto più vecchio. Lo salutai con un bacio e tornai nell'ingresso, dove Noah mi stava aspettando, un po' nervoso. Non mi resi conto che mio padre mi aveva seguito finché non parlò alle mie spalle.

«Allora... immagino che, visto che accompagnerai mia figlia al ballo, sia il caso di scattare delle foto.» Afferrò la macchina fotografica e mi fece cenno di avvicinarmi a Noah.

Obbedii, un po' a disagio, e Noah mi attirò a sé, cingendomi con le braccia. Fui travolta da una sensazione di tranquillità e familiarità: era bello averlo così vicino.

Mio padre scattò un paio di foto e disse: «Adesso ascoltami bene. Questa situazione non mi piace, ma se è ciò che Elle vuole mi adeguerò... per il momento. Se però ti azzardi a fare qualcosa, qualsiasi cosa, per ferirla, ti pentirai di essere venuto qui stasera. Sono stato chiaro?»

«Sì, signore» ribatté Noah con un tono stranamente educato e sincero.

«Okay. Allora divertitevi.»

«Ciao, papà» lo salutai. Gli rivolsi un sorriso incoraggiante, che lui ricambiò con una dubbiosa scrollata di spalle. Richiusi la porta e Noah, che mi stava ancora abbracciando, mi guidò lungo il vialetto. «Aspetta un attimo» esclamai, fermandomi. «Lee sa di questa storia? Gliel'hai detto?»

«No, perché? È così importante? Glielo dirò più tardi» ribatté, ma notai che teneva lo sguardo basso.

«Be', dovrebbe venire a prendermi in limousine con gli altri...»

«Mandagli un messaggio e digli che sei già uscita. O che c'è stato un imprevisto e che vi vedrete direttamente al ballo. Non lo so, se vuoi puoi anche dirgli che sei con me.»

«Dirò che ho avuto dei problemi con il make-up» decisi, poi scrissi a Lee.

Mi rispose subito: *Siamo appena partiti da casa di Dixon. Grazie per avermi avvertito. Ci vediamo lì.*

Ecco uno dei lati positivi dell'avere un ragazzo come migliore amico: nessun messaggio preoccupato che mi chiedeva se avessi bisogno di una mano o cosa fosse andato storto. Si limitava ad accettare le mie parole, senza metterle in discussione.

Mi sentivo terribilmente in colpa per avergli mentito, anche se solo con un messaggio. Avevo l'orribile impressione che stesse per capitare qualcosa di brutto, che stessero per ricominciare le bugie, gli incontri di nascosto, i tradimenti... E la cosa peggiore era che avevo accettato di buon grado, senza pensarci troppo su. D'altra parte, però, non potevo nemmeno scrivergli: *Stai tranquillo, vengo al ballo con Noah.*

Dovevo parlare con Lee di persona, fargli capire la situazione, spiegargli ogni cosa. Era l'unica strada che potevo percorrere, mentire ancora era fuori discussione, e glielo dovevo: si meritava molto più di un messaggio o di una telefonata.

Mi chiesi per un istante perché Noah si fosse avviato verso il lato del passeggero della sua auto. Di sicuro non voleva farmi guidare, dato che non permetteva a nessuno di toccare quella macchina se non in casi particolari. E lo stesso valeva per Lee: tutto perché una volta avevo rigato l'auto di mio padre sfiorando la cassetta delle lettere...

Mentre riflettevo mi aprì la portiera. Fu un gesto talmente galante che mi chiesi se avessi visto bene.

«Grazie...» dissi in tono incerto, sedendomi. Lui richiuse la portiera e si mise al volante, poi avviò il motore e si diresse al Royale. Era un tragitto di circa venti minuti e non avevo idea di come impiegare quel lasso di tempo evitando l'imbarazzo tra noi. C'era una domanda che però dovevo fargli a tutti i costi.

«E adesso? Ci presentiamo al ballo insieme e annunciamo a tutti che… che siamo… quello che siamo?» Non volevo dire "una coppia" per timore che non la pensasse come me.

Noah sospirò. «Senti, voglio giocare a carte scoperte, Elle. Mi piace stare con te. Tengo molto a te, probabilmente più di quanto dovrei. Quindi non voglio perderti di nuovo. Sto cercando di farmi perdonare, ma capisco se preferisci che le cose tra noi rimangano… informali, ecco.»

«Okay…»

«Insomma, quello che sto dicendo è che… dipende da te.»

Il mio cuore batteva così forte che quasi coprì il resto delle sue parole.

«Se vuoi rendere le cose… ufficiali, essere una… coppia…»

Guardai i suoi occhi, fissi sullo stop davanti a noi, le sue dita strette intorno al volante: sembrava… vulnerabile, non c'era altro modo di descriverlo. Mi aveva spiegato perché non aveva mai avuto relazioni serie, solo storielle; nessuna ragazza voleva un fidanzato che finiva sempre in qualche rissa, e non potevo biasimare le nostre compagne di scuola. Però era anche innegabile che Noah avesse un lato molto attento e dolce. Quello che lo aveva spinto a presentarsi alla porta di casa mia e a tenermi la portiera aperta quella sera, per esempio.

Lee mi odierà… pensai.

«Prima devo parlarne con tuo fratello. Non posso dirgli tutto a cose fatte» replicai.

Anche se non avevo ancora accettato di stare con lui, gli occhi di Noah si illuminarono quando mi guardò, e un sorriso sincero gli incurvò gli angoli della bocca.

«Davvero?»

«Sì, davvero» risposi con una risata.

Sapevamo entrambi che avevo detto sì, ma prima dovevo assicurarmi che non avrei perso il mio migliore amico. Nessun ragazzo, neppure Noah, valeva quel tipo di sacrificio, e lui capiva il mio punto di vista.

Non potei aggiungere nient'altro perché si protese verso di me per darmi un bacio veloce sulle labbra prima che scattasse il semaforo. Fu fin troppo rapido per i miei gusti, eppure mi fece battere il cuore all'impazzata.

La sua mano trovò la mia, le nostre dita si intrecciarono. Era un gesto naturale e spontaneo, come se ci incastrassimo alla perfezione nonostante tutte le differenze che ci separavano indicassero il contrario.

Restammo in silenzio per il resto del viaggio, ma non fu un silenzio imbarazzato e non cercai qualcosa da dire a tutti i costi. Fu piacevole e ci godemmo la compagnia reciproca. Una volta arrivati nei pressi del Royale incontrammo un po' di traffico: c'erano un camion dei pompieri, due volanti della polizia, diverse limousine, delle auto di lusso, delle Rolls-Royce e qualche carrozza trainata da cavalli, senza contare le macchine normali. I nostri compagni avevano preso sul serio il ballo in maschera.

«Okay, posso capire le limousine» commentò Noah. «Ma le carrozze sono assurde. Non ci saranno mica le telecamere di MTV. È davvero uno spreco di soldi.»

Risi, dato che avevo pensato più o meno la stessa cosa. Mi lisciai il vestito e tirai fuori uno specchietto per ritoccare il rossetto. Sentendomi osservata, mi voltai verso Noah. «Che c'è?»

«Niente.»

«No, dico davvero. Che c'è?» insistetti, scrutandomi nello specchio troppo piccolo. Che mi fosse finito del rossetto sui denti?

«Nulla. Stai benissimo.»

«Oh, grazie. È incredibile che la tua cravatta si abbini al mio abito.»

Lui abbassò lo sguardo sul petto, come se cercasse una conferma visiva. «Già... Ricordavo che mi avessi detto di che colore era, e questa era l'unica cravatta di tutto il centro commerciale che non fosse decorata da palme.»

Il mio riflesso mi sorrise mentre finivo di controllare il trucco.

«Dai, Elle, mettilo via. Sei fantastica.»

Fantastica... Il mio sorriso si allargò. «Davvero?»

«Lo giuro» ridacchiò.

Le auto si erano allontanate e il traffico cominciò a diradarsi; avanzammo di qualche metro.

«Ehi, guarda, ecco la macchina dei tuoi amici.»

Mi allungai per guardare nella direzione che stava indicando. Una lunga limousine nera era parcheggiata davanti all'ingresso del Royale e scorsi Lee, con Rachel sottobraccio, e gli altri che scendevano. Dato che indossavano tutti una maschera era difficile distinguere chi fosse chi. Per di più, molti ragazzi portavano delle maschere simili e molto semplici che li rendevano ancora più irriconoscibili l'uno dall'altro. Forse nessuno, a parte Lee, avrebbe capito che Noah e io eravamo insieme, e magari non sarei stata circondata da orde di ragazze che morivano dalla voglia di sapere cosa fosse successo tra me e Flynn. Una parte di me sperava di non essere riconosciuta: la serata sarebbe stata decisamente più semplice.

Accostammo davanti all'hotel, dove un parcheggiatore ci aspettava. Scesi dopo che Noah corse ad aprirmi la portiera. Si era messo la maschera senza che me ne accorgessi: era nera con delle borchie grigie sulla parte superiore, e gli copriva metà viso.

Il parcheggiatore prese le chiavi dell'auto e Noah mi cinse la vita con un braccio, guidandomi verso la porta. Avvertivo già gli sguardi degli altri che si sforzavano di capire chi fossimo. E non avevamo ancora messo piede nella sala da ballo...

Avevo un nodo allo stomaco e il respiro sempre più affannoso.

«Calmati» mi sussurrò Noah all'orecchio, solleticandolo con il fiato. «Andrà tutto bene, fidati di me.»

«Oh, spero proprio che tu abbia ragione...»

23

Una breve coda di ragazze con i loro accompagnatori aspettava di posare sotto il magnifico arco di fiori posizionato contro un muro della sala. Noah si unì alla fila e gli sorrisi: a quanto pareva avrei avuto la foto con lui che tanto desideravo.

I delicati lampadari di cristallo emanavano una luce calda che si rifletteva sui dettagli dorati che decoravano le pareti, le colonne e il soffitto a volta. Il pavimento di marmo era attraversato dalle ombre delle coppie che ballavano e c'era un bancone da bar su un lato. Dei tavolini rotondi coperti da tovaglie bianche e composizioni floreali fiancheggiavano i muri della sala e la band suonava su un palco basso sul fondo.

In una parola, era perfetto, bellissimo, assolutamente impeccabile. Ero piuttosto orgogliosa di me stessa per aver suggerito l'arco per scattare le foto, dato che era molto romantico.

«È fantastico, non credi?» dissi a Noah con un gran sorriso.

«Sì» concordò, guardandosi intorno come me.

«I prossimi» chiamò il fotografo, e ci spostammo sotto la luce del riflettore.

Ero un po' a disagio, consapevole che gli altri ci stavano fissando; lo facevano solo perché eravamo in posa e di lì a trenta secondi si sarebbero concentrati sulla coppia successiva, ma temevo comunque che qualcuno gridasse: «Oh, mio Dio! Elle e Flynn?!»

«Ehi, rilassati» mi sussurrò Noah all'orecchio, facendomi sussultare.

«Scusa, sono un po'… tesa.»

Mi rivolse un sorrisetto sexy, che mi tranquillizzò. Mi voltai verso il fotografo e Noah rimase alle mie spalle, cingendomi la vita. Posai le mani sulle sue, sorrisi all'obiettivo, il flash quasi mi accecò e…

«I prossimi.»

… e un attimo dopo non eravamo più al centro dell'attenzione.

«Vuoi bere qualcosa?»

«S… sì, grazie.»

«Vado al bar.»

Pochi secondi dopo che Noah si fu allontanato, mi trovai di fronte un altro Flynn. Accidenti. Aveva capito che ero con suo fratello? Qualcuno aveva capito che eravamo arrivati insieme? Non sembrava arrabbiato, però…

Lee mi tolse la maschera. «Eccoti qui, Shelly.»

Sorrisi. «Ehi, ciao.»

«Risolto tutto con il trucco?»

Provai un'ondata di sollievo. Non si era accorto di nulla… «Sì, grazie. Adesso è tutto a posto.»

«Fantastico. Allora, vieni a sederti al nostro tavolo o te ne stai qui da sola?»

Esitai. «Lee, devo dirti una...»

«È Elle?» Qualcuno mi afferrò una spalla e mi voltai. Una ragazza bionda in maschera mi sorrise. «Mi eri sembrata tu... Che bel vestito! Ciao, Lee. Senti, Elle, c'è un problema con il cibo e Tyrone mi ha chiesto di chiamarti. Riguarda le opzioni vegetariane e lo sformato di noci...»

«No, no, avevamo lasciato perdere lo sformato di noci perché Jon Fletcher è allergico.»

«Sì, lo so. Ma Tyrone mi ha detto di venirti a cercare.»

«Non mi sono occupata io del cibo, però, ho soltanto dato una mano.»

«So anche questo.» Ero quasi sicura che la ragazza davanti a me fosse Kaitlin, a giudicare dalla voce nasale, che era ancora più stridula adesso che era irritata. Sì, doveva trattarsi proprio di lei. «Tyrone mi ha detto di chiamarti perché Gen sta impazzendo.»

Sospirai. «Okay, arrivo.»

«Magnifico! Supera la porta laterale accanto al palco, troverai una porta che conduce in cucina a metà del corridoio.»

«Lee, torno subito. Non sparire, devo parlarti.»

«Certo» replicò lui prima di dissolversi in mezzo alla folla.

Seguii le indicazioni di Kaitlin e, dopo un paio di tentativi a vuoto, raggiunsi la cucina: Tyrone e Gen stavano litigando con lo chef, ma soprattutto l'uno con l'altra.

«Avreste dovuto dirmi che c'erano degli ospiti allergici alle noci...» stava dicendo il cuoco, furioso.

«L'abbiamo fatto!» ribatté Gen, quasi urlando.

«Sei sicura al cento percento, Gen?» Tyrone si era sollevato la maschera sulla fronte e aveva le narici dilatate.

«Certo che sono sicura! Non avrei mai potuto dimenticarmi una cosa simile, Ty!» Si voltò di scatto per guardarmi, con gli occhi spalancati. «Elle, diglielo tu!»

Sospirai ancora e fissai lo chef. «Non può preparare uno sformato vegetariano senza noci? Solo uno?»

L'uomo non era molto convinto, però alla fine riuscimmo a convincerlo a cucinare qualcosa per Jon senza farci pagare un sovrapprezzo. Uscii da lì, senza sapere dove fossero i miei amici. Né il mio accompagnatore. Tutti i presenti stavano ballando o erano seduti a gruppetti ai tavoli. Era pressoché impossibile distinguere i ragazzi, vestiti con lo smoking e le maschere. Cercai Lee per diversi minuti e poi rinunciai. Sapevo che Rachel indossava un abito lilla lungo fino ai piedi con un fiocco viola, ma non individuai neppure lei.

Trovai un angolino tranquillo contro una parete, mi appoggiai e sospirai. Di lì a quaranta minuti sarebbe stata servita la cena e non avevo nessuna voglia di restare da sola per tutto quel tempo. Perché cavolo avevamo deciso di organizzare un ballo in maschera? Più che fico e chic era incredibilmente snervante.

Qualcuno arrivò di fianco a me. «Ehi, credo che questo potrebbe tornarti utile.» Lo sconosciuto mi diede un bicchiere di punch alla frutta.

«Grazie...» dissi confusa, cercando di capire di chi si trattasse. La musica era alta e mi impediva di sentire bene la sua voce.

Il mio salvatore si scostò la maschera dal viso di pochi centimetri.

«Cam!» esclamai prima che la rimettesse a posto.

«Chi pensavi che fossi?» ridacchiò.

«Peter Parker. O meglio, speravo che fosse lui.»

«Tobey Maguire o Andrew Garfield?»

«Garfield.»

«Mi dispiace deluderti. Io ho capito che eri tu perché ti ho vista parlare con Lee, prima. Stai benissimo.»

«Grazie!» sorrisi. «Anche tu. Come va?»

«Tutto okay. Ma sbaglio o sei arrivata con qualcuno?»

«No, sono sola...»

Odio mentire.

«Ah. Devo averti confusa con qualcun altro, allora. Comunque, faremo meglio a tornare dagli altri. Mi sono allontanato per prendere da bere, ma mi sembravi un po' sola. E adesso li ho persi, per colpa di queste stupide maschere.»

«Io l'avevo detto che era un'idea stupida.»

«Come mai sei da sola, in ogni caso?»

«Non sono riuscita a trovare un accompagnatore» spiegai con una risata.

«Quante scuse... Andiamo. Credo che siano laggiù.»

Seguii Cam in mezzo alla folla di ragazzi in maschera che ballavano, tenendomi al suo braccio per non restare indietro. Mi guardai attorno in cerca di Noah, ma di lui non c'era traccia. Raggiungemmo gli altri in fretta: le ragazze erano un vero schianto, e anche i ragazzi facevano la loro figura. La cravatta di Lee si abbinava perfettamente al vestito di Rachel, mentre gli altri avevano quasi tutti optato per il nero. Cam, però, aveva tentato di essere in tinta con Lisa, anche se la cravatta era rosso scarlatto e l'abito di lei bordeaux. Lee e Rachel erano adorabili insieme.

«Va tutto bene, Elle? Sai, con il fatto che sei qui da sola...»

mi chiese Warren. Era una domanda un po' priva di tatto, ma dato che lo conoscevo non me la presi.

«Sì, è tutto okay.»

«Ero convinta di averti vista arrivare con qualcuno e che vi foste fatti una foto insieme» intervenne Bridget, che era venuta con Warren.

«Non era lei, gliel'ho chiesto» rispose Cam al posto mio.

«Ah, che strano. Con queste maschere del cavolo non distinguo nessuno!»

Chiacchierammo per un po', e nel frattempo continuavo a cercare invano Noah. Ballai con le ragazze, e pure con Cam e Lee. Poi arrivò Cody e diede un colpetto alla spalla di Lee. Lo riconobbi solo per il piercing sulla lingua che scorsi quando disse: «Posso?»

«Prego» ribatté Lee. Mi fece un inchino teatrale ed esagerato, poi andò a ballare con gli altri.

Era appena partito un pezzo lento, una cover acustica di un brano pop.

«Ciao, Cody.»

«Ehi, Elle.» Mi sorrise. «Spero non ti dispiaccia ballare con me.»

Scoppiai a ridere. «Certo che no.»

«Sei davvero bella stasera» disse. «Mi dispiace che tu non abbia trovato un accompagnatore.»

Gemetti. «Lo sanno tutti?»

Lui si strinse nelle spalle. «Non ti preoccupare. È successo solo perché Flynn ha detto a tutti di girare alla larga da te. Ma comunque nessuno l'ha visto, quindi potrai ballare tutta la sera con chi vuoi.»

«Con chi sei venuto?»

«Con Amy Johnson.»

«Ottimo. E non si arrabbierà se balli con me?»

«No, non è un problema. Come stai? Non ti ho vista granché, a parte alle lezioni di chimica.»

«Bene. E tu?»

«Come al solito.»

Tra noi calò il silenzio per un istante; scoppiammo a ridere e poi ricominciammo a chiacchierare della band che suonava e di quanto fosse riuscita la festa fino alla fine della canzone. Rifiutai l'invito a ballare di Jason per andare da Lee... O almeno così dissi: in realtà volevo andare da Noah. E sarei riuscita a trovarlo, se in quell'istante tutti i presenti non si fossero seduti a tavola in vista della cena. Mi alzai sulle punte e allungai il collo.

«Elle! Elle!»

Mi girai.

«Sono qui!» Lee agitò una mano, indicandomi di raggiungerlo.

Mi sforzai di sorridere e mi feci largo nella folla. Il tavolo era da dieci persone ed erano rimasti due posti vuoti; Warren, Dixon, Lee e Cam con le rispettive accompagnatrici erano già seduti. Pregai con tutta me stessa che Noah mi vedesse e occupasse la sedia accanto alla mia.

«Flynn! Qui c'è posto...» Riconobbi la voce di Andy, uno dei giocatori della squadra di football, che invitava Noah al proprio tavolo. Era occupato da ragazzi e ragazze che non erano arrivati insieme al ballo.

Lui si avviò verso di loro e notai che teneva la maschera in mano. Aprì la bocca per dire qualcosa, ma una delle ragazze si alzò dalla sedia e lo tirò a sé, emozionata. Noah scrutò la stanza e il suo sguardo incrociò il mio mentre lei lo faceva sedere.

Ci scambiammo un'occhiata impotente: eravamo bloccati ai rispettivi tavoli. In un certo senso era una fortuna, dato che non avevo ancora parlato con Lee... Decisi che l'avrei fatto di lì a poco, comunque: volevo evitare di ritrovarmi nella stessa situazione di qualche tempo prima.

Se non ci fosse stato quel problema in cucina o se nessuno mi avesse invitata a ballare le cose sarebbero andate diversamente. Noah si sedette, ma non accanto a me. E non avevo ancora detto la verità a Lee. Sembrava che tutto remasse contro di noi, ma quella volta non mi sarei lasciata fermare da nulla.

Scacciai tutti quei pensieri, decisa ad affrontare la questione in seguito. Per il momento volevo godermi la compagnia dei miei amici, anche se era più facile a dirsi che a farsi, dato che ero tentata di voltarmi per osservare Noah. Lee si accorse che ero distratta e mi schioccò le dita davanti al viso, facendomi sussultare. La forchetta mi cadde sul piatto.

«Terra-chiama-Elle! Che ti prende?»

«Nulla» gli risposi con il tono più innocente che mi riuscì e sforzandomi di sorridere. «Va tutto bene.»

«Sicura? Ah, a proposito, di cosa volevi parlarmi prima? Sai, prima dell'emergenza in cucina.»

D'un tratto avevo la bocca secca. «S... sì, sono sicura...»

«Okay. Scusateci un secondo, ragazzi» ribatté Lee, poi si alzò e fece alzare anche me.

Il mio cuore iniziò a battere all'impazzata e mi ritrovai con i palmi sudati.

«Elle, che succede?» mi chiese Rachel.

«N... niente» balbettai. Lei mi lanciò un'occhiata preoccupata mentre Lee mi trascinava oltre una porta.

«Sono serio» disse nella hall dell'albergo, con le braccia incrociate sul petto. «Che ti prende?»

Giocherellai con il fiore che portavo al polso, nervosissima. «Allora... Promettimi che mi ascolterai, okay? Che non ti arrabbierai e non darai di matto. Ascoltami, va bene?»

«Va bene» rispose in tono cauto, come se si stesse preparando a ricevere delle brutte notizie.

«Prima non ho avuto dei problemi con il trucco» esordii.

Lee mi interruppe con una risata. «Tutto qui? Me l'hai detto perché non volevi stare su una limousine piena di coppie? Ehi, per un attimo ho pensato che avessi ricominciato a frequentare Noah.»

Mi morsi un labbro. «Tuo fratello è venuto da me. Prima del ballo, è venuto a casa mia. È per questo che mi sono inventata la scusa del trucco.»

Lee sbuffò. «Cosa voleva?»

«Lui...» Sentii dei passi alle sue spalle e alzai lo sguardo. Noah mi stava fissando. Afferrai Lee per un gomito: non volevo che si girasse e facesse una scenata per nulla. «Promettimi che non ti arrabbierai, Lee. Mi ha detto che voleva farsi perdonare e... e...»

«Ehi, ragazzi, come va?»

In quel momento avrei voluto uccidere Noah. Perché non poteva lasciarmi parlare in pace con suo fratello? A quel punto Lee sarebbe scattato oppure Noah l'avrebbe provocato per il gusto di farlo e...

«Perché sei andato a casa di Elle?» gli chiese Lee. «Non ti sembra di aver già causato abbastanza danni?»

«Ci sono andato proprio per quello» ribatté, con gli occhi azzurri e penetranti fissi nei miei. «Per cercare di farmi perdonare.»

«Lee, mi ha portato i fiori e tutto il resto» intervenni.

«Non mi interessa!» esclamò voltandosi verso di me. «Elle, è stato uno stronzo con te. Ti ha mollata su due piedi quando ho scoperto la verità, non ti è stato affatto vicino!»

«Non è così» protestò Noah. «E lei lo sa. Ho provato a chiamarla e...»

«Non fa nessuna differenza, Noah!» lo interruppe il fratello. «Il punto è che non c'eri quando lei aveva bisogno di te. Non hai provato a spiegare la situazione, hai lasciato che fosse lei a gestire tutti i problemi mentre tu andavi chissà dove sulla tua stupida moto. L'hai costretta a mentire a me, a mentire a suo padre... e per cosa? Per divertirti un po'?»

«Lee...»

«Perché non lo chiediamo a lei? Perché non chiediamo a Elle cosa vuole?» replicò Noah, e vidi un muscolo della sua guancia contrarsi.

Si voltarono entrambi verso di me, in attesa. Guardai Noah, e notando quell'occhiata Lee sospirò, sconfitto.

«Elle, credi davvero che sia la cosa migliore da...»

«Noah» intervenni «potresti lasciarci da soli un minuto?»

Lui si strinse nelle spalle. «Come preferisci.» Si allontanò di qualche metro e si appoggiò contro il muro.

Tornai a concentrarmi su Lee e sussurrai: «So che la ritieni un'idea stupida e avventata, ma... voglio stare con lui. Sento che è la cosa giusta da fare».

La bocca di Lee si piegò in una smorfia mentre rifletteva. Mi sembrava quasi di vedere gli ingranaggi che si muovevano nella sua testa. «Se state solo andando a letto insieme... Voglio dire, ho sempre pensato che fossi più interessata a una relazione seria che a una storiella. Mi preoccupo per te, Shelly.»

Sorrisi e gli presi una mano. «Lo so. E questa volta faremo le cose come si deve» lo rassicurai, ricordando le parole che mi aveva detto prima Noah.

«Cioè?»

«Intende dire che siamo una coppia» intervenne Noah, alzando la voce per farsi sentire. Arrossii e abbassai lo sguardo a terra prima di posarlo di nuovo su Lee, che aveva gli occhi sgranati.

«Con la tua benedizione» aggiunsi. «Solo se sta bene anche a te.»

«Un attimo... fate sul serio? Davvero?»

Annuii. Noah ci raggiunse di nuovo e ribatté: «Sì, perché? Ti crea dei problemi, fratellino?»

Lee non stava guardando lui; aveva gli occhi fissi su di me, e le sue labbra accennarono un sorriso. «Se c'era una ragazza in grado di cambiarlo...» La sua voce sembrava un po' tesa, e capii che la situazione non gli andava a genio ma l'avrebbe accettata.

«Torno dentro, prima che qualcuno sospetti qualcosa. A dopo, Elle.» Noah mi fece un cenno e poi se ne andò.

Io presi un respiro profondo, senza sapere cos'avrebbe detto Lee ora che il fratello non poteva sentirci.

«E tu che pensavi che non sarebbe mai cambiato...» esclamai in tono scherzoso, dandogli un colpetto al braccio.

Lui non rise; sospirò e si massaggiò le tempie prima di rispondere. Era un gesto che faceva quand'era turbato: gliel'avevo visto fare al funerale di suo nonno e quando era morto il suo cane, Patches, quando avevamo dieci anni.

«Sei davvero felice, Shelly? Conosco Noah e lo conosci anche tu. Sei sicura che non ti abbia convinta con qualche parola dolce? Sei felice sul serio con lui?»

«Sì. So che mi accuserai di essere una ragazzina sdolcinata, ma... mi fa stare davvero bene. Come se... Quando sono con lui nella mia vita può succedere di tutto, perché lui mi permette di dimenticare i problemi. Mi godo la sua compagnia e mi rende felice. Sì, sono davvero felice, Lee. E so che è una cosa stupida, perché probabilmente ci lasceremo quando partirà per il college, ma...» La mia voce si spense. Non sapevo come altro spiegare quello che provavo per Noah, e speravo solo che Lee cercasse di capirmi.

Il cuore ha le sue ragioni, mi dissi, ma il cuore non c'entrava. Perché non ero innamorata di lui, certo che no. Sarebbe stato assurdo. No, non lo amavo.

«Quindi... stai tentando di dirmi che sei innamorata di lui?»

«No! Non esiste!» risposi. Avrei dovuto immaginare che sarebbe saltato a quella conclusione: se mi ero innamorata di lui era sensato che avessi ricominciato a frequentarlo. Peccato che le cose non stessero affatto così.

«Ah.» Nel suo sguardo colsi un pizzico di compassione che non riuscivo a spiegarmi. Era come se sapesse qualcosa che io ignoravo.

«Lee, cosa...»

«Senti, Shelly, non sono d'accordo con questa cosa. Ti ha

fatto soffrire moltissimo e non credo che andrà a finire bene tra voi. Ma se è quello che desideri davvero... sarò qui a consolarti, okay?»

Accennai un sorriso, un po' incerto ma sincero, identico a quello di Lee. «Dici davvero? Non sei arrabbiato con me?»

«No, Shelly...» Il suo sorriso si allargò. «Se è quello che desideri, io ci sarò. Ci sarò sempre, per te.»

Lo abbracciai e mormorai: «Grazie, Lee».

Lui ricambiò la stretta. «Te l'avevo detto che per colpa tua avrei cominciato a parlare come una ragazza.»

Ridacchiai. «Ti voglio bene.»

«Ti voglio bene anch'io.» Arretrò di un passo e mi sorrise ancora. «Andiamo. Non vorremo mica saltare il dolce. Voglio la mia fetta di cheesecake... se arriva mentre non ci sono, la mangerà Dixon.»

Lo seguii ridendo al nostro tavolo.

«Ehi, ragazzi, va tutto bene?» chiese Cam, fissandomi preoccupato.

«Tutto okay, Elle?» domandò Dixon.

Vidi Rachel che sussurrava a Lee: «Tuo fratello?» e lui che annuiva con uno sguardo impotente. Lei capì al volo e mi rivolse un sorriso di incoraggiamento.

Mi voltai e osservai il tavolo a cui era seduto Noah: stava ridendo per una battuta, ma guardava me. Mi fece l'occhiolino prima di girarsi.

«Sì» risposi con un sorriso. «Va tutto benissimo.»

E in quel momento era la pura verità.

24

«Ehm… posso avere la vostra attenzione, per favore?»

Calò subito il silenzio tra gli studenti sulla pista. Stavo ballando da mezz'ora con le ragazze e a quanto pareva non riuscivo ad allontanarmi: volevano continuare a ballare oppure cominciavano a parlare di qualcosa di interessante. L'unica volta che andai a "prendere qualcosa da bere", non incrociai Noah.

E adesso era sul palco, in piedi dietro al microfono al posto del cantante della band. E tutti erano in silenzio, con gli occhi fissi su di lui. Sentendolo parlare il mio cuore cominciò a battere all'impazzata e scoprii di avere il fiato corto. Non sapevo perché né cosa ci facesse Noah là sopra davanti a tutti, ma il mio corpo fu investito dall'ansia, come se avesse già intuito cosa stava per accadere.

Noah si sfilò la maschera, eliminando qualsiasi dubbio sulla sua identità.

Rabbrividii. Cosa cavolo stava facendo?

«Stasera sono venuto qui per dimostrare a una persona che mi dispiace. Sapete, c'è questa ragazza… e non riesco a togliermela dalla testa. Mi sono comportato male con lei e sto cercando di farmi perdonare. Quindi… Elle? Dove sei?»

Tutti i presenti si voltarono all'unisono verso di me. Anche se indossavo la maschera sapevano benissimo dove trovarmi. Giocherellai con le pieghe dell'abito, fulminando Noah con lo sguardo.

«È possibile illuminarla?» chiese lui indicandomi, con una nota di divertimento nella voce.

E qualcuno mi puntò addosso un riflettore, accecandomi. Socchiusi gli occhi e li coprii con una mano.

«Grazie, è perfetto. Allora, Elle… questo è il mio modo di chiederti scusa. Ragazzi?» Con quelle parole si girò e fece un cenno alla band, che cominciò a suonare. Non era un lento, anzi, si trattava di un pezzo piuttosto ritmato, che riconobbi all'istante: *I Really Want You* dei Plain White T's, una delle mie canzoni preferite. Noah non mi stava proprio confessando l'amore che provava per me… E fu il gruppo a cantare, non lui.

Lui saltò giù dal palco, con il microfono in mano, e si fece strada nella folla, che si divise al suo passaggio. Si fermò proprio davanti a me.

«Puoi dire addio alla tua reputazione» dissi con una risatina.

«Pensi che mi importi?»

Mi morsi un labbro. «Ma…» Prima che potessi finire e chiedergli perché, lui parlò al microfono, coprendo le note della canzone.

«Vuoi essere la mia ragazza, Elle?»

Arrossii sotto la maschera. Fino a quel momento mi ero accorta a malapena delle persone intorno a me. Non avevo sentito i sussurri finché Noah non era sceso dal palco. Ma in quel momento le voci dei presenti mi colpirono come una pioggia di coriandoli.

«Di' di sì!»

«Oh, mio Dio, quant'è romantico...»

«Non riesco a credere che Flynn stia facendo una cosa del genere!»

«Com'è fortunata!»

«Ma guardalo, è carinissimo...»

«Accetta, Elle!»

Tifavano tutti per me. I miei occhi si staccarono dalla folla per concentrarsi su Noah, che mi fissava tranquillo, divertito dal mio imbarazzo.

«Allora? Vuoi essere la mia ragazza, Elle Evans?»

Mi morsi di nuovo le labbra, ma era impossibile trattenere il sorriso che mi illuminò il volto. «Oh, puoi giurarci!»

Lui ridacchiò appena, ma fu l'unico suono che sentii: non ascoltai le grida, i fischi e le urla dei nostri compagni di scuola. Sentii soltanto la sua risata.

Noah lanciò il microfono a qualcuno, che lo riconsegnò al cantante sul palco, ma non vi badai. La canzone fu sostituita da un lento e le coppie ripresero a ballare. Chiunque stesse manovrando il riflettore puntato su di me lo spense. Noah mi prese tra le braccia e io intrecciai le dita sulla sua nuca.

«Sei stato carino» commentai, sapendo quanto odiava quella parola.

Fece una smorfia. «Oh, ti prego. Non chiamarmi così.»

«Scusami. Volevo dire sexy. Molto virile.»

Sorrise. «Mi sono appena reso ridicolo... per te, Shelly. Spero che tu te ne renda conto.»

«Oh, sì. Lo so benissimo» risi. «Ma non ce n'era bisogno, davvero.»

«Sì, ma ci tenevo a farlo. Te l'ho detto, voglio che le cose vadano come si deve questa volta. E ho parecchio da farmi perdonare.» Mi fece fare una giravolta e io risi più forte, poi mi strinse ancora di più a sé. A contatto con la sua, la mia pelle formicolava; avrei potuto restare tra le sue braccia per ore.

«E adesso che siamo, be', una coppia ufficiale, posso dirti una cosa senza sembrare un cretino totale.»

«Cioè?» Il cuore mi schizzò nel petto mentre si avvicinava a me.

Dentro di me una voce gridava: *Non dirlo non dirlo non dirlo*, e un'altra: *Dillo dillo dillo...*

«Mi piaci un sacco, Shelly.»

Quando mi sussurrò quelle parole all'orecchio provai una sensazione di sollievo. Non ero delusa, per nulla. Gli sorrisi. «Mi piaci anche tu.»

Si protese lentamente per baciarmi, ma non fu il solito bacio appassionato. Fu un bacio dolce, intimo, tenero, la cui intensità mi fece venire comunque le farfalle nello stomaco.

Mi staccai per prima. «Noah... ci stanno guardando tutti» borbottai con le guance in fiamme.

«E allora?»

«È... strano. E poi alcune ragazze mi stanno fulminando con lo sguardo.»

«Non dirlo a me. Alcuni ragazzi sembrano pronti a staccarmi la testa.»

«Come?»

Mi rivolse un'occhiata stupita. «Sono al ballo con la ragazza più fantastica della scuola. Non pensi che siano un po' gelosi?»

«Io non…»

«Davvero, Elle, fidati di me. Sei bellissima.»

Arrossii ancora di più, ma un sorriso mi illuminò il viso. Non avrei mai immaginato che Noah Flynn potesse usare la parola "bellissima" per descrivere una ragazza. Era insolito sentirgliela pronunciare, ma anche piacevole.

«Ti ho fatto arrossire…» mi stuzzicò, sfiorandomi la guancia con le labbra.

Gli diedi un colpetto sulla schiena. «Piantala subito. E comunque io non porto le mutande di Superman.»

«Ah ah» ribatté in tono sarcastico. «Vieni.»

Mi afferrò un braccio e mi guidò fuori dalla sala da ballo, in un angolo della hall dell'albergo con una grande felce in vaso. Mi trascinò dietro la pianta e mi spinse contro il muro, con le mani appoggiate alla parete ai lati della mia testa. «È tutta la sera che aspetto di farlo» sussurrò prima di posare le labbra contro le mie.

Quando rientrammo nella sala principale, Noah fu immediatamente trascinato al bar da un paio di giocatori di football e le ragazze mi circondarono.

«Oh, mio Dio, Elle! Perché non ce l'hai detto?»

«E da quanto va avanti questa storia? Avresti dovuto parlarcene!»

«Sei così fortunata! Non riesco a crederci, Flynn ha una fidanzata...»

«Devi raccontarci tutti i dettagli!» strillò Jaime, prendendomi i polsi e facendomi sedere a tavola. «Quand'è cominciata?»

«Ehm... è complicato e...»

«Uscivate già insieme?»

«Be', no...»

«Oh, sei la ragazza più fortunata del mondo, lo sai? Sai quanto siamo gelose di te? Voglio dire... stiamo parlando di Flynn!»

«Ehi, Elle» disse Dixon raggiungendomi e posandomi una mano sulla spalla. «I ragazzi si stavano chiedendo... da quant'è che non sei più disponibile?»

Ridacchiai, arrossendo. «Perché?»

«Vogliono capire quanto rischiano di prendersele da Flynn per aver parlato di te.»

Risi ancora. «Uhm, da questa sera.» *Ufficialmente*, aggiunsi tra me.

«Capisco... quindi nessuno corre il pericolo di ritrovarsi con un braccio rotto» sorrise. «Be', comunque... immagino di doverti fare delle congratulazioni. Chi l'avrebbe mai detto.»

«Già.»

«Elle!» Mi voltai e vidi Rachel avvicinarsi. Sorrisi e sospirai di sollievo. Mi alzai, ignorando le ragazze che volevano parlare di Noah, e la presi per un braccio, trascinandola via.

«Quindi vi siete chiariti?» domandò.

«Sembra di sì. Però...»

«Oh, no, no, no» mi interruppe lei, agitata. «I "però" non promettono nulla di buono.»

«Non è un però negativo! È solo che... non so come andrà a finire.»

«Capisco» disse lei, dubbiosa.

«Cosa c'è?» domandai.

«È solo che... sei sicura che sia la cosa giusta da fare? So che lo conosci, ma... tutti sanno com'è fatto.»

Mi strinsi nelle spalle. «Lo so, però non mi importa più.»

Mi osservò a lungo e poi annuì con convinzione.

Quando la band annunciò che dopo il brano successivo avrebbe suonato un lento, Rachel cominciò a guardarsi intorno. «Fai quello che ti senti, Elle. Lo capisco. Ehi, devo andare da...»

«Lee?»

«Esatto» ridacchiò lei, arrossendo. «Scusami.»

«Vai pure, Rachel. Anch'io volevo cercare Noah.»

«Certo.» Mi strizzò l'occhio e si allontanò in fretta.

Qualcuno mi afferrò un braccio e riconobbi subito quella presa. Prima che potessi protestare, mi ritrovai in mezzo alla pista da ballo.

«Non mi hai concesso il primo ballo della serata» disse Noah con il sorriso più dolce che avessi mai visto «ma di sicuro non mi perderò l'ultimo.»

Aveva prenotato una stanza al Royale. Quando lo scoprii, capii come mai fosse sparito qualche ora prima. Ridacchiai mentre mi guidava fuori dall'ascensore.

«Non ce n'era bisogno...»

«Lo so, lo so, ma te l'ho già detto un milione di volte. Voglio farmi perdonare, quindi mi comporterò da fidanzato perfetto e poco realistico per dimostrarti quanto la stia prendendo sul serio.»

«Ah, quindi fai sul serio?»

«Ehi, mi sto impegnando, dammi un po' di tregua!»

Risi. «Okay, okay. Scusami, la smetto.»

Rise anche lui e si fermò fuori da una stanza al sesto piano. Estrasse una chiave magnetica e la aprì. «Dopo di te» disse, con un inchino teatrale per farmi passare.

In tutta sincerità mi ero aspettata di trovare il pavimento cosparso di petali di rosa e candele dappertutto, e magari qualche canzone sdolcinata; mi ero aspettata la classica scena da film in cui il protagonista, follemente innamorato, prepara tutto per chiedere alla sua ragazza di sposarlo. E, dato che Noah aveva detto che si stava comportando da fidanzato perfetto, credevo che avesse organizzato qualcosa di grandioso per fare colpo su di me.

E così, quando lo superai per entrare, notai con sollievo che non c'erano candele, musica o luci soffuse. Nessun dettaglio melenso, ridicolo o romantico: ero in una suite normalissima con un morbido divano bianco, tappeti in tinta e una porta socchiusa che portava all'ambiente dove si dovevano trovare il letto e il bagno.

Se Noah avesse ricreato la scena di un film sarebbe stato tutto un po' finto, ma lui era fatto così: realista e molto poco romantico. Anche quello che aveva fatto durante il ballo non si poteva definire una vera e propria serenata. Quello era il Noah che conoscevo e mi piaceva.

«Niente male per un fidanzato perfetto» commentai, guardandolo con un sorriso mentre chiudeva la porta.

«Oh, non hai ancora visto nulla, credimi. Vieni.» Mi prese ancora per mano e mi portò in camera.

Lo spettacolo che mi trovai di fronte era la definizione di perfetto e poco realistico... almeno per gli standard di Noah.

«E adesso sai come mai sono sparito durante la festa» spiegò. «Hai idea di quanto ci voglia a comporre delle parole usando i petali? Avevo intenzione di scrivere "scusa", ma alla fine ho rinunciato.»

«Lo vedo!» esclamai con una risata, osservando i petali rosso scuro sparsi sul letto e sul pavimento. Mi alzai sulle punte dei piedi per baciarlo sulla guancia. «Non c'era bisogno di fare tutto questo.»

«Già. Però ricorda che mi sto impegnando, come promesso. E so che in fondo sei un'inguaribile romantica.»

Sorrisi, un po' imbarazzata.

«Mi ha stupito che tu mi abbia concesso una seconda possibilità, sai?» disse, facendomi sedere sul letto e abbracciandomi. «Pensavo che ti saresti opposta con tutte le tue forze.»

«Vuoi litigare di nuovo, Noah?»

Mi scompigliò scherzosamente i capelli. «No, figurati. Non mi sto certo lamentando.»

«Insomma...»

Lui ridacchiò e sentii il suo petto vibrare, poi mi baciò con dolcezza. Un attimo dopo, il mio cellulare squillò. Noah sospirò e sciolse l'abbraccio controvoglia mentre mi alzavo per prendere la borsa.

Quando vidi il display sospirai anch'io e mi spostai in bagno per rispondere, pensando che avrei colto l'occasione per controllare il trucco.

«Ciao, papà» dissi, sperando che l'irritazione che provavo per quell'interruzione non trapelasse dalla mia voce. Mi avvicinai allo specchio per togliere un piccolo sbaffo di eyeliner.

«Com'è andato il ballo?»

«Bene.»

Si schiarì la gola. «Hai capito come comportarti con Noah?»

Mi morsi un labbro prima di rispondere. «Sì. Sì, ho preso una decisione.»

Mio padre tacque per un istante. «Vuoi stare con lui, vero?» Era più un'affermazione che una domanda: aveva già capito tutto.

«Sì» confermai in tono tranquillo. «Adesso devo andare. Ci vediamo domani, okay?»

«Va bene.»

Feci un paio di respiri profondi per calmarmi e spensi il telefono per non essere più disturbata. Poi misi un velo di lucidalabbra e mi ravviai i capelli prima di tornare in camera. Noah era sdraiato a letto, con le mani sotto la testa e una gamba appena piegata. Sapevo che non era in posa, eppure sembrava un modello. Aveva gli occhi socchiusi, era completamente rilassato e non credevo che si fosse accorto della mia presenza.

Lo osservai per qualche secondo: era bellissimo, con i capelli scuri spettinati e lo smoking... anche il naso irregolare era affascinante. Era abbastanza alto da farmi sentire piccola, e adoravo i suoi occhi, così intensi e penetranti... che in quel momento si aprirono e mi squadrarono, facendomi arrossire per l'ennesima volta.

«Quel vestito ti sta benissimo, Elle. Ma devo ammettere che ti preferirei senza.»

«Ah, davvero? E cosa ti fa pensare che me lo toglierò?»

Fece un sorriso malizioso. «Non credo che sarà un problema.»

Ricambiai il sorriso mentre si alzava dal letto e si avvicinava. Inarcai un sopracciglio, chiedendomi cos'avesse in mente di preciso. Ma all'improvviso si fermò. «Vieni qui» sussurrò, per poi attirarmi tra le sue braccia e arretrare fino al bordo del letto. Mi fece sedere sulle sue ginocchia e mi strinse a sé. Era un momento molto intimo e dolce.

«Non siamo obbligati a fare nulla, sai? Non ho affittato questa stanza per quel motivo. Volevo soltanto stare da solo con te... e se vuoi posso riaccompagnarti a casa.»

Ero senza parole. Fino a quell'istante ero stata convinta che avesse affittato la stanza per poter venire a letto con me, ma ora mi stava dicendo che non intendeva mettermi fretta. Flynn che rinunciava al sesso pur di stare in compagnia di una ragazza... incredibile.

Prima si inginocchiava per invitarmi al ballo, poi mi dedicava una canzone e cospargeva il letto di petali... e adesso quello? Era davvero cambiato.

«Ti ho sentita mentre dicevi a Lee che avevamo fatto le cose di fretta» aggiunse. «E, siccome questa volta è diverso, ho pensato che...»

Con Lee potevo essere sincera al cento percento senza sentirmi giudicata, ma non credevo che Noah mi avesse sentita... Negli ultimi tempi avevo pensato che avessimo agito troppo in fretta, e di non aver riflettuto bene perché ero stata presa dal brivido di fare le cose di nascosto.

La mia prima volta avrebbe dovuto essere così. Con i petali, una camera splendida, Noah... pensai guardandomi intorno.

Scossi la testa. «Voglio farlo.»

Se quello fosse stato un film romantico, avrei dovuto aggiungere: «Ti amo».

Noah mormorò qualcosa che non capii e poi mi baciò sulla bocca, facendomi sciogliere tra le sue braccia. Mi aiutò a togliergli la giaccia e, mentre armeggiavo con i bottoni della camicia, fece per sfilarsi la cravatta, staccandosi da me solo per un secondo. Risi quando gli rimase incastrata intorno alla bocca.

«Piantala subito» borbottò.

Era così buffo che risi più forte, ma un attimo dopo mi fece tacere con un altro bacio. A quel punto smisi di pensare e i miei gesti furono guidati solo dall'istinto. Quella notte c'eravamo solo noi.

25

Battei le palpebre, sbadigliai e mi girai su un fianco, ritrovandomi a pochi centimetri da Noah. Aveva le labbra socchiuse e le sue ciglia sembravano più lunghe del solito. Aveva un'aria pacifica e innocente.

Mi avvicinai ancora di più e lo guardai mentre dormiva. Mi ero sempre chiesta perché le coppie facessero cose del genere, perché si soffermassero a osservare il partner mentre non faceva assolutamente nulla. E in quell'istante lo capii: era in quei momenti che mostravano il lato più vulnerabile di sé.

Dopo qualche minuto, però, dato che ormai non mi sarei più riaddormentata, decisi di svegliarlo. «Noah» lo chiamai piano all'orecchio. «Noah… svegliati…»

Lui borbottò qualcosa e mi cinse con un braccio, attirandomi a sé, ma senza aprire gli occhi.

«Noah» dissi di nuovo, senza ottenere risposta. Mi protesi

verso di lui e lo baciai delicatamente sulla bocca. A quel punto lui si sfregò gli occhi e si passò una mano tra i capelli.

«Se questo è il risveglio che mi attende dopo una notte passata in tua compagnia, potrei dormire con te più spesso» mi disse con un luccichio nello sguardo.

«Ah ah» risposi sarcastica, ma con un sorriso. Mi scostai i capelli dal viso. «Buongiorno.»

Mi baciò la punta del naso. «Buongiorno a te.» Si stiracchiò e poi mi abbracciò di nuovo, intrecciando le gambe alle mie.

Mi staccai subito da lui.

«Che c'è?»

«Hai i piedi gelati!» esclamai e lui rise, alzando gli occhi al cielo.

Poco dopo mi riavvicinai a lui, evitando di toccargli i piedi. Restammo a letto per un'ora, stretti l'uno all'altra, parlando a bassa voce e baciandoci. Non avrei potuto essere più felice.

Chiesi a Noah di riaccompagnarmi a casa, pensando che sarei andata più tardi a parlare con Lee. Morivo dalla voglia di sapere se aveva detto a Rachel che la amava (perché lui forse non se ne rendeva conto, ma era innamorato di lei), ma non aveva ancora accettato l'idea che stessi con suo fratello e presentarmi da lui con l'abito sgualcito e il trucco della sera prima avrebbe rappresentato una mancanza di tatto. In quello stato preferivo affrontare mio padre, deluso dalla mia notte trascorsa fuori, piuttosto che Lee.

«Elle?» mi chiamò non appena entrai in casa, anche se avevo chiuso la porta senza fare rumore.

Sospirai. Sarei stata una pessima adolescente ribelle: non

sarei riuscita a fare le cose di nascosto nemmeno se ne fosse dipeso della mia vita. «Sì, sono tornata!»

«Com'era il ballo?» mi chiese.

Mi lisciai il vestito e lo raggiunsi in salotto. Brad era stravaccato sul divano con i piedi sullo schienale e la testa che sfiorava il pavimento. Staccò per un attimo lo sguardo dal videogame e poi riprese a giocare.

«Il ballo è stato fantastico. A parte l'emergenza dello sformato di noci e un ragazzo allergico...»

«Che noia» commentò Brad ad alta voce, irritandomi come solo i fratelli minori sanno fare.

«Sei andata alla festa, dopo?» si informò mio padre.

«No...» dissi in tono cauto. «Noi, ehm... Noah ha prenotato una stanza e...» La mia voce si spense gradualmente.

«Ah sì?» ribatté mio padre con una voce carica di disapprovazione.

«Non è successo nulla» mi affrettai ad aggiungere, ma arrossendo mio malgrado. Che imbarazzo...

«Uuuh, Noah ed Elle si sono fidanzati! Che notizia...» esclamò Brad.

«Chiudi quella bocca» sbottai. Lui sbuffò da dietro il videogioco e io gli feci una linguaccia.

Brava, Elle, molto matura.

«E io che ieri sera ti ho detto che sei cresciuta così in fretta...» rise mio padre, scuotendo la testa. «Comunque al ballo ti sei divertita.»

«Sì. E sai cos'ha fatto Noah? Ha chiesto alla band di suonare una delle mie canzoni preferite per propormi davanti a tutti di essere la sua ragazza. Fa sul serio con me.»

«Aaah, Elle si è innamorata!» gridò Brad con una vocina acuta, per poi soffiare dei baci.

«No!» risposi d'istinto. «Assolutamente no!»

Mio padre mi rivolse uno sguardo a metà strada tra la comprensione e la delusione. Per fortuna in quell'istante suonò il campanello e corsi ad aprire la porta.

«Vado io!»

«Un uccellino mi ha detto che sei tornata» disse Lee con un gran sorriso, appoggiandosi alla ringhiera della veranda. Il sorriso vacillò quando capì che avevo trascorso la notte fuori, ma il mio amico riprese subito il controllo di sé. «E poi dovevo uscire di casa» aggiunse. «I miei genitori stanno sgridando Noah.»

«Perché?»

«Be', tanto per cominciare è stato "chissà dove, a fare chissà cosa, per una settimana". Senza contare che verrà "cacciato dal college prima ancora di cominciarlo, se continuerà a comportarsi in modo tanto stupido e irresponsabile".»

Sospirai e mi passai una mano tra i capelli.

«Gli passerà, ma per il momento preferisco stare alla larga» concluse Lee.

«Com'era la festa?»

«Ti sei persa un vero evento» rispose, serissimo, prima di sorridermi ancora. «È stata divertentissima. Warren era ubriaco e si è lanciato con il karaoke. Ballava e diceva di voler bene a tutti. È stato incredibile. Nessuna rissa, tra l'altro.»

«Sì, perché Noah non c'era.»

Scoppiò a ridere. «Già...» Si schiarì la gola. «Senti, vorrei chiederti com'è andata la tua serata e supplicarti di raccontarmi ogni minimo dettaglio» disse, imitando le nostre compagne di scuola «ma non sono sicuro di voler sapere che cos'hai fatto con mio fratello.»

«A essere sincera, lo immaginavo. A questo proposito, però, tu e Rachel…?»

«No, non l'abbiamo fatto» ribatté con orgoglio, spingendo il mento in fuori.

«Sul serio? Credevo che ormai…»

«Lo credevo anch'io.» Si strinse nelle spalle. «Ma ha detto di non essere pronta e quindi immagino che aspetteremo che lo sia.»

«Oh, che tenero!» esclamai, e gli diedi un buffetto sul naso. «Sei spacciato, amico mio.»

Lee non provò nemmeno a protestare, si limitò ad alzare gli occhi al cielo, ma arrossì sotto le lentiggini. Ridacchiai.

«Rachel sa quanto ti piace?»

«Be', ecco…»

«Oh, mio Dio! Gliel'hai detto, vero? Certo che gliel'hai detto! Le hai detto che la ami! Quando è successo? Durante un lento? Mentre guardavate le stelle alla festa?»

Lee scoppiò a ridere e mi posò le mani sulle spalle. «Calmati, Miss Romanticismo. Se me lo permetti, ti spiego com'è andata.» Mi fece segno di chiudere la bocca. «Stavamo ballando un lento e gliel'ho detto a voce molto bassa. Lei non ha sentito e mi ha chiesto di ripetere. L'ho fatto, ma non sentiva, quindi l'ho ripetuto a voce altissima, alcuni ragazzi si sono girati verso di noi e lei è arrossita…» Mi sorrise. «È stato molto tenero in realtà, perché me l'ha detto anche lei, con le guance in fiamme. Sembrava un peperone e…»

Gli diedi un colpetto sul braccio. «Sei cattivo!»

«No, no, è stato tenero, te l'ho detto! E smettila di interrompermi. Comunque, me l'ha detto anche lei, rossa come un peperone tenerissimo, e io ho risposto che non la sentivo, e così è stata costretta a ripeterlo a voce alta.»

Sorrisi. «Okay, ammetto che è tenero.»

«Sei tu che mi influenzi. Dopo tutti questi anni con te sto diventando sdolcinato.»

«E dopo avergielo detto l'hai baciata?»

«Chiaro.»

«Oooh...»

«Pensi di continuare a scioglierti ancora a lungo o andiamo a guardare la tv? Dopo che ti sarai fatta una doccia, ovviamente. Ti è colato tutto il mascara» replicò indicandomi il viso prima di superarmi per entrare in casa.

Non potei fare a meno di ridere e scuotere la testa. Lee salutò Brad e mio padre mentre salivo in camera per lavarmi e cambiarmi. Un pensiero, però, mi tormentava: le stupide prese in giro di mio fratello che insinuava mi fossi... innamorata di Noah. Era impossibile. Insomma, avevo sempre saputo che le cose tra noi non erano serie o ufficiali. Almeno fino alla sera prima. E comunque non potevo certo... non ne ero mica... giusto?

26

Lee e io eravamo sdraiati nel giardino sul retro di casa mia; il sole splendeva e c'era un clima troppo piacevole per stare dentro. In giornate come quella, di solito, ci rilassavamo nella sua piscina. Il giardino dei Flynn era senza dubbio migliore del nostro: avevamo un divanetto a dondolo coperto, ma era vecchissimo e cigolava a ogni movimento. Senza contare che il prato non era in ottime condizioni, dato che negli ultimi tempi papà era stato troppo occupato per prendersene cura, ed era troppo testardo per chiamare un giardiniere.

Avevo proposto a Lee di andare a casa sua, sottolineando che un tuffo in piscina sarebbe stato fantastico, ma lui preferiva aspettare. «Mio padre mi ha scritto che mi avrebbe detto quando tornare. Cioè quando Noah sarà uscito o quando avranno smesso di litigare e gridare. E non si è ancora fatto sentire, perciò...»

«L'atmosfera era così terribile?»

«Sì, fidati di me.»

In quell'istante il suo cellulare suonò. Lo tirò fuori dalla tasca e lo guardò perplesso, senza rispondere subito come mi sarei aspettata.

«Chi è?» chiesi, raddrizzandomi per sbirciare il display.

«Noah» borbottò lui. «Che cavolo vuole?»

«Ho un suggerimento per te: perché non rispondi e lo scopri?»

Inarcò un sopracciglio e premette un tasto. «Che c'è?»

Sentii la voce di Noah all'altro capo della linea: a giudicare dal tono non era di ottimo umore nemmeno lui, ma non riuscii a distinguere le parole.

«Certo» ribatté Lee prima di passarmi il telefono. «Il tuo cellulare è ancora spento e vuole parlare con te.»

«Ah.» Lo presi e mi ritrovai a sorridere alla sola idea di parlargli. Quella reazione mi stupì: perché reagivo in quel modo? «Ciao.»

In realtà sapevo perché mi stavo comportando così. Era per lo stesso motivo per cui avevo accettato di andare al ballo con lui, per quanto mi sforzassi di negarlo.

«Sto provando a chiamarti da un sacco.»

«Quanto sarebbe "un sacco"?»

«Mmh... Quattro minuti, più o meno. Ti ho chiamato ben due volte.»

Scoppiai a ridere. «Capisco, Mister Impazienza. Cosa volevi dirmi?»

«Senti, Elle...» Il tono di Noah era strano, come se faticasse a parlare. Immaginai che si stesse passando le dita tra i capelli o si stesse sfregando una guancia. Aggrottai la fronte, chiedendomi cos'era successo.

E poi pronunciò le parole fatidiche.

Sapevo che avrei dovuto chiudere quella storia da un pezzo, che anzi non avrei nemmeno dovuto iniziare a frequentarlo... ma ormai era troppo tardi. Quello che disse mi lasciò senza fiato, ed ebbi la certezza di essere nei guai.

Sospirò. «Dobbiamo parlare.»

Ci eravamo dati appuntamento in uno Starbucks lontano dal centro. La conversazione si era conclusa subito, dato che ero riuscita soltanto a dire "okay".

«Che succede?» mi chiese Lee con aria preoccupata. «Sembri davvero agitata.»

«Io... lui... noi... Starbucks...»

«Eh? Shelly, fai un respiro profondo e dimmi cosa ti ha detto. Anzi, cosa più importante: stai bene?»

Annuii e poi scossi la testa. «Ecco... non lo so. Lui... noi...» Respirai. «Ha detto che dobbiamo parlare.»

Lee fece una smorfia. «Ah. Dici sul serio? Sei sicura che abbia usato quelle parole?»

Annuii ancora. «Sì. Ci vediamo da Starbucks alle otto.»

«È tra un'ora.»

«Già. Devo andare a prepararmi.» In preda all'ansia, con le gambe pesanti, mi diressi in camera mia. Ero confusa e nervosa. Mio padre stava lavorando in soggiorno e Brad era andato al parco con degli amici. Lee mi rincorse sulle scale.

«Ehi, aspetta. Perché sei così preoccupata?»

«Perché sta per lasciarmi, non è così? Ci siamo appena messi insieme ufficialmente e adesso... mi mollerà, vero? È quello che accade quando la gente dice che ti deve parlare. Si comincia con: "Dobbiamo parlare" e si finisce con: "Non sei tu, sono io"...»

Lee mi schioccò le dita davanti al viso, e sussultai per quel gesto improvviso. «Calmati.»

«Scusa.»

«Senti, magari... vuole soltanto parlare. Magari non vuole lasciarti. Non capisco perché dovrebbe fare una cosa del genere.»

«In quel caso però me l'avrebbe detto. Mi avrebbe detto di non preoccuparmi, che non ci lasceremo. Oddio, come si veste una ragazza che sta per essere mollata?» Frugai nell'armadio e nei cassetti, in cerca di qualcosa da indossare. Ero piena di dubbi: dovevo mettere qualcosa di carino per farlo ricredere sulla possibilità di lasciarmi, oppure restare vestita com'ero (portavo dei vecchi shorts di jeans e una canotta viola) per dare l'impressione che non mi importava? Alla fine decisi di non cambiarmi ma di truccarmi un po'.

«Elle, stai tranquilla. Non credo che voglia scaricarti. In quel caso sarebbe pazzo.»

«Grazie, Lee, molto confortante.» Presi l'eyeliner ma mi tremava troppo la mano, e così mi buttai sul letto, mi coprii il viso con le mani e gridai per la frustrazione.

Sapevo di essermi legata troppo a Noah, ma l'avevo negato a me stessa. Avevo pensato che, continuando a ripetermi che era impossibile, sarebbe diventato vero. Che, dicendomi che le cose non stavano così, avrei dimostrato di non essermi... di non essermi innamorata di lui.

Mi chiesi da quanto tempo provassi quei sentimenti per lui.

E, ora che me ne rendevo conto, stava per lasciarmi. Persino Brad se n'era accorto prima di me, e anche Lee lo sapeva: ecco spiegate quelle strane occhiate. Pure mio padre e Rachel l'avevano capito, a giudicare dalle loro espressioni. Ero davvero l'unica a essere rimasta all'oscuro di tutto? In fondo, ovviamente, l'avevo sempre saputo, ma ero stata troppo spaventata per ammetterlo.

La mia parte razionale mi diceva che Noah non provava le stesse cose, dato che stava per lasciarmi. *Dobbiamo parlare...* pensai mordendomi un labbro.

Sentii la mano di Lee sul ginocchio; quando aprii gli occhi vidi che era vicinissimo a me, a pochi centimetri di distanza, gli occhi azzurri fissi nei miei. Sostenni il suo sguardo e dissi: «Lee...»

«Sì?»

«Abbiamo un problema.»

«Cioè?»

«Credo...» Deglutii, senza però distogliere lo sguardo. «Credo di essermi innamorata di lui.»

«Finalmente! Mi è sembrato ovvio quando hai accettato di andare al ballo con lui. Nessuna persona sana di mente l'avrebbe fatto. Pensavo me l'avresti detto quando mi hai confessato che ti aveva accompagnata al ballo.»

«Ehi! Lo avevi capito e non mi hai detto nulla?»

«Credevo che dovessi arrivarci da sola...» Gli lanciai un'occhiata dubbiosa. «Okay, okay. Immaginavo che non volessi ammetterlo nemmeno con te stessa.»

«Come hai fatto a capirlo prima di me?»

«Sono l'altra metà di te, il tuo gemello. Se tu sei Mary-Kate, io sono Ashley» ribatté con un sorrisetto.

«Lee, cosa devo fare? Sta per lasciarmi...»

Lui si strinse nelle spalle. «Non so cosa dirti, Shelly, se non che andrà tutto bene. E sai perché? Perché hai me. Te l'ho detto: qualsiasi cosa succeda, sono qui per te. Se ti ritroverai con il cuore spezzato o... incinta, io ci sarò.»

Sorrisi. «Be', finché ci sarai tu al mio fianco...»

Scoppiò a ridere. «Sono un premio di consolazione, eh?»

«Non essere stupido. Non sei un premio di consolazione. Sei il mio migliore amico.»

«Ma non sono importante quanto lui» mi disse con un sorriso amaro. «Non posso competere con il ragazzo di cui sei innamorata, che si tratti di mio fratello o meno.»

«Non dire così. Tu sarai sempre, sempre, sempre l'uomo più importante della mia vita. Insieme a mio padre, certo. Nessun ragazzo potrà mai rovinare la nostra amicizia, neppure Noah. Capito?»

«E nessuna ragazza lo farà mai» precisò. «Migliori amici.»

«Invecchieremo insieme.»

«Ah, sì, non vedo l'ora di fare delle gare di velocità in sedia a rotelle con te.»

Risi e lo strinsi forte. Lui ricambiò l'abbraccio, lasciandomi senza fiato. «Hai davvero paura di perdermi, eh?»

«Si capisce così tanto?»

«Nemmeno io voglio perderti.»

Mi strizzò l'occhio. «Ehi, ti sei mai chiesta se avremmo funzionato come... be', come coppia?»

Inarcai un sopracciglio.

«Non sto dicendo che avremmo dovuto provarci!» aggiunse subito. «Era tanto per dire.»

«Tutti si aspettavano che ci mettessimo insieme.»

«Già, chissà perché. Mi sa che hanno letto troppi libri romantici e guardato troppe commedie.»

«Saremmo stati una coppia terribile.»

«Puoi giurarci. Avremmo rovinato tutto.»

Annuii. Non sapevo cos'avrei fatto se Lee mi avesse dichiarato il suo amore. Lui e io potevamo essere soltanto amici. «E poi ti sei innamorato di Rachel.»

«E tu stai con Noah.»

«Sì, per adesso... e grazie per avermelo ricordato.»

«Ero riuscito a distrarti, eh?»

«Sì, con questo discorso sdolcinato. E adesso spostati, stai bloccando la luce e devo truccarmi.»

Rise anche lui e mi lasciò sedere davanti allo specchio. La mano non mi tremava più e riuscii a mettere l'eyeliner senza accecarmi.

«Vuoi un passaggio? Devi uscire tra poco se non vuoi trovare troppo traffico.»

«Sì, grazie» dissi infilandomi qualche banconota da cinque dollari in tasca.

Lee frugò un po' nelle sue, tirò fuori degli incarti di gomme da masticare e delle monetine e infine le chiavi della macchina.

«Okay, andiamo a farci spezzare il cuore» dissi con un sorriso triste.

Lui mi diede una pacca sulle spalle, un po' forte, come per farmi tornare in me. Inciampai e mi aggrappai al corrimano per non cadere giù dalle scale.

«Calmati. Andrà tutto bene.»

Per una volta, però, non gli credevo.

Arrivammo da Starbucks poco dopo le otto a causa del traffico. Vidi la moto di Noah parcheggiata fuori e pensai che avrei dovuto chiedere a Lee di venire a riprendermi, per non dover salire su quella trappola mortale… sempre che Noah me l'avesse proposto.

«Scrivimi un messaggio se hai bisogno di qualcosa, okay?» mi sussurrò Lee accompagnandomi alla porta.

Annuii ed entrai, osservando nervosamente la sala. Una mano si alzò: Noah era seduto a un tavolo sul fondo, accanto alla vetrina.

Lee mi strinse un braccio. «Andrà tutto bene, Shelly. E poi… non ti merita.»

Feci una risata forzata. «A dopo, Lee.»

Mimò un saluto militare e io mi avviai verso Noah a testa alta. Era ancora più bello del solito. Forse dipendeva dal fatto che avevo capito cosa provavo davvero per lui, o dal fatto che stava per mollarmi. Aveva i capelli spettinati e indossava dei jeans scuri e una maglietta bianca, con sopra la sua vecchia giacca di pelle. Si alzò quando lo raggiunsi, e la cosa mi stupì. Se ci fosse stato Lee, avrebbe commentato, dandomi una gomitata nelle costole: «Oooh, guarda un po' chi ha trasformato Noah in un gentiluomo!»

«Ciao» disse Noah in tono un po' nervoso. «Ehm, siediti.»

Obbedii. Iniziammo a parlare nello stesso istante, ci fermammo e ricominciammo.

«Prima tu» dicemmo in coro. Lui accennò un sorriso e io ridacchiai.

Arrivò il cameriere, un ragazzo sulla ventina che sembrava aver bevuto litri di caffè per restare sveglio durante l'ennesimo turno. «Cosa vi porto, ragazzi?»

«Ehm...» Non sapevo quanto ci saremmo fermati, se Noah mi avrebbe lasciata in pochi minuti per poi andarsene subito dopo in moto...

«Per me un caffè» disse al cameriere, poi mi indicò e aggiunse: «E per lei *un latte macchiato con la panna.*»

Il ragazzo annotò l'ordine su un taccuino, annuì e ribatté: «Perfetto, arrivano in un attimo».

Quando si fu allontanato chiesi: «Come fai a sapere cosa ordino di solito?»

«Una volta ne hai preso uno con me. Mi è sembrato un ordine strano e me lo sono ricordato.»

«Ah.» Ero sorpresa, e pensai che fosse impossibile che stesse per scaricarmi. Volevo credere con tutta me stessa che Lee avesse ragione, che Noah ricambiasse i miei sentimenti, ma... c'era sempre un "ma".

Restammo entrambi in silenzio finché non arrivarono le ordinazioni. Lui fece un sorso e si appoggiò allo schienale della sedia, a gambe incrociate. Io aspettai a bere: sapevo che era bollente e mi sarei scottata la lingua. Non avevo intenzione di ustionarmi le papille gustative, nemmeno per superare un momento imbarazzante.

E poi si decise ad aprire la bocca. «Senti, dobbiamo parlare.»

«Vuoi lasciarmi?» esclamai di colpo, incapace di resistere oltre.

Lui sospirò e il mio cuore saltò un battito. L'espressione sul suo viso mi spezzò il cuore.

«Elle, voglio che mi ascolti, okay?»

Annuii, dato che non avevo scelta.

«Sono stato accettato ad Harvard, al corso di informatica.»

«Harvard… nel Massachusetts?»

«Proprio quello.»

«Ma è fantastico, congratulazioni!» dissi, anche se il mio tono non fu entusiasta come avrei voluto. Ci riprovai: «Che meraviglia, Noah».

«Già, ma…»

Di nuovo un orribile "ma", che però fui in parte felice di sentire.

«Ehi, un attimo. Niente "ma". Non puoi dire di no ad Harvard.»

«È nel Massachusetts, sulla costa opposta del Paese. Sono stato ammesso alla University of California di San Diego. È più vicina e hanno dei corsi validi…»

«Noah, perché stai pensando di rinunciare ad Harvard? Non puoi farlo.»

«Non lo so» sospirò. Sembrava confuso e impotente. «I miei genitori vogliono che ci vada, ma forse è solo perché non vogliono avermi più tra i piedi. Ho accettato, però non sono sicuro che sia la cosa giusta da fare.»

«Sono certa che i tuoi genitori sono felici per te. E fanno bene, è un'opportunità eccezionale. È normale che vogliano che tu ci vada.»

«Sono davvero arrabbiati con me» replicò con una risata triste, passando un dito sul bordo della tazza. «Soprattutto per questa storia con te… vogliono che mi levi di mezzo.»

«Non vogliono che tu te ne vada. Sono preoccupati per te, ecco tutto.»

«Sarà» ribatté, in un tono così sconfitto che non osai protestare.

Strinsi la tazza tra le mani, osservai il vapore che si sollevava dal latte macchiato e dissi: «Sono felice per te».

Lui si protese verso di me e mi accarezzò il viso, sfiorandomi una guancia con delicatezza. Il mio cuore prese a battere all'impazzata. «Adesso nella mia vita ci sei tu, e non so cosa fare.»

Rimasi senza fiato. Non l'avrebbe detto, Lee si sbagliava. Mi stavo solo illudendo, ed ero una stupida a pensare che mi avrebbe dichiarato il suo amore.

Mi guardò negli occhi per qualche secondo, poi si avvicinò ancora e mi baciò dolcemente sulla bocca. Fui scossa dai brividi. Le sue labbra restarono posate sulle mie a lungo, poi Noah tornò ad appoggiarsi allo schienale. Aveva un'espressione indecifrabile, ma la sua fronte era aggrottata.

«Elle, so di essere stato uno... stronzo totale... di averti detto che mi sarei fatto perdonare, ma il fatto è che...» Sospirò e si passò una mano tra i capelli, spettinandoli ancora di più. «Elle, in autunno sarò all'università, non so come andranno le cose tra noi ma non voglio perderti. Non voglio lasciarti, però...»

«Noah» provai a interromperlo.

«No, lascia stare. Ne parleremo più avanti. Finisci il tuo macchiato e andiamo. Voglio portarti in un posto.»

«Dove?»

«Se te lo dicessi rovinerei la sorpresa. Ma ti piacerà, credimi. Non è lontano, ma dobbiamo sbrigarci se vogliamo arrivare in tempo.»

Avrei voluto insistere, però sapevo che non me l'avrebbe rivelato e rimasi in silenzio. Noah finì il suo caffè in un sorso e mi chiesi come avesse fatto a non scottarsi la gola. Quando posai la tazza lui ridacchiò.

«Che c'è?»

Si protese verso di me e mi sfiorò la punta del naso con un dito, che poi si pulì con un tovagliolino. «Avevi un po' di panna.» Arrossii, ma lui rise ancora. «Eri carina. Dai, sbrigati.»

«Va bene!» risi anch'io. «Come mai sei così impaziente, oggi?» E poi mi resi conto di una cosa. «Oddio, no, non vengo da nessuna parte con te.»

«Come? E perché?»

«Perché sei in moto, l'ho vista fuori. Non salirò mai più su quella cosa, una volta mi è bastata.»

«Su, tutti meritano una seconda possibilità. L'hai concessa a me, perché non provarci anche con la moto?»

Risi di nuovo, dimenticando per un attimo la nausea e la paura di perdere Noah. E dovevo ammettere che ero un po' più tranquilla: non pensavo più che volesse lasciarmi, dato che aveva detto di non volermi perdere. «Scusami ma non posso proprio farlo. Non esiste che salga ancora su quell'affare.»

«Ma potrai stringerti a me» mi provocò. «Dai, non è terribile come pensi.»

«Sì che lo è» replicai serissima. «Dico davvero. Non ci salgo.»

«Be', non hai scelta. Verrai con me, anche se dovessi legarti.»

Mi accigliai.

«Sto scherzando. Ma ne varrà la pena, fidati di me.»

«No.»

Si avvicinò e mi diede un rapido bacio sulle labbra. «Ti prego. Ti giuro che ne varrà la pena. E se non ti piacerà sarò il tuo schiavo per sempre.»

Come potevo oppormi a quel viso? «Per sempre?» ripetei scettica.

«Esatto.»

«Okay, okay, ma solo per questa volta. E mi devi un favore enorme, anche nel caso in cui dovesse piacermi.»

«Certo, Shelly. Ma lo adorerai. E anche la moto non sarà così terribile.»

«Ho i miei dubbi. A volte ti odio, Noah Flynn.»

27

Mi mise il casco e lo allacciò. Ripensai al nostro primo giro in moto e sorrisi. Poi Noah montò in sella a quel mostro, che sembrava ancora più spaventoso e minaccioso di quanto ricordassi, e mi tese la mano. Gli cinsi la vita con gesti cauti. Mi sudavano le mani e il battito del cuore mi rimbombava nelle orecchie. Non sapevo dove mi stesse portando, ma mi augurai che ne valesse la pena. Era troppo tardi per tirarmi indietro e rimandare?

«Noah, ho cambiato idea, non voglio...»

Lui accese il motore, la moto si risvegliò con un ruggito improvviso. Sussultai, lanciai un gridolino e lo abbracciai stretto. Sentii il suo corpo vibrare per una risata e, prima di poter protestare, si lanciò in strada a tutta velocità. Non osavo neppure aprire gli occhi.

Il vento mi sferzava le braccia e le gambe nude, e avevo

la pelle d'oca. Per fortuna i capelli erano protetti dal casco e, quando l'avessi tolto, non sarebbero stati inguardabili.

Non ebbi il coraggio di guardare il panorama che scorreva intorno a noi. Sentii un clacson che suonava, probabilmente a noi, ma tenni gli occhi chiusi e mi aggrappai a Noah.

Odio la moto odio la moto odio la moto... ma lo amo lo amo lo amo.

Mi accorsi a malapena che ci eravamo fermati. Il rumore cessò all'improvviso e fu solo quando Noah si mosse che aprii gli occhi. Eravamo ai piedi di una collina in un parco fuori città. Di solito ci andavo con Lee d'estate, dato che c'era una piscina aperta al pubblico e ogni tanto era anche piacevole uscire dal giardino di casa sua.

Noah scese per primo dalla moto e poi mi tolse il casco con delicatezza. Lo fulminai con lo sguardo e lui rise. «Non è stato così tremendo, ammettilo» disse sistemandomi le ciocche ribelli.

«Sto per vomitare» risposi, senza esagerare.

Scoppiò di nuovo a ridere, sorreggendomi mentre scendevo da quella trappola mortale. Le mie gambe, molli come gelatina, per poco non cedettero. Prendendomi per mano, Noah aprì la sella e tirò fuori una grande coperta da pic-nic. Se la posò in spalla e parlò prima che potessi chiedergli a cosa gli servisse. A quel punto, comunque, l'eventualità che mi lasciasse mi sembrava sempre più remota.

«Andiamo, non voglio fare tardi.»

«Dove stiamo andando?»

Si era già avviato lungo la collina, trascinandomi con sé.

«Noah! Dove stiamo andando?»

«Adesso chi è quello impaziente?» sorrise, stringendomi la mano.

Non impiegammo molto ad arrivare in cima. Una volta lassù Noah mi lasciò la mano e stese la coperta sull'erba, sotto un'imponente quercia i cui rami erano talmente bassi che le foglie mi sfioravano la testa.

Si sedette sulla coperta e indicò lo spazio accanto a sé. «Vieni qui.»

Un po' confusa, obbedii. E poi capii perché fossimo andati lì. La collina si affacciava sulla città, offrendo una vista meravigliosa sull'oceano e sulle spiagge. Il panorama era mozzafiato, con le luci dei palazzi e delle auto, ma il sole stava tramontando e il cielo era chiazzato di rosso, con i banchi sottili di nuvole rosa e argento. Era davvero splendido. I raggi si riflettevano anche sul mare, gettando sfumature rosse, gialle e rosa sull'acqua blu scuro. Avevo di fronte uno spettacolo incredibile: il sole sembrava enorme mentre si tuffava dietro lo skyline. E c'era un silenzio profondo, non interrotto dai rumori della città né dalle onde che si infrangevano a riva. Si sentiva soltanto la brezza che faceva frusciare le foglie sopra di noi.

«Wow» sussurrai. Non c'erano altre parole per descriverlo.

«Già. Te l'avevo detto che ti sarebbe piaciuto.» Noah mi diede un colpetto sulla spalla e, quando distolsi lo sguardo dal paesaggio per posarlo su di lui, vidi che mi stava sorridendo. Era un sorriso sincero, di quelli che rivelavano la fossetta sulla guancia e rendevano i suoi occhi ancora più luminosi del solito.

«È incredibile» dissi piano.

«Anche tu lo sei» mormorò lui.

Rimasi in silenzio per qualche secondo, poi scoppiai a ridere. «Sei davvero sdolcinato.»

«In realtà ti piace» replicò dandomi un altro colpetto.

«Non riesco a credere che tu mi abbia portato quassù per ammirare il tramonto. È così… romantico.»

«Ti ho detto che avrei fatto le cose come si deve, Elle. E sapevo che ti sarebbe piaciuto, ti conosco. Non è ancora finita, comunque. Aspetta venti minuti» ribatté guardando l'orologio.

«Cosa succede tra venti minuti?»

Lui ridacchiò e non rispose, ma mi fece girare verso di lui. Mi baciò con dolcezza e mi sciolsi tra le sue braccia, ma dopo pochi secondi, spinta dalla passione, gli infilai le dita tra i capelli e lui mi strinse a sé. Non avrei saputo dire per quanto tempo restammo così, però a un certo punto mi fece sdraiare e si stese su di me, continuando a baciarmi. Il mio corpo era attraversato da brividi e scintille, era una sensazione quasi troppo intensa. Lo baciavo come se ne andasse della mia vita, come se ne avessi bisogno per respirare; e lui ricambiava. Mi sentivo come in una fiaba, eppure era la realtà, stava accadendo davvero. Persino i fuochi d'artificio che avvertivo mentre ci baciavamo sembravano reali, come se stessero esplodendo sopra di noi…

All'improvviso mi staccai da Noah, che si spostò per sedersi accanto a me, ed entrambi sollevammo lo sguardo. Il cielo adesso era più scuro, ma c'era ancora un po' di luce. Gli arcobaleni splendenti dei fuochi d'artificio stavano svanendo in lontananza. Ne esplosero altri, fischiando prima di dar vita a disegni verdi, dorati, blu e rosa.

«Oh, mio Dio» sussurrai senza fiato.

«Li stanno lanciando dalla spiaggia» mi spiegò. «Non ricordo per quale evento abbiano organizzato lo spettacolo, però.»

«Wow. Prima il tramonto e ora questo?» Esplosero altri fuochi, tracciando dei disegni colorati nel cielo. «Come mai tutti questi gesti carini?»

«Elle, per favore, non usare quella parola.»

Sbuffai. «Dai, rispondimi.»

Si strinse nelle spalle. «Non lo so. Cioè... portarti al ballo era un modo per dirti che mi dispiaceva per come mi ero comportato. Ma a volte chiedere scusa non basta. Ti meriti di meglio e, anche se odio questo tipo di discorsi, è necessario... perché te lo meriti.» Fece una pausa e sollevai la testa dalla sua spalla per guardarlo.

«Noah...» sussurrai.

«No, lasciami parlare, Elle.» Si morse il labbro inferiore: sembrava più un bambino spaventato che lo spavaldo Flynn che tutti conoscevano. Un attimo dopo mi baciò ancora, così all'improvviso da lasciarmi senza fiato. Ricambiai il bacio, un po' confusa, finché lui non si allontanò. I fuochi d'artificio continuavano in lontananza, gettando sprazzi di luce colorata sul volto di Noah. «Ti amo, Elle» mi disse, scostandomi i capelli dal viso.

Ero senza parole e avevo la mente sgombra; mi limitai a respirare, in silenzio, mentre il mio cuore batteva in modo irregolare. *Respira*, mi dissi. *Respira.*

Noah batté le palpebre. «Di' qualcosa, Elle. Ho appena scoperto le mie carte e forse ho messo a rischio la mia dignità, quindi... di' qualcosa.»

Scoppiai a ridere e lo baciai, gettandogli le braccia al collo.

Anche lui mi strinse e mi baciò, insinuando la lingua tra le mie labbra. Quando un minuto dopo ci staccammo lui appoggiò la fronte contro la mia, gli occhi penetranti fissi nei miei. Dietro di lui esplose un fuoco d'artificio viola acceso.

«Ti amo» sussurrai.

Noah ridacchiò e, quando parlò, avvertii il sollievo nella sua voce. «Per fortuna. Temevo di averti spaventata.»

Risi a mia volta, scuotendo la testa. «No. Sono ancora qui.»

«Ottimo» replicò baciandomi rapidamente prima di abbracciarmi.

Posai di nuovo la testa sulla sua spalla mentre lo spettacolo pirotecnico sulla spiaggia proseguiva, illuminando il cielo scuro. Seduta su quella collina, stretta a Noah, ero felice.

Ha detto che mi ama. Ama me, proprio me! Mi sono innamorata del fratello maggiore del mio migliore amico... e anche lui è innamorato di me. Mi ama!

«Noah?» lo chiamai dopo un po'.

«Sì?»

«Come faremo? Tra poco partirai per il college...»

Lui sospirò e appoggiò il mento sulla mia testa. Le sue dita giocherellavano con le punte dei miei capelli. «Non lo so, Elle. Non voglio lasciarti, però... stiamo parlando di Harvard, capisci? Harvard.»

«Lo so.»

«Ti amo» mormorò. «Non so come fare.»

«I tuoi genitori sanno cos'è successo tra noi nelle ultime ore?» chiesi, curiosa.

Lui annuì. «Sì, gliene ho parlato appena si sono calmati.»

Sospirò ancora. «Avresti dovuto vedere quant'erano arrabbiati. Anche Lee ha preferito uscire di casa. Ti ricordi quanto se l'erano presa quando alle medie avevate lanciato del cibo in mensa? Ecco, questa volta è stato mille volte peggio.»

«Mmh...» borbottai, incerta su cosa dire. Non avevo mai pensato che Noah potesse parlarmi di argomenti simili. Anzi, non immaginavo neppure che lui riflettesse su quel genere di cose. Sapevo che teneva alla sua famiglia e che lui e Lee erano molto legati, erano sempre stati presenti l'uno per l'altro. Non avevo creduto, però, che quei discorsi lo toccassero.

«La mamma si è tranquillizzata un po' quando le ho spiegato cos'ho fatto per ottenere il tuo perdono» aggiunse lui con un sorrisino, ma dalla sua espressione capii che non gli andava più di parlarne e lasciai perdere.

«Per la festa di compleanno mia e di Lee ti vestirai da Superman, giusto? Insomma, dato che hai già le mutande...» Arrossì un po' e mi morsi un labbro. Aprii la bocca per proseguire ma lui me la chiuse con una mano.

«Basta così.»

«Che c'è?» chiesi con voce soffocata.

«Stavi per dire che è una cosa carina, lo so.»

Ridacchiai perché aveva ragione. «Okay. Allora da cosa ti travestirai?»

«Credo che James Bond sia un po' scontato, che ne dici?» Mi sfiorò il naso. «Dovrai aspettare per scoprirlo, Shelly. Anzi, no, ho appena avuto un'idea geniale: perché non ti vesti da motociclista?»

«Ah ah, molto divertente...»

Noah sorrise e io abbandonai l'espressione sarcastica;

ricambiai il sorriso e poi calò il silenzio. Restammo così per qualche secondo, ciascuno perso nei suoi pensieri. Avrei voluto dirgli che non poteva partire per Harvard, e sapevo che una parte di lui desiderava che glielo dicessi; ma non potevo farlo.

«Vuoi andarci sul serio, eh?» dissi piano, benché conoscessi già la risposta.

Lui si abbracciò le ginocchia, osservando il cielo notturno e gli ultimi fuochi d'artificio. Mi misi a sedere anch'io, incrociando le gambe e guardandolo: la sua espressione era indecifrabile.

Poi, dopo un po', annuì. «Sì. Sì, voglio andarci. Ma non voglio lasciarti» rispose a bassa voce, con lo sguardo fisso davanti a sé. «Con tutto quello che è successo tra noi… Non voglio lasciarti, Elle.»

«Nemmeno io lo voglio» ammisi, avvicinandomi a lui e stringendogli il braccio muscoloso. Mi appoggiai ancora alla sua spalla. «Se rinunciassi a questa opportunità, però, te ne pentiresti, lo sappiamo entrambi.»

«Già.» Mi cinse con un braccio e le sue dita tracciarono dei cerchi sulla mia schiena. Mi rilassai a quel contatto.

«Ci devi andare» mormorai.

Noah mi baciò su una tempia. «Ti amo.»

«Ti amo anch'io.» Scoppiai a ridere all'improvviso. «Cos'è successo all'irresistibile playboy?»

«Si è innamorato» rispose semplicemente, stampandomi un altro bacio sulla guancia. «Quando si parla di cliché…»

28

L'indomani Lee e io andammo al centro commerciale per comprare i regali di compleanno l'uno per l'altra e ritirare i costumi che avevamo prenotato per la festa. Dopo pranzo ci separammo e passai in rassegna un po' di negozi; alla fine acquistai un portafoglio, un CD che mi aveva detto di volere e la maglietta più bella che potessi immaginare. Sapevo che gli sarebbero piaciuti.

«Te l'avevo detto» esclamò Lee per la milionesima volta quando ci ritrovammo alla sua macchina. «Non ti avevo detto che si era innamorato di te?»

Risi. «Sì, va bene, ho capito! Avevi ragione.»

Sospirò soddisfatto e mise i suoi sacchetti nel bagagliaio. «Non mi stancherò mai di sentirtelo ripetere, Elle.»

Alzai gli occhi al cielo e salii in auto. Mentre scivolava sul sedile del guidatore, aggiunse: «Non riesco a credere che per te non sia un problema che lui vada ad Harvard».

Il mio sorriso vacillò. «Certo che è un problema, Lee. Non voglio che si trasferisca, ma non posso neppure costringerlo a stare qui e andare all'università a San Diego. Non posso fare una cosa del genere. Deve studiare lì.»

«Quindi proverete a stare insieme a distanza?»

«Sì. O almeno credo. Per il momento. Non lo so… Magari alla fine dell'estate avremo cambiato idea, ma per ora abbiamo deciso di provarci.»

«Ricordati quello che ti ho detto, okay? Se non dovesse funzionare, io ci sarò sempre.»

Allungai un braccio e gli strinsi una mano.

Ero felice che la scuola fosse finita, perché significava non dover rispondere continuamente a domande su me e Noah. Le ragazze mi avevano chiamato e io avevo rivelato loro i dettagli che volevano sapere. Pensavo che mi sarei stancata dell'argomento, e invece ero felice di parlare di Noah. Ero felice perché lo amavo.

Un altro argomento di cui tutti parlavano, però, era la nostra festa. Ci fu addirittura una telefonata a tre con Karen e Olivia.

«Potete sempre mettervi un vestito a caso e dire che siete delle Bond girl» dissi ridendo.

«Forse non avrò altra scelta» ribatté Olivia. «Ho ordinato il costume qualche giorno fa ma non è ancora stato spedito.»

«Da cosa vi vestite tu e Lee, a proposito?» chiese Karen. «Ce l'hai detto ma non me lo ricordo più.»

«Io da Robin» replicai con un sorriso.

«Robin come il braccio destro di Batman?»

«Esatto. Lee sarà Batman.»

«Immaginavo!» ridacchiò Karen.

Il cellulare mi vibrò in mano e lo allontanai dall'orecchio per guardare il display. «Ragazze, scusatemi ma devo andare.»

«Quale dei due ti sta chiamando?» si informò Olivia.

«In che senso?»

«Quale dei due fratelli Flynn» chiarì Karen. «Deve trattarsi di uno di loro.»

Risi. «È Noah.»

Lanciarono entrambe un gridolino e le salutai divertita. Poi mi sedetti contro i cuscini sul letto e un sorriso mi illuminò il volto appena udii la voce di Noah. Non parlammo di nulla in particolare, però non importava: mi bastava sentirlo per essere felice.

Quindi è questo l'effetto che fa l'amore alle persone, pensai mentre Noah mi raccontava del programma di football di Harvard. *Le fa diventare davvero sdolcinate.*

Perché, anche se non ero interessata al football, Noah sembrava così emozionato che mi ritrovai ad ascoltare con attenzione ogni sua parola, a desiderare che mi spiegasse tutto nel dettaglio. L'amore mi aveva resa persino più dolce di quanto non fossi già.

Però, in fondo... non mi dispiace nemmeno un po', dissi tra me, sorridendo ancora di più.

«Wow» esclamai alzandomi dalla sedia. «Non riesco a credere che l'anno scolastico sia finito.»

«Sì, non dirlo a me. La cosa ancora più strana è che l'anno prossimo saremo noi a diplomarci» replicò Lee lanciando un'occhiata al palco da cui stavano scendendo i professori.

«Assurdo.»

«Sembra ieri che eravamo solo dei bambini... andavamo al campo estivo di calcio, di baseball... organizzavamo feste in maschera...»

Scoppiai a ridere. «Sì, ma in fondo siamo rimasti bambini.» Mi guardai attorno, osservando la folla di studenti con la toga blu scuro, in cerca dei capelli castani e del naso un po' storto che conoscevo bene. I signori Flynn avevano già raggiunto Noah per congratularsi con lui.

«Sono felice che sia arrivato a questo traguardo» aveva sospirato la madre sedendosi accanto a noi prima della cerimonia. «Pensavo che sarebbe stato espulso molto prima. E invece tra poco andrà ad Harvard...» L'orgoglio nella sua voce era tangibile, e anch'io ero felice per lui. Eppure l'idea che sarebbe partito mi faceva annodare lo stomaco. Non volevo che si trasferisse. Mi sembrava ingiusto e, benché sapessi che era un ragionamento infantile, non potevo fare a meno di pormi delle domande stupide: perché Harvard doveva trovarsi dall'altra parte del Paese? Perché mi ero innamorata proprio di lui?

«E a breve voi due compirete diciassette anni» aveva proseguito June. «Diciassette anni! L'anno prossimo anche voi andrete al college e...»

«Mamma» l'aveva interrotta Lee, prima che potesse farlo il padre «non metterti a piangere.»

«Ma figurati!» aveva esclamato lei con la voce incrinata.

E adesso eravamo in mezzo a una folla di studenti sorridenti e ai loro familiari. Allungai il collo cercando di individuare Noah. Con la coda dell'occhio vidi che Lee fissava un punto alle mie spalle, così mi girai e...

«Buh!»

Sussultai, terrorizzata, e gridai, attirandomi degli sguardi sorpresi da parte dei presenti. Lee scoppiò a ridere, imitato dal fratello, che mi rivolse uno dei suoi rari sorrisi felici.

Gli tirai un pugno al petto, fulminandolo con lo sguardo, mentre il cuore mi batteva all'impazzata. «Sei un vero idiota, Noah Flynn!» sbottai.

Il suo sorriso si tinse di malizia. «Avresti dovuto vedere la tua faccia.»

«Piantala.»

Mentre lui scoppiava di nuovo a ridere, Lee gli disse: «Ehi, congratulazioni. Ce l'hai fatta».

«Già, sembra impossibile. Adesso sei tu a dover difendere l'onore dei Flynn. Cerca di infilarti in più casini possibili, ma senza farti sospendere, okay?»

Lee sorrise. «Certo, come no.»

Noah si strinse nelle spalle. «Come preferisci.» Mi cinse le spalle con un braccio. «Tutto okay, Elle?»

Io sbuffai, ma la fossetta sulla sua guancia mi impedì di fare la sostenuta a lungo e sospirai.

«Non hai niente da dire sul mio diploma?» chiese Noah dandomi un colpetto con i fianchi. «Niente congratulazioni?»

«Dipende» risposi in tono provocante.

«Aspetti stasera, eh?» Inarcò le sopracciglia e io arrossii. Per un attimo temetti che quell'allusione mettesse Lee a disagio e lo guardai: stava fingendo di vomitare.

«Oddio, smettetela subito!» esclamò scuotendo la testa.

«Congratulazioni» dissi a Noah con un sorriso.

«Grazie.»

«E adesso ti aspetta l'università.»

«Proprio così.»

Tra noi calò il silenzio e l'atmosfera si fece un po' pesante.

«Sei pronto per stasera, Noah?» intervenne subito Lee.

Lui fece schioccare la lingua e lo indicò. «Bella domanda... in realtà, no.»

«Non hai pensato al costume? Noah!» strillai, esasperata.

«Ehi, per poco non ho dimenticato di fare benzina prima della cerimonia» si difese. «Come potevo ricordarmi del costume per la festa?»

«Flynn! Vieni qui, è il momento delle foto!» lo chiamò qualcuno prima che potessi sgridarlo come meritava.

«Arrivo!» gridò in risposta. Mi diede un bacio rapido sulle labbra. «Ci vediamo stasera, Elle. A dopo, Lee» disse prima di raggiungere gli altri diplomati per le foto di rito.

«Che schifo!» commentò Lee.

Risi. «Ma smettila...»

«Andiamo alla Batmobile, Robin?» mi chiese con voce roca.

«Certo» ribattei prendendolo sottobraccio. Ci scambiammo un sorriso prima di avviarci verso l'auto. Non avrei potuto essere più felice: malgrado tutti i problemi causati dalla mia storia con Noah, avevo ancora il mio migliore amico.

29

«Elle, sei tu?» disse June quando entrai in casa sua.

«Sì.»

Uscì dal suo ufficio e mi sorrise. «Sto mettendo via le decorazioni» spiegò «in modo che non si rovinino.»

Risi. «Ottima idea. Io vado di sopra a prepararmi.»

«Certo, tesoro.»

Quella sera lei e Matthew sarebbero andati a teatro per lasciarci la casa libera per la festa. Brad l'indomani avrebbe partecipato a un torneo di calcio e avrebbe dormito da un amico, e così mio padre sarebbe uscito con i signori Flynn.

«Lee ha detto che i ragazzi arriveranno un po' prima per spostare i mobili.»

«Ah, sì? Perfetto.»

«Hai sete?»

«Prendo qualcosa dal frigo, grazie.» Sorrisi ancora mentre

andava in sala a prendere altre decorazioni, e poi tirai fuori dal frigo due lattine di aranciata.

Salii le scale e trovai la porta di Lee aperta; era sdraiato sul letto e indossava le cuffie. «È un sacco che non ci vediamo» mi salutò.

«Ho portato da bere.»

«Fantastico.» Rotolò giù dal letto e afferrò un'aranciata. «Cam e Dixon verranno alle sette per spostare i divani e montare le casse.»

«Sì, me l'ha detto tua mamma.» Posai la mia lattina sulla sua scrivania ed estrassi il costume dal sacchetto. Lo tesi davanti a me e feci una smorfia. «Magari addosso mi starà bene...» riflettei ad alta voce.

La gonna aveva uno spacco un po' troppo profondo per i miei gusti e la parte superiore del costume mi sembrava attillata nei punti sbagliati. Il tessuto era leggero e aveva delle sfumature metalliche; la gonna e il mantello erano verde smeraldo, la casacca rosso rubino, e c'era una cintura color senape in vita.

«Provalo» disse Lee con una voce strana.

Lo guardai, incuriosita, e ridi vedendo che aveva indossato la maschera di Batman. Si coprì la testa con il mantello.

«Non ti guardo, giuro.»

Scoppiai a ridere. «Sei davvero scemo.»

«Attenta a come parli, o dovrai vedertela con Batman.»

«Ah ah» ribattei sarcastica, alzando gli occhi al cielo. Mi sfilai shorts e canotta e misi il costume. Lee si avvicinò per tirare su la cerniera, che però non voleva saperne di chiudersi. Mi stringeva troppo sul seno e sentii un paio di cuciture cedere mentre la sollevava. Mi allacciai la cintura in vita.

«Ehi, ma ha il push-up?»

«No» dissi, senza fiato. Facevo un po' di fatica a respirare ma lo spacco era meno profondo del previsto e la gonna era di una lunghezza accettabile.

«Non è così male.»

«Sicuro?»

«Sicurissimo. E poi ci saranno delle ragazze vestite da squillo, passerai inosservata.»

«Dici davvero?»

Scoppiò a ridere. «No, ti ho mentito. Ma a parte gli scherzi, ormai non ci puoi fare nulla. A meno che tu non voglia presentarti in mutande e reggiseno e dire che ti sei travestita da coniglietta di Playboy.»

«No, grazie. Penso che terrò questo costume.»

«Shelly, andrà tutto bene. Sarai la reginetta del ballo.»

Un'ora più tardi avevo legato i capelli, che mi ricadevano in una cascata di riccioli scuri sulla spalla sinistra, ed ero pronta. Lee era un Batman fantastico e, malgrado le difficoltà a respirare, mi piaceva il mio costume da Robin.

I genitori di Lee uscirono non appena arrivò mio padre e, due minuti dopo, il campanello suonò. Cam e Dixon dovevano essersi parlati, perché i loro costumi non potevano essere una coincidenza: Cam indossava una parrucca bianca vecchio stile e un cappello da marinaio che si abbinava all'uniforme che indossava, mentre Dixon era travestito da capitano Jack Sparrow, con tanto di tatuaggio finto, cappello a tricorno e spada e pistola di plastica.

«Commodoro Norrington al suo servizio, signorina» mi

salutò Cam togliendosi il cappello mentre faceva un inchino e mi baciava cerimoniosamente la mano. Trattenni una risata quando si raddrizzò e rimise il cappello al suo posto.

«Bei costumi» commentai.

«Molto credibili» aggiunse Lee.

«Grazie» risposero in coro prima di scoppiare a ridere.

«Mio fratello ci ha fatto avere uno sconto perché conosce un tizio che lavora in un magazzino di costumi» spiegò Dixon.

Gli passai un dito sulla guancia e chiesi: «Ti sei messo il cerone?»

«Non toccarlo!» esclamò allontanando la mia mano. «Hai idea di quanto sia complicato far aderire un chilo di cacao in polvere alla pelle?»

«Cacao in polvere? Quello per preparare la cioccolata calda?» domandò Lee, scettico.

«Mia sorella lo usa quando resta senza fondotinta e mi ha assicurato che funziona.»

A quelle parole scoppiammo tutti a ridere; non volevamo prenderlo in giro, però era buffo che Dixon accettasse consigli sul make-up dalla sorella di quattordici anni.

«Dai, piantatela» disse, ma sorrideva.

«Okay, okay, scusa» bofonchiò Lee. «Comunque stai bene.»

«Lo spero» borbottò lui. «Allora, cosa dobbiamo spostare?»

«Io mi occupo delle casse» disse Cam.

«Ti aiuto» mi offrii.

«Non vorrai mica spezzarti un'unghia, eh, Shelly?» commentò Lee.

«In realtà non volevo rovinarmi la pettinatura.»

«Amico, il tuo braccio destro non è un granché» gli disse Dixon.

Sbuffai e mi allontanai con Cam. Lee e Noah avevano comprato diverse casse da collegare all'impianto della sala. Erano nel ripostiglio con tutti i cavi aggrovigliati, ma non ci volle molto per sistemarli. Lee e Dixon spostarono i mobili sui lati della sala e della stanza del biliardo, e ricavarono un po' di spazio anche in cucina. Era tutto pronto, mancavano soltanto gli ospiti. Che arrivarono poco dopo, puntualissimi.

C'erano principesse Disney e fate, e Candice optò per una Alice nel Paese delle Meraviglie in versione zombie; il suo ragazzo si presentò travestito da Cappellaio Matto, imitando Johnny Depp (come mai erano tutti ossessionati da lui? Mi era sembrato di vedere anche un Edward mani di forbice da qualche parte). Karen sfruttò i capelli rossi e arrivò vestita come Ginny di *Harry Potter*. C'erano supereroi di ogni tipo, da Spiderman a Wonder Woman a Capitan America. Warren si era travestito da Albus Silente, con la lunga barba che penzolava da un lato, dove non aveva aderito alla colla. A quanto pareva i personaggi di *Harry Potter* andavano per la maggiore, anche se mi ero aspettata un sacco di James Bond, non tutta Hogwarts.

I miei preferiti erano Jason e Tyrone. Fummo Lee e io ad aprire la porta a quest'ultimo: era comparso sulla soglia di casa a petto nudo, con dei jeans accorciati alla bell'e meglio. Capii subito chi fosse: aveva i capelli corti e la pelle scura perfetti per il personaggio.

«Auguri per domenica, ragazzi» ci disse con un sorriso.

«Grazie. Ma da cosa sei vestito? Da modello di Calvin Klein?» chiese Lee.

«È il lupo mannaro di *Twilight*» gli spiegai, benché fosse ovvio.

In quell'istante Tyrone si voltò per mostrarci la coda che aveva fissato con lo scotch sul retro dei pantaloni. «L'ho presa da un vecchio peluche di mia sorella» chiarì.

«Ah, okay...»

«Ehi, ragazzi! Buon compleanno!» esclamò Jason raggiungendoci. Indossava una camicia azzurra, sbottonata per mostrare gli addominali scolpiti. Aveva i capelli chiari pieni di gel ed era coperto di glitter.

«E tu chi saresti?» commentò Tyrone.

«Senti chi parla. Chi saresti tu?» sbuffò Jason.

«Un lupo mannaro.»

«Ah, sì?» ridacchiò. «Be', io sono un vampiro. Anzi, *il* vampiro.»

«Amico... il tuo costume fa schifo» osservò Lee, e scoppiammo a ridere.

Tyrone e Jason si erano vestiti da Edward e Jacob di *Twilight*, e i loro costumi stavano bene insieme, se si trascurava il fatto che Jason non era molto pallido. In sua difesa bisognava dire che portava dei canini finti.

C'era un'atmosfera surreale: ninja e marinai giocavano a biliardo con il Conte Dracula e Rocky Balboa; sirene e fatine baciavano pompieri e G.I. Joe. Di Noah, però, non c'era traccia. Ero sicura che non fosse ancora arrivato, perché in quel caso l'avrei notato.

Mi sentivo un po' esclusa, dato che tutte le coppie si erano appartate e i single ci provavano tra loro, trascinati dallo spirito della festa, ma stavo bene. Chiacchierai con gli invitati, risi e scherzai con loro. Alcune ragazze mi chiesero dove fosse Noah, ma erano tutti troppo occupati a parlare dei costumi per preoccuparsi della nuova coppia della scena. In effetti mi domandavo anch'io dove fosse, però… mi stavo divertendo e non diedi troppo peso alla cosa.

«Faith sta benissimo vestita da dea greca. Mi ha detto che la tunica era di sua nonna.»

«Oh, mio Dio, avete visto cosa si è messa Tammy? Che personaggio dovrebbe essere, una modella di Victoria's Secret?»

«Joel è strafico vestito da marinaio, non trovi? Oddio, mi sa che mi ha appena guardato. Mi sta guardando? No, no, non ti girare, se ne accorgerà! Ecco, mi ha visto. Presto, di' qualcosa di divertente!»

Quel genere di discorsi teneva impegnate le ragazze che non si erano appartate con qualcuno o non stavano flirtando. Mi dissi che di sicuro i ragazzi non mi avrebbero chiesto come andassero le cose con Noah e se baciava bene, e così andai nel cortile sul retro, dove trovai Dixon e altri vicino alla piscina. Lui era un po' brillo e cantava: «*Quindici uomini sulla cassa del morto…*» con tutto il fiato che aveva in gola.

Scoppiai a ridere. «Ecco dov'è finito tutto il rum!»

Di colpo qualcuno mi abbracciò da dietro e sentii un respiro caldo nell'orecchio. «Ehi, festeggiata.»

Mi voltai e gli sollevai un po' il cappello per scoprirgli il viso, anche se non avevo bisogno di vederlo in faccia per sapere di chi si trattava. «E così hai finalmente deciso di presentarti, eh?»

Noah ridacchiò. «Proprio così, signorina.»

Indossava un completo gessato grigio scuro con le spalline,

una camicia bianca e una cravatta nera, scarpe tanto lucide da potercisi specchiare e un cappello a tesa larga in stile anni Venti, con una striscia di tessuto nero intorno.

«Al Capone?» chiesi con un sorriso. «Sei proprio...»

Mi interruppe prima che potessi concludere la frase posando le labbra sulle mie. «Non. Dire. Quella. Parola.»

Ridacchiai. Tutte le persone che conoscevo e che erano venute alla festa ci stavano fissando, ma quasi non me ne resi conto. In effetti, a parte durante il ballo d'estate, nessuno ci aveva visti insieme fino ad allora.

«D'accordo, però...»

«Non ci provare.»

«Perché odi la parola "carino"?»

«Sono il ragazzo più duro della scuola. Ho una moto e finisco sempre in qualche rissa. Come puoi chiamarmi così? Con tutti gli aggettivi che esistono, non puoi sceglierne un altro?»

«Mi dispiace, ma è quello più adatto.»

Lui ridacchiò e mi sfiorò la punta del naso. Feci una smorfia, e lui reagì ridendo ancora di più.

«Ti stai divertendo, festeggiata?»

«Mmh, più o meno.»

Lui inarcò un sopracciglio e inclinò la testa, come un cagnolino curioso. Risposi a quella domanda silenziosa con un sorriso, poi mi alzai sulle punte dei piedi e gli sussurrai all'orecchio: «Non ho ancora ricevuto il mio bacio di compleanno».

Noah mi osservò a lungo e il mio cuore iniziò a battere all'impazzata: forse non ero capace di fare la seducente o di essere supersexy... Ero stata una vera stupida. Ma poi si avvicinò, le sue labbra toccarono le mie e disse: «Cos'è successo alla dolce, ingenua e innocente Elle Evans che ho cercato di proteggere da un'orda di adolescenti pieni di ormoni?»

«Ha partecipato alla kissing booth.»

Lui ridacchiò e sentii il suo petto vibrare sotto il palmo della mia mano.

«Già, forse è stata quella.»

«Allora, posso avere il mio bacio, adesso?» chiesi ritraendomi e mettendo su il broncio. L'espressione affranta funzionava sempre con Lee e mio padre, e decisi di fare un tentativo.

«Sai che non è ancora il tuo compleanno, vero?»

«Sì, e quindi?»

Lui sbuffò e mi diede un bacetto sulla guancia, prima di sciogliersi dal mio abbraccio e allontanarsi. Io rimasi immobile, interdetta e confusa: un bacetto e basta?

«Ehi!» lo chiamai, seguendolo. Una parte di me sarebbe voluta scoppiare a ridere – ero certa che mi stesse provocando – ma mantenni un'espressione calma e controllata. «Pensi di cavartela così?»

«Sono Al Capone» replicò senza battere ciglio. «Me la cavo sempre.»

«Molto divertente.»

«Già.» Si fermò e fece il solito sorrisetto malizioso. Mi rivolse uno sguardo divertito.

Non riuscii a trattenermi e gli feci una linguaccia, come una bambina. E Noah proruppe in una di quelle risate che fanno venire le lacrime agli occhi e le fitte allo stomaco dopo pochi secondi.

«Quanto ti amo, Shelly» disse piano, con un sorriso sul volto.

Forse fu per il modo in cui mi strinse, l'espressione sulla

sua faccia o la sua risata, non avrei saputo dirlo, ma mi sciolsi. In quel momento capii come si sentivano le protagoniste dei romanzi rosa quando le loro ginocchia cedevano e il loro cuore saltava un battito. Se Noah non mi avesse sostenuta, probabilmente sarei crollata a terra.

Le mie labbra si tesero in un sorriso e lui disse: «Ci vediamo tra poco. Divertiti, festeggiata!»

«Wow, chi l'avrebbe mai detto che un giorno il fratello iperprotettivo e con un debole per la violenza del mio migliore amico mi avrebbe consigliato di divertirmi?» lo stuzzicai. «Anziché dirmi di stare attenta a cosa bevo e con chi parlo, o criticare come sono vestita.»

Mi aspettavo che alzasse gli occhi al cielo, scoppiasse a ridere o replicasse in modo ironico, e invece mi sorrise imbarazzato. Sembrava quasi… colpevole.

«Stavo scherzando» chiarii.

«Lo so, non ti preoccupare. Mi dispiace, però. Per essere stato così…»

«Invadente? Maniaco del controllo? Un vero idiota?»

Rise. «Sì, esatto. E, per la cronaca… stasera sei super sexy.»

Sorrisi e arrossii, strappandogli un sorrisetto. «Vai a divertirti, Elle, ci vediamo dopo.»

«Okay» esclamai allegra, baciandolo sulla guancia prima di passargli accanto. E di colpo avvertii un sacco di sguardi fissi su di me. Mi feci coraggio e presi una lattina di Coca dal frigo, poi mi voltai ad affrontare il gruppetto di ragazze che stavano commentando quanto fossimo carini insieme Noah e io e dicevano quanto fossero gelose, quanto fosse fico Flynn e quanto fossi fortunata io.

«Vorrei avere quello che hai tu» mi disse Tamara con un sorriso tirato.

«Un fidanzato sexy ma dalla pessima reputazione?» le chiesi, confusa.

Rise. «No. Un finale da favola.»

30

Avrei tanto desiderato anch'io un finale da favola.

La festa si concluse troppo presto, le ore si susseguirono veloci fino all'una di notte. A quel punto eravamo rimasti soltanto io, Noah, Lee e Rachel. La casa non era in uno stato disastroso, dato che non avèvamo servito molti alcolici. Portammo in strada un po' di sacchetti della spazzatura e alle due Rachel si addormentò sul divano tra le braccia di Lee; anche lui stava per cedere al sonno.

Mi sdraiai sull'altro divano, con la testa sul grembo di Noah. Volevo rimanere sveglia, passare altro tempo con lui. Sarei riuscita a tenere gli occhi aperti, se non mi avesse passato le dita tra i capelli, un gesto più rilassante di una ninna nanna.

«Noah...» provai a dire, ma dalla mia bocca uscì un mormorio assonnato.

«Mmh?» Anche lui sembrava esausto, e forse lo era.

Chiusi gli occhi, senza le energie necessarie a riaprirli. «A cosa stai pensando?»

Lui esitò per un istante. «A noi. All'università.» Aspettai pazientemente che si spiegasse meglio. «Non...» Fu interrotto da uno sbadiglio e ricominciò: «Non voglio che tu passi il tempo ad aspettare il mio ritorno per le vacanze. Voglio che tu viva la tua vita. So che sembra strano, detto da me, visto che ho cercato di proteggerti per un sacco di tempo, però... non lo so. Non mi sembra giusto nei tuoi confronti». Sbadigliò ancora. «Non devi aspettarmi... Oh, sono stanco. E questo genere di discorsi non è il mio forte.»

Ridacchiai piano e accennai un sorriso. «Questi discorsi sdolcinati, vuoi dire?»

«Sì. Senti, faremo del nostro meglio e speriamo che vada tutto bene. Non abbiamo altra scelta, vero?»

«Mi mancherai» dissi, immersa nei miei pensieri, e lui mi strinse un braccio.

Restammo in silenzio per qualche istante. Sapevo che non si era addormentato perché non aveva smesso di accarezzarmi i capelli. All'improvviso però sentii qualcuno che russava prima di ricominciare a respirare normalmente: Lee era crollato.

Noah mi sollevò appena e si spostò. Chiusi gli occhi ancora più forte e protestai con un gemito, ma poi lui si sdraiò accanto a me sul divano, abbracciandomi. Sorrisi. Impiegai diversi secondi a girarmi per trovarmi di fronte a lui.

«Elle» disse, e dal suo tono capii che voleva parlare di qualcosa di serio. Ma ero troppo stanca per affrontare un discorso importante...

«Sì?» sussurrai nel buio, mezzo addormentata.

«Ti amo.» Mi baciò sulla fronte e mi accoccolai contro di lui, posando la testa nell'incavo del suo collo mentre mi stringeva di più.

Mi addormentai subito.

Quando i signori Flynn tornarono, stavamo ancora dormendo. Non ci svegliammo neppure quando armeggiarono in cucina per preparare il brunch o quando si misero a sistemare la casa. Aprii gli occhi alle due. Avevo dormito per metà della giornata, e nel pomeriggio giocai ai videogame con Lee. Noah era andato da uno sfasciacarrozze chissà dove a cercare dei pezzi per la sua moto: non avevo capito granché del suo messaggio visto che non ero un'esperta di meccanica.

E poi arrivò il mio compleanno, all'improvviso avevo diciassette anni. Restai alzata fino a mezzanotte per scrivere subito un messaggio di auguri a Lee. Ma fu solo il mattino dopo, mentre osservavo dal letto le forme disegnate dai primi raggi del sole sul soffitto, che mi resi conto di quanto ero cresciuta nell'anno appena trascorso.

Capii che crescere significava perlopiù prendere decisioni importanti, come per esempio quella che riguardava l'università. Avrei dovuto cominciare a pensare al college... ma non avevo la più pallida idea di cosa avrei voluto studiare! Fino ad allora avevo assecondato lo scorrere delle cose, senza riflettere su questioni simili.

Crescere aveva dei lati positivi, come avere un ragazzo, poter prendere la patente e conoscere meglio se stessi... ma una parte di me desiderava che la situazione non cambiasse. Volevo poter ancora correre da mio padre e chiedergli di mettermi un cerotto sul ginocchio quando mi facevo male, tuffarmi a bomba nella piscina di Lee, preoccupandomi solo di sollevare più schizzi di lui. Era così grave?

In quell'istante la porta della mia camera si spalancò.

«Buon compleanno, mostro!»

Mi misi a sedere e lanciai un cuscino a Brad, che però richiuse la porta un attimo prima di essere colpito. Poi la riaprì e urlò: «Alzati, dai!»

«Perché? Sono le otto del mattino!»

«Io sono sveglio, quindi devi alzarti anche tu!»

Mi accorsi in quel momento che era già vestito e sbuffai. Brad aveva quella mania: se lui era in piedi, anche noi dovevamo esserlo. Immaginavo che avesse tirato giù dal letto papà per farsi prendere una ciotola per i cereali dal ripiano più alto della credenza, per poter fare colazione.

«Sì, sì. Sei insopportabile!»

«Però ti ho fatto gli auguri, no?» osservò.

Sospirai. «Già. Grazie mille, Brad.»

«Sbrigati, okay?» Raccolse il cuscino e lo rilanciò sul letto; poi sbatté la porta e scese le scale con la grazia di un elefante.

Scossi la testa e sorrisi. Chissà qual era il motivo di tutta quella fretta... Mi alzai e aprii l'armadio, in cerca di qualcosa da mettermi. Saremmo usciti a pranzo, ma decisi che mi sarei cambiata più tardi: per il momento un paio di shorts e una maglietta sarebbero andati bene. Era una tradizione di famiglia: ogni anno Lee e io, i suoi genitori e mio padre (anche mia madre, finché c'era stata), Noah e Brad andavamo a pranzo fuori per festeggiare. Ogni tanto, se erano in città, venivano anche i nostri nonni.

Non avevo voglia di sistemarmi i capelli, quindi mi limitai a legarli in una semplice coda e scesi in cucina.

«Era ora» commentò Brad quando lo raggiunsi.

«Buon compleanno, tesoro!» esclamò papà con un gran sorriso. Era in piedi dietro al tavolo, su cui era posata una torta enorme: era al cioccolato con glassa alle fragole e sopra c'era scritto il numero 17.

«È la colazione?» chiesi speranzosa, anche se conoscevo la risposta.

«No, è per dopo. Ma Brad e io ci siamo alzati prestissimo per prepararla e adesso faccio i pancake.»

«Sì, ma aspettava te per cominciare» borbottò Brad. Un attimo dopo il suo stomaco brontolò come quello di una tigre in gabbia che aveva visto una bistecca. Papà e io scoppiammo a ridere. «Ha detto che non aveva senso farli due volte.»

«Ecco perché volevi che mi alzassi, ingordo!» replicai arruffandogli i capelli prima di andare ad abbracciare nostro padre.

«Com'è andata la festa? Ieri non ci siamo praticamente visti.»

«Scusa.»

«Non ti preoccupare. Sei stata da Lee tutto il giorno, quindi ho immaginato che avessi bevuto troppo e stessi evitando tuo padre.»

Risi ancora. «Ti sbagli. In realtà nessuno ha bevuto un granché. La nostra festa era così divertente che non se ne è sentito il bisogno.» Era solo una battuta, ma l'espressione di mio padre diceva che nessuno dovrebbe avere bisogno di alcol per divertirsi.

Il resto della mattinata trascorse in fretta, e a mezzogiorno e mezzo parcheggiammo fuori da un ristorante raffinato di cui non avrei saputo nemmeno pronunciare il nome. Mi ero messa un vestito carino, blu scuro con dei disegni floreali gialli, dei sandali e una collana, lasciando i capelli legati.

Entrammo poco dopo la famiglia Flynn.

«Ah, siete arrivati» ci accolse il cameriere. «Vi accompagno al vostro tavolo.»

Sentii June che chiedeva a mio fratello come andasse con il calcio e mio padre che chiacchierava con il papà di Noah e Lee.

I miei occhi si posarono subito su Noah, che mi sorrise; prima che potessi ricambiare, però, Lee si mise tra noi due, e mi sforzai di concentrarmi su di lui.

«Buon compleanno!» esclamammo in coro.

Lee rise e diede un colpetto alla mia coda di cavallo, che roteò su se stessa. Io gli diedi una spallata e lo abbracciai. Mi strinse forte, tirandomi a sé e rischiando di farmi perdere l'equilibrio.

«Com'è andata la mattinata?» mi domandò prima di sedersi.

«Come ti ho detto prima al telefono… bene. E la tua?»

«Idem.»

«Perfetto.»

«Ah, in realtà ho visto Rachel per un'oretta prima di uscire.»

«Oh… e ti ha dato un bacio di compleanno?» chiesi facendo schioccare le labbra.

«Be'…»

«Siete davvero carini insieme. Come… Spiderman e Mary Jane. Avrei detto "come Batman e la sua ragazza", ma non ricordo se ne avesse una.»

Lee rise. «E quindi voi due chi sareste? La bella e la bestia? Ovviamente la bestia saresti tu. Noah e io abbiamo gli stessi geni, e io non assomiglio affatto alla bestia. Insomma, guardami.»

Lo squadrai e feci una smorfia. «Bleah.»

Lui rise ancora e ci sedemmo l'uno accanto all'altra, in mezzo alle nostre famiglie. Noah era di fronte a me, nel posto che di solito occupava Brad; ero felice di quel cambiamento, perché così il mio fratellino non mi avrebbe tirato dei calci per tutto il pranzo lamentandosi di non avere abbastanza spazio per le gambe.

«Buon compleanno, Elle» mi disse con un sorriso dolce, che ricambiai.

«Grazie.»

«Allora, Lee, cos'hai ricevuto?» si informò mio padre.

«Non lo so ancora. Aspettavo Shelly per scoprirlo.»

«E tu, Elle?» mi domandò Matthew.

«Aspettavo Lee per scoprirlo» replicai con una risata un po' imbarazzata.

Il cameriere venne a chiederci cosa volevamo bere e ci diede i menu. Noah aprì il suo e lo scorse; si piegò un po' in avanti e riuscivo a vedergli soltanto i gomiti e la fronte. Lessi il menu: forse per una volta avrei potuto provare un piatto diverso, anziché ordinare il solito petto di pollo con la salsa barbecue, le verdure alla griglia e le patatine fritte.

Poco dopo il mio cellulare vibrò: avevo ricevuto un messaggio. Pensai subito che si trattasse di Warren o di qualche altro amico che mi faceva gli auguri. Ma non era Warren.

Sei molto bella.

Alzai lo sguardo, ma Noah sembrava molto concentrato sul menu e mi ignorò. Aspettai qualche secondo e poi gli risposi.

Grazie, scrissi. Non sapevo come reagire, quindi optai per la sintesi.

Cosa fai più tardi?

Non lo so. Più tardi quando?

Dopo la torta. Ho in mente una sorpresa per la festeggiata ;)

Fissai l'ultimo messaggio per qualche istante, chiedendomi se contenesse qualche strana allusione. Conoscendolo, probabilmente aveva organizzato qualcosa di romantico che sapeva avrei adorato.

«Elle, non si usa il cellulare a tavola» mi sgridò mio padre.

«Scusa.»

Vidi che Noah sorrideva, continuando a evitare il mio sguardo. Valutai la possibilità di scrivergli per sapere cos'avesse in mente, ma di sicuro non aspettava altro per continuare a tenermi sulle spine, e così rimisi il telefono in borsa.

«Grazie mille» disse mio padre.

«Siete pronti per ordinare?»

Dopo pranzo andammo tutti a casa di Noah e Lee, come sempre, per scartare i regali e mangiare la torta enorme che mio padre e mio fratello avevano preparato quella mattina.

I signori Flynn avevano regalato a Lee dei CD e dei vestiti, mentre Noah gli aveva preso una nuova autoradio: spiegò che era stato apposta dallo sfasciacarrozze in cerca di qualche pezzo mancante. Lee aveva già capito che CD gli avessi comprato quando, un paio di giorni prima, gli avevo impedito di scaricare l'album ma senza spiegargli il perché. Il portafoglio gli piacque un sacco, e poi scartò la maglietta: era azzurra, con la scritta i'm with stupid e una freccia che puntava verso l'alto.

Scoppiò a ridere, afferrò il regalo che mi aveva fatto e mi lanciò il pacchetto. «Grazie mille, Elle. Adesso apri il tuo.»

«Subito?»

«Certo!»

Obbedii... e risi anch'io. Mi aveva comprato – probabilmente nello stesso negozio in cui ero andata io – la stessa maglietta con la stessa scritta, solo che era gialla. Ci conoscevamo davvero bene...

«L'avete fatto apposta?» ci chiese suo padre mentre mostravo la t-shirt.

«No!» esclamammo in coro, sorridendo.

«Abbiamo un legame telepatico, tutto qui» precisò Lee.

Mi aveva regalato anche un paio di libri – che avevano per protagonisti dei vampiri, dato che sapeva che avevo un debole per loro – e poi c'era un pacchettino, avvolto da così tanto nastro adesivo che per aprirlo dovetti usare i denti.

«Che cos'è?» chiese Brad impaziente, mentre lottavo con lo scotch.

«Non lo so, è ancora impacchettato!»

«Vedrai...» mi stuzzicò Lee con un sorrisetto malizioso. Di colpo ebbi paura di aprirlo.

Alla fine lo scotch cedette e strappai la carta, ma sotto ne trovai altra. Confusa, strappai anche quella.

«Allora?» domandò Brad, cercando di sbirciare.

Quando capii di cosa si trattava le mie guance andarono in fiamme e lasciai cadere il pacchetto come se scottasse. «Lee!»

«Che c'è? Non sono ancora pronto per diventare zio, sono troppo giovane!»

«E non potevi darmelo quando fossimo stati da soli?» sbottai, pensando al fatto che l'avevo aperto davanti a mio padre e ai suoi genitori.

«Non sarebbe stato così divertente.»

Cercai di calmarmi, ma ero ancora paonazza. Mio padre stava chiacchierando del più e del meno con June e Matthew, e tutti e tre erano decisi a ignorare la confezione di preservativi che nel frattempo avevo raccolto.

Noah si alzò dal divano e mi raggiunse, poi mi tolse la scatola dalle mani. «Grazie, Lee. Ci torneranno utili più tardi.»

Anche se credevo fosse impossibile, arrossii persino di più e mi coprii la faccia.

June diede un colpetto di tosse, ed ebbi la conferma che ai nostri genitori non fosse sfuggito il commento.

Lee però non sembrava particolarmente turbato. Si avvicinò, mi diede una pacca sulla spalla e disse: «Voglio solo che tu usi delle precauzioni, Shelly. Ci tengo».

«Uffa, non vedo!» si lamentò il mio innocente fratellino. «Che cos'è?»

«Roba da adulti» risposi.

«Assorbenti» disse Lee.

Gli diedi un colpetto sulla nuca, ma piano. «Amico mio, sei davvero insopportabile.»

«Lo so» rispose con un sorriso, e non potei fare a meno di ridere.

I nostri genitori approfittarono di quel momento e mio padre esclamò: «Tieni, Elle». Mi mise in mano una scatola lunga, ricoperta di velluto scuro, che ricordava un portagioie.

Lo guardai, esitante. «Che cos'è?»

«Be', ecco... era della mamma. Diceva sempre che voleva l'avessi tu. Avrei voluto regalartelo l'anno scorso, ma poi mi è passato di mente. So che diciassette anni non sono un'occasione particolare, però... non volevo rischiare di dimenticarmelo anche l'anno prossimo.» Rise imbarazzato.

Avevamo conservato tutti i gioielli della mamma, naturalmente. Non erano il genere di cose che si buttavano via. Avevo alcuni suoi orecchini che da bambina avevo adorato e una catenina d'oro che mettevo ogni tanto. Ma quello che avevo in mano doveva essere speciale. Aprii il gancetto della scatola, aspettandomi di trovare all'interno una collana elegante, magari di perle. E invece si trattava di un orologio d'argento, con dei topazi intorno al quadrante. Osservai la lancetta dei secondi che scorreva, una sottile linea luccicante che si stagliava sullo sfondo nero. Lo sollevai con delicatezza. Le pietre azzurre sembravano vere: l'orologio doveva valere moltissimo.

«I topazi sono autentici» disse mio padre, come leggendomi nel pensiero.

«È bellissimo» commentò June con un sorriso dolce.

Ero sull'orlo delle lacrime, e capii che tutti si aspettavano che piangessi e dicessi quanto mi mancava mia madre. Era così, mi mancava davvero tanto e avrei voluto che fosse ancora con noi, a preparare una torta in cucina, a guardare una soap opera sdolcinata in tv o a vestirsi per andare al lavoro. Ma non potevo cambiare il fatto che non ci fosse più, l'avevo accettato molti anni prima. Avvertivo la sua mancanza, era una fitta nel petto, eppure non potevo farci nulla, lo sapevo. Piangere era inutile, perché non l'avrebbe riportata in vita.

Sorpresi tutti quando sorrisi e allacciai l'orologio al polso sinistro. Era freddo e pesante e mi stava un po' largo, ma mi piaceva un sacco. «Grazie, papà.»

Sorrise anche lui, e sul suo volto lessi una serie di emozioni diverse: tristezza nei suoi occhi, felicità nel sorriso, sollievo nella fronte non più aggrottata. Infilò una mano in tasca e tirò fuori un'altra scatolina di velluto nero, diversa da quella che aveva contenuto l'orologio, senza gancetto.

«Sono gli orecchini coordinati?» chiesi scherzando.

«No, è il regalo di quest'anno. Avrei dovuto darti l'orologio per i tuoi sedici anni...» Rise, scuotendo la testa come per scacciare la tristezza, e io presi la scatolina, aspettandomi comunque di trovare degli orecchini; in fondo, era della dimensione giusta.

Ma non si trattava di orecchini né di gioielli. «Mi hai regalato una... chiave?» Afferrai il portachiavi e lo feci dondolare tra le dita, confusa. E poi capii. «Oh, mio Dio! Mi hai regalato una macchina!»

Scoppiarono tutti a ridere: era evidente che per loro non era una sorpresa. Abbracciai mio padre con trasporto.

«Grazie, grazie, grazie!»

Ridacchiò. «Aspetta di vederla.»

«Già, potrebbe essere un catorcio che cade a pezzi e si spegne a ogni stop» commentò Noah divertito.

«È in garage» mi informò June. «Dovevamo nasconderla per farti una sorpresa.»

Corsi fuori e sollevai la porta del garage faticando un po'. Gli altri mi seguirono. Il garage era buio, il pavimento sporco di benzina e cosparso degli attrezzi di Noah. La bici di Lee era appoggiata contro un muro e ovunque c'erano palloni da football e da calcio, e vari mobili vecchi o rotti.

Ma, nel bel mezzo di quel disordine, c'era il mio regalo di compleanno: era una Ford Escort di seconda mano, blu scuro, con una coppia di dadi di peluche fucsia appesi allo specchietto retrovisore.

«I dadi sono stati un'idea mia» disse Matthew. «Ci tengo a specificarlo.»

Ridacchiai felice e infilai la testa nel finestrino del guidatore. L'abitacolo profumava di pino e cuoio. A prima vista la macchina non sembrava un bolide dal motore affidabile e silenzioso e pensai che prima o poi mi sarei ritrovata ferma sul ciglio di una strada, ma non importava: me ne ero già innamorata. E, in ogni caso, non mi sarei mai aspettata che mio padre mi regalasse un'auto nuova di zecca. Non l'avrei nemmeno voluta, avrei avuto paura di guidarla. Non ero bravissima al volante, ma adesso avevo un'auto tutta mia!

«Lee, ora non dovrò più chiederti di accompagnarmi dappertutto» gli dissi.

«Be', non accetterò i tuoi passaggi» ribatté con voce seria. «Tengo troppo alla mia incolumità.»

Scoppiai a ridere e abbracciai di nuovo mio padre. «Grazie mille, è fantastica!»

«So che non è il massimo, ma può servire a farti le ossa. E, se andrai a sbattere da qualche parte, non sarà un problema.»

«Ma c'è qualcuno che si fida delle mie capacità al volante?»

Risero tutti e poi Brad disse: «Sì, sì, va bene. Adesso mangiamo la torta?»

In quell'istante il mio stomaco e quello di Lee brontolarono all'unisono ed esclamammo: «Assolutamente sì!» prima di correre in casa.

31

«Allora, cos'hai in mente di preciso?» chiesi portando dei bicchieri a Noah, che stava mettendo in lavastoviglie dei piatti. Lee era fuori, ad armeggiare con la nuova autoradio, Brad guardava la tv e i nostri genitori parlavano di… quello di cui parlano di solito i genitori. Era da un po' che aspettavo di poter restare da sola con Noah. Mi guardò confuso, ancora piegato, con un braccio appoggiato sul bancone.

«Prima mi hai scritto che avevi organizzato una sorpresa per me.»

«Ah, già.»

«Allora, pensi di dirmi di cosa si tratta o no?»

«Rovinerebbe tutto, non trovi?»

«Temevo mi avresti risposto così» gemetti, passandogli i bicchieri. Li infilò nella lavastoviglie, si rialzò e chiuse lo sportello. Mi abbracciò e mi tirò a sé.

«C'entra il regalo che ti ha fatto Lee...» mi sussurrò all'orecchio, sfiorandolo con le labbra.

Non sapevo come rispondere a quell'affermazione, e mi ritrovai senza fiato.

Noah ridacchiò. «Sto scherzando» mi rassicurò, rivolgendomi un sorriso malizioso. «Avevo pensato di portarti in un posto che di sicuro ti piacerà un sacco. Ma voglio che sia una sorpresa.»

«Okay...» Mi chiesi di cosa si trattasse. Mi aveva già portata ad ammirare il tramonto e i fuochi d'artificio, quindi doveva essere qualcosa di diverso... E Noah si stava rivelando un ragazzo pieno di sorprese, perciò brancolavo nel buio.

«In ogni caso, se più tardi vuoi usare il regalo di Lee...»

Arrossii violentemente e mi appoggiai contro di lui per nasconderglielo. Noah rise di nuovo e mi baciò sulla testa, stringendomi forte.

Ignorai la proposta e lo abbracciai anch'io. «Ti amo» mormorai. Le parole mi uscirono di bocca d'istinto, con naturalezza, come se fare quella dichiarazione al fratello maggiore del mio migliore amico fosse la cosa più normale dell'universo.

Mi baciò di nuovo sulla testa e disse: «Io di più».

Sorrisi contro la sua spalla e rimanemmo in silenzio per qualche istante, stretti l'uno all'altra nel nostro mondo.

«Oh! Scusatemi! Prendo solo qualcosa da bere, fate come se non ci fossi.»

Ci separammo e vidi June che si versava un bicchiere d'acqua. Quando si voltò ci sorrise, e non era imbarazzata: dalla sua espressione capii che pensava fossimo adorabili, insieme.

Per fortuna non ci aveva sorpresi a baciarci... quello sì che sarebbe stato davvero imbarazzante.

June tornò in soggiorno e io guardai Noah. «Quando mi porti in questo posto misterioso?»

«Anche subito, se ti va. Non ci vorrà molto.»

«Adesso? Sul serio?»

Si strinse nelle spalle. «Se ti va, certo.»

Sorrisi. «Posso guidare io?»

«Che splendida idea, guidare verso un posto sconosciuto...»

«Be', puoi darmi delle indicazioni, no? Ti prego, ti prego, ti prego!» Sorrisi ancora di più sperando di convincerlo, emozionata all'idea di fare un giro sulla mia macchina.

«Okay, va bene! Ma se capisci dove stiamo andando e ti rovini la sorpresa non potrai dare la colpa a me, okay?»

Ridacchiai. «Certo che sei fissato con le sorprese, eh?»

«Mi sembrava più romantico che dire: "Ehi, Elle, andiamo a vedere il tramonto e i fuochi d'artificio". E, dato che adori quelle commedie romantiche sdolcinate...»

«Be'...» Mi morsi un labbro. «Okay, ho capito cosa intendi. Andiamo.»

«Chi è quello impaziente, adesso?»

«Allora, gira a sinistra... poi alla seconda a destra. Dovrebbe esserci un parcheggio.»

Seguii le indicazioni di Noah. Mi ero pentita di essermi messa al volante: ero così preoccupata all'idea di rigare la macchina che non avevo potuto osservare bene la strada per cercare di capire dove fossimo diretti. Non conoscevo quella zona e non sapevo dove mi stesse portando. Chissà che sorpresa mi aspettava...

Parcheggiai e scesi dalla macchina, imitata da Noah. «Okay,

ci siamo» dissi, incapace di trattenere un sorriso. «Portami in questo luogo segreto.»

Lui sorrise, mi prese per mano, intrecciando le dita alle mie, e salì sul marciapiede accanto a me. Le nostre braccia dondolavano come un pendolo mentre tornavamo un po' indietro. Mi guardai intorno e mi resi conto che non eravamo più in città. Il piano terra di alcune case ospitava dei negozi, un fioraio, un panettiere... Non sapevo dove fossimo, ma era un bel posto. Qua e là c'erano degli alberi e piante in fiore sui davanzali. Vidi qualche persona che passeggiava, un paio con il proprio cane, e poche auto.

Era un paesino tranquillo. Sentii le campane di una chiesa risuonare in lontananza. Mi voltai verso Noah, che incrociò il mio sguardo e mi rivolse il solito sorrisetto malizioso: di sicuro si divertiva a tenermi all'oscuro. Ricambiai il sorriso e gli strinsi la mano.

«Eccoci arrivati» annunciò davanti a un negozio. Arretrai di un passo e lui entrò per primo. La porta era coperta da una tenda verde, che proiettò un'ombra scura sul suo viso quando la aprì. Un campanello tintinnò: era un suono delicato che mi fece pensare alla fatina di *Peter Pan*. E in quel momento sentii il profumo.

Era una fragranza meravigliosa: vaniglia delicata, cacao intenso, zucchero dolce. Il profumo più deciso, però, era quello del cioccolato, che avvolgeva ogni cosa e mi fece venire l'acquolina in bocca. Mi investì con forza, togliendomi il respiro, non appena Noah aprì la porta del negozio. Me la tenne aperta e lo seguii all'interno.

Ripensai a quando, pochi mesi prima, l'avevo seguito in casa sua, diretta alla stanza di Lee. Sapeva che ero dietro di lui, ma allora non gli era venuto in mente di tenermi la porta; non era stato un dispetto, era semplicemente fatto così. In quel momento quel gesto, per quanto banale, mi strappò un sorriso.

Respirai a fondo il profumo del cioccolato. Il negozio era illuminato da lampade che emanavano una luce calda. Il pavimento era coperto da una moquette marrone scuro e le pareti erano dipinte di un crema chiaro. Sul bancone c'era un vecchio registratore di cassa, di quelli che emettevano un suono acuto quando venivano aperti, i cui tasti mi ricordarono una macchina da scrivere.

Il negozio aveva un'atmosfera deliziosa e, guardandomi attorno a bocca aperta e con gli occhi sgranati, vidi i cioccolatini. Non sapevo cosa fare, su cosa concentrarmi, cosa dire a Noah.

«Buongiorno, miei cari!» esclamò una voce. Immaginai che appartenesse a una persona un po' in là con gli anni e in effetti, quando staccai gli occhi dalle praline disposte sul bancone di vetro, vidi una donna sulla settantina. Era la tipica signora che avrei immaginato a gestire un negozio di dolci. Era paffuta, con le guance rosate e i capelli bianchi raccolti in uno chignon a cui erano sfuggite alcune ciocche. Indossava dei jeans, una camicetta di cotone bianco e un grembiule rosa acceso macchiato di cioccolato, zucchero, crema, sciroppo e glassa. Alcune chiazze sembravano piuttosto vecchie, come se ormai appartenessero al tessuto, mentre altre erano chiaramente fresche.

«Salve» salutò Noah, passandomi davanti. «Ho telefonato in anticipo, mi chiamo Flynn.»

«Ah, ma certo, mi ricordo! Dammi due secondi, caro, e te

lo vado a prendere!» La donna gli rivolse un sorriso caloroso prima di spostarsi nel retro, facendo cadere una pila di scatoloni che, per fortuna, sembravano vuoti. «Ooops!» esclamò ridendo della propria sbadataggine e rimettendoli a posto. La sentii canticchiare tra sé mentre si allontanava.

«Come mai hai telefonato?» chiesi a Noah, che si girò verso di me. Un sorriso mi incurvava gli angoli della bocca. «E come hai scoperto questo posto?»

«Io... ehm...» Si schiarì la gola e si grattò la nuca. «Ricordi quando... No, probabilmente non te lo ricordi, però... quand'eravamo piccoli abbiamo letto *La fabbrica di cioccolato*, e a un certo punto ho chiesto di visitare la fabbrica di Willy Wonka. Allora mia mamma – ed era venuta anche la tua – mi aveva portato qui perché non era troppo distante da casa. Mi è tornato in mente un paio di anni fa e sono venuto a cercare il negozio in autobus.»

Restai in silenzio per un minuto. Era davvero strano per Flynn raccontare ricordi tanto personali, senza contare che l'immagine di Noah bambino che voleva visitare la fabbrica di cioccolato era carinissima... trattenni una risata, anche perché non avrebbe apprezzato quella definizione.

«Me lo ricordo, invece. Mi serviva il libro per un progetto scolastico, ma le copie della biblioteca erano tutte in prestito. Lee mi aveva detto che non c'era bisogno di comprarlo perché tu ne avevi una copia, ma non me l'hai data.»

«Ah, già» ribatté lui ridacchiando, un po' imbarazzato. «Che scusa ho usato?»

«Nessuna scusa» risposi dopo qualche secondo. «Non me l'hai data e basta.»

Lui annuì. «Sì, mi sembra plausibile.»

«Davvero volevi visitare la fabbrica di Willy Wonka?» chiesi, divertita, sorridendo di nuovo.

«Avevo otto anni, okay? Non infierire.»

Ridemmo entrambi mentre la proprietaria del negozio spuntava dal retro tenendo in mano una grande scatola bianca e piatta decorata da un nastro viola. «Ecco fatto!»

Noah si mise le mani dietro la schiena e dondolò sui talloni.

Quando capii, sussultai. «Sono per me?»

«Credevi davvero che mi fossi dimenticato di fare un regalo di compleanno alla mia ragazza?» Mi rivolse il solito sorriso, sexy e malizioso, e la signora ridacchiò.

«Non... non ci avevo pensato.»

«Ti ho sempre fatto un regalo per il tuo compleanno, Shelly.»

«Una volta mi hai comprato un cuscino che faceva le scoregge.»

«Era pur sempre un regalo. E, se non sbaglio, avevo dodici anni. Ti aspettavi che ti comprassi qualcosa di elegante o significativo?»

«Be', no» replicai con un sorriso.

«Come avrei potuto dimenticare il tuo compleanno, specialmente adesso?»

Mi strinsi nelle spalle, un po' in difficoltà. Quando avevo ricevuto i regali, prima, non gli avevo chiesto dove fosse il suo: sarebbe stato estremamente scortese da parte mia; quando mi aveva scritto di avere una sorpresa in serbo per me non avevo pensato che si riferisse a un dono, ma che volesse portarmi da qualche parte, anche solo per avere un po' di intimità.

Presi la scatola che mi porgeva la donna. «Grazie.»

«Dentro c'è un cioccolatino di ogni tipo» spiegò lei. «O, almeno, tutti quelli che sono riuscita a farci stare. Ma ho messo i migliori. Non sei allergica alle noci, vero, cara?»

«N... no» balbettai, sorpresa dal suo entusiasmo. Immaginavo facesse parte della sua personalità calorosa.

Lei sorrise. «Bene, perfetto! Date pure un'occhiata intorno, se volete. Se invece avete fretta, vi faccio subito lo scontrino.»

«Ehm...» Guardai Noah, indecisa sul da farsi. Non sapevo se avesse in mente altri progetti o se avessimo un po' di tempo a disposizione. Era pieno di sorprese, negli ultimi giorni.

Lui scosse la testa e mi sorrise. «Le chiavi della macchina le hai tu, quindi la decisione spetta a te.»

Saltellai per la gioia. «Oh, sì!»

«Questi sono davvero buonissimi» intervenne la donna dirigendosi verso una vetrinetta. La aprì ed estrasse un vassoio. Noah e io la seguimmo e vedemmo dei quadratini di cioccolato decorati da lettere scritte con una grafia così elaborata da risultare quasi illeggibile. Sembrava che fossero stati ricavati da un pezzo di cioccolato più grande ed emanavano un profumo che mi fece venire ancora di più l'acquolina in bocca.

«Questo ha una caramella frizzante all'interno» spiegò la donna. «Morderla dà una sensazione stranissima! E questo invece è al mango. Ce ne sono diversi alla frutta.»

«Ce ne sono all'arancia?» chiese Noah, appoggiandosi contro di me per guardare meglio.

«Certo, eccolo qui!» Ne prese uno e lo porse a Noah, che se lo mise in bocca.

«Questo è il vassoio per la degustazione» mi disse la donna, come leggendomi nel pensiero. «Serviti pure, cara!»

Il campanello sulla porta trillò ancora e vidi una donna che entrava nel negozio.

«Ciao, Mabel» la salutò la proprietaria.

Noah scelse un altro cioccolatino a caso, lo assaggiò e gemette. Lo guardai e vidi che stava facendo una smorfia. «Cocco» borbottò mandandolo giù.

Ridacchiai. «Avresti dovuto leggere cosa c'era scritto sopra!»

«Ci ho provato...» sussurrò.

Sorrisi e tesi una mano, esitante: cioccolato bianco o fondente? Uno ricoperto di zucchero, uno al caffè o uno di puro cioccolato? Un dolcetto con la scritta miele attirò la mia attenzione e lo presi. Una parte di me era felice che la grafia della signora fosse così difficile da decifrare: se avessi saputo di che gusti si trattava, avrei voluto provarli tutti. Mangiammo ancora un paio di cioccolatini e poi ci spostammo alla cassa.

«Allora, da quant'è che state insieme?» ci chiese Mabel, la cliente.

«Ehm...»

«Da un paio di mesi» rispose Noah. «Ma ci conosciamo praticamente da sempre.»

«Oh, ma che dolcezza! Da questo negozio passano un sacco di coppie giovani ma devo ammettere che, se facessi una classifica di quelle più adorabili, voi sareste in cima.»

Risi. «Siamo carini, non è vero?»

Notai che Noah si irrigidiva sentendo quella parola. Non disse nulla, però, e si limitò a tirare fuori il portafoglio per pagare. Mentre infilavamo la scatola in un sacchetto, la signora ci diede una confezione di praline al caramello.

«Queste le offre la casa» disse sorridendo.

«Oh, no, non…»

«È il tuo compleanno, giusto?» mi chiese. Io annuii. «E allora tanti auguri!»

La ringraziai sorridendo a mia volta.

Noah mi cinse la vita con un braccio e d'istinto mi appoggiai contro di lui, posando la testa nell'incavo tra il suo collo e la sua spalla. La parte più romantica di me si chiese come fosse possibile che stessimo così bene insieme, due tessere dello stesso puzzle, malgrado avessimo personalità tanto diverse. Noah mi diede un bacio sulla tempia e in quel momento dimenticai tutte le nostre divergenze e il fatto che di lì a poco sarebbe partito per il college.

Riuscivo a pensare soltanto al fatto che ero innamorata di lui.

32

I giorni seguenti volarono. Lavorai come dog sitter per i vicini, ma più per tenermi occupata che per i soldi, e a volte Noah mi fece compagnia.

Visto che mio padre era occupato con il lavoro, mi convinse ad accompagnare Brad e i suoi amici: li portai al parco, al campo da calcio, al cinema e a bere un milkshake. Avrei voluto rifiutare, ma mio padre aveva detto: «Vuoi che sia un padre che ti impone un coprifuoco quando esci con un ragazzo o che fissa regole severe circa il tuo fidanzato? Posso diventarlo, sai?»

«Mi stai ricattando usando Noah per convincermi a portare Brad in giro?»

Annuì. «Non sono ancora sicuro che la vostra relazione mi piaccia, Elle. Credo che tu non ti renda conto della pazienza che sto dimostrando.»

E così non avevo avuto scelta. Anche se, a essere sincera, in effetti rientravo spesso tardi: passavo le giornate nella piscina della famiglia Flynn, di solito con i ragazzi; la sera guardavo un film con Noah, in compagnia di Lee e Rachel; e prima di tornare stavo un po' da sola con Noah.

Il lunedì prima di andare alla casa sulla spiaggia eravamo proprio in piscina. Erano venute anche alcune compagne di scuola: Lisa, che usciva ancora con Cam, Rachel e May. Noah era andato a fare un giro con dei compagni della squadra di football.

Il padre di Lee aveva organizzato un barbecue e stava grigliando la carne, mentre la madre leggeva un libro in veranda. Respirai a fondo il profumo dell'estate e della griglia.

«Domani giornata tra ragazze!» annunciò Lisa dalla sua sdraio.

Io, che mi stavo sfilando la maglietta per tuffarmi in piscina, mi fermai.

«Fico» esclamò Rachel.

Finii di spogliarmi, tolsi gli occhiali da sole e lanciai la t-shirt su una sedia.

«Elle, vieni anche tu?»

«Dai, ci divertiremo!» insistette Lisa sorridendo.

«Vi divertirete a fare cosa?» domandò Cam, uscendo all'improvviso dalla piscina. Scosse la testa come un cane e, gocciolando da tutte le parti, baciò Lisa su una guancia. «Elle, non dirmi che state architettando qualche scherzo strano.»

Risi. «No.»

«Andiamo a fare shopping» spiegò May.

«Senza Lee» aggiunse Lisa.

«Cosa fate senza di me? Per quale motivo Shelly e Rachel non dovrebbero uscire con me?»

«Shopping!» rispondemmo in coro Rachel e io.

«Vai a fare shopping senza di me, il tuo stylist personale?» Lee si finse offeso. «Mi porti un milkshake, però?»

Scoppiai a ridere. «Certo.»

«Allora vieni?» mi domandò Lisa.

«Ma sì.» In realtà dovevo ammettere che mi faceva piacere essere coinvolta in un'attività che non prevedeva la presenza di Lee, anche se temevo di sentirmi un po' fuori luogo, dato che di solito non uscivo con le ragazze.

«Oh, Elle, non preoccuparti. Ce la farai» commentò Dixon, appoggiandosi al bordo della piscina. «Magari puoi comprare dell'intimo sexy per Flynn.»

Non sapendo come reagire a quell'affermazione, risi e arrossii allo stesso momento. Un istante dopo Lee gli schizzò dell'acqua in faccia. Dixon, colto alla sprovvista, scivolò di nuovo in acqua e scoppiammo tutti a ridere.

«Ehi, stai parlando della mia Shelly!» protestò Lee in tono teatrale. Aveva detto "la mia Shelly" come chiunque altro avrebbe detto "la mia sorellina". «Bleah» aggiunse poi.

«Sei disgustato, eh?» gli chiesi.

«Direi!»

Rimasi immobile, lo guardai negli occhi e urlai: «Tuffo bomba!»

Scoprii che fare shopping con le ragazze era divertente. Da un certo punto di vista era un po' strano essere con loro e non con il mio migliore amico, ma fu piacevole lo stesso.

Passai l'indomani a fare e disfare la valigia, per poi ricominciare da capo. Avevo sempre qualche difficoltà a prepararmi per andare alla casa sulla spiaggia dei Flynn, anche se poi alla fine portavo le stesse cose dell'anno precedente. Ci andavamo tutti gli anni ed era ormai una tradizione.

Volevo che le cose fossero come prima, benché sapessi che era impossibile.

Noah e suo padre sarebbero ripartiti due giorni prima di noi per visitare il campus di Harvard, mentre Rachel ci avrebbe raggiunti per un po'. Non mi dava fastidio, anzi: ero felice che ci fosse un'altra ragazza, dato che di solito l'unica presenza femminile era quella di June.

Anche la casa, che in apparenza era identica all'anno prima – i pavimenti cosparsi di sabbia, le pareti dalla vernice un po' scrostata, i mobili tutti differenti che adoravamo – era diversa, ma non me ne accorsi subito.

La sera in cui arrivò Rachel andammo a mangiare fuori, e Noah e io sembravamo una vera coppia; un'altra volta approfittò della casa vuota per prepararmi lui la cena, e poi facemmo una passeggiata sulla spiaggia. Era in momenti del genere che ricordavo quanto tutto fosse cambiato, che capivo che nulla sarebbe più stato come prima. Compreso il mio rapporto con Noah.

Non sapevo cosa sarebbe successo dopo la sua partenza e non volevo neppure pensarci, per non rovinare il tempo che ci restava da trascorrere insieme. Continuavo a ripetermi che avremmo affrontato la questione quando si fosse presentata, però… non ero nemmeno sicura che quel momento sarebbe arrivato.

Dividere il tempo libero tra il mio ragazzo e il mio migliore amico era strano; per fortuna Lee aveva Rachel, e così non mi sentivo troppo in colpa quand'ero con Noah. Mi portò al cinema, e fu bellissimo comportarci come una coppia normale dopo i mesi passati a nasconderci. Non riuscivo ancora a credere a quanto lui fosse cambiato nel frattempo.

Una volta, però, mentre accompagnavo Brad e i suoi amici al parco per una partita di calcio, vidi Noah impegnato in una rissa con un compagno della squadra di football, incitato dagli altri. Anche se l'avevo cambiato, era sempre il ragazzo duro con cui ero cresciuta. Quell'aspetto del suo carattere tutto sommato mi piaceva: era confortante sapere che dentro di lui ci fosse ancora il lato un po' ribelle di cui mi ero innamorata.

La moto, invece... continuava a propormi di salirci, dicendo che era più facile trovare parcheggio per quella che per la macchina, e a un certo punto si offrì di insegnarmi a guidarla. Io non cedetti: la detestavo.

E poi ci ritrovammo in aeroporto, mentre una voce dall'altoparlante annunciava che i passeggeri del volo 805 per Boston potevano imbarcarsi e dovevano dirigersi al gate cinque. Ero accanto a Noah e sentii che mi stringeva la mano più forte. Con quella libera si mise la borsa da viaggio sulla spalla.

«Ci siamo» disse Lee.

Lasciai la mano di Noah mentre i due fratelli si scambiavano un abbraccio un po' impacciato e si davano una pacca sulla schiena.

«In bocca al lupo.»

«Cerca di non finire in troppe risse, okay?» lo ammonì

Matthew in tono autoritario, dandogli a sua volta una pacca sulla spalla. Noah annuì, ma sapevamo tutti che non lo stava ascoltando davvero.

«Chiamaci quando atterri» disse June abbracciandolo. Sorrideva orgogliosa, però aveva gli occhi tristi mentre guardava il suo bambino ormai grande che lasciava il nido per frequentare il college dall'altra parte del Paese. Deglutì visibilmente, come per trattenere le lacrime. E dovevo ammettere che non era l'unica che rischiava di piangere.

Non volevo perderlo e non volevo che se ne andasse, ma non spettava a me prendere quella decisione. Sapevo che forse le cose tra noi non avrebbero funzionato, eppure lo avevo accettato. Non tutte le storie duravano per sempre, perché la vita reale non era una favola. Magari mi sarei innamorata centinaia di volte prima di trovare la persona con cui avrei trascorso il resto della mia esistenza; forse quella persona sarebbe stata Noah e forse no. Sapevo che la nostra relazione poteva finire; speravo non accadesse, ma in caso contrario avrei affrontato la situazione.

Magari mi sarei ritrovata con il cuore spezzato e avrei aspettato che un altro ragazzo lenisse le mie ferite; fino ad allora, però, ero felice di essere innamorata di Noah, anche se sarebbe stato a Boston. Avevo deciso di vivere nel presente. Comunque, desideravo che la nostra storia durasse per sempre: il mio lato romantico esisteva ancora.

Accompagnai Noah al gate, dove la fila di passeggeri scorreva fluida oltre l'hostess che controllava i documenti d'imbarco. Lui mi strinse la mano e si voltò verso di me.

«Funzionerà» mi disse. «In qualche modo funzionerà.»

«E adesso chi è l'inguaribile romantico?» lo stuzzicai.

«Ci vediamo tra qualche settimana» proseguì. Dopo qualche secondo, aggiunse: «Mi mancherai».

«Mi mancherai anche tu.» Mi alzai sulle punte per baciarlo. «Ci proveremo, e nessuno potrà dire che non lo avremo fatto.»

«Sei la solita pessimista, eh?» scherzò, sfiorandomi il naso. «Ti chiamo quando atterro.»

«Farai meglio a chiamare tua madre per prima. Si arrabbierà se non le dirai che sei arrivato sano e salvo.»

«Forse hai ragione» rise, posandomi le mani sui fianchi.

«*Ultima chiamata per i passeggeri del volo 805 per Boston...*»

Sospirai e lo strinsi forte, respirando a fondo il suo profumo. Anche se ormai lo conoscevo bene, cercai di imprimerlo nella memoria. Lui mi tirò a sé e tentai di registrare anche la sensazione delle sue braccia intorno al corpo, del suo viso tra i miei capelli.

«Ti amo» mi sussurrò all'orecchio.

«Ti amo» ripetei, sforzandomi di trattenere le lacrime che mi bruciavano gli occhi. «Tantissimo.»

«Faremo del nostro meglio» disse prima di posare le labbra morbide sulle mie. Sapeva di zucchero filato, come nella kissing booth: ne aveva appena comprato un po' da una bancarella dell'aeroporto, dicendo: «In memoria dei vecchi tempi».

Le mie dita giocherellarono con i capelli sulla sua nuca, e mentre ci baciavamo fui attraversata da brividi familiari. In quel bacio finirono tutta la felicità, la tristezza, la speranza e la paura che provavamo. Dopo quella che mi sembrò un'eternità ci staccammo e Noah posò la fronte sulla mia.

«Devo andare» mormorò.

«Ci sentiamo più tardi. Buona fortuna.»

Mi rivolse il solito sorrisetto mentre si avviava verso il gate camminando all'indietro. «Fortuna? Shelly, non dimenticare con chi stai parlando. Sono Flynn, e non ho bisogno di fortuna.»

Risi e non mi sorpresi quando una lacrima mi rigò una guancia. Ne sentii il gusto salato all'angolo della bocca, dove poco prima Noah mi aveva baciato. «Stupido violento patologico.»

Lui mi fece l'occhiolino, ridacchiò e varcò il gate, sparendo alla mia vista.

Qualche minuto dopo ero davanti a una finestra a osservare l'aereo che percorreva la pista. Avvertii la presenza di qualcuno accanto a me e poi un braccio intorno alla vita. Posai la testa sulla spalla di Lee, che non disse nulla; non ce n'era bisogno. Era lì per me, come sempre.

Mentre l'aereo su cui si trovava Noah prendeva velocità e si sollevava in volo, staccandosi da terra, accennai un sorriso triste.

Forse le cose con lui avrebbero funzionato davvero; lo speravo con tutta me stessa e incrociai le dita. Oppure no: avremmo conosciuto altre persone, ci saremmo allontanati o avremmo scoperto che le relazioni a distanza non andavano bene per noi.

Qualsiasi cosa fosse successa, però, sapevo che una parte di me sarebbe sempre appartenuta a Noah Flynn, il ribelle della scuola; che un pezzo del mio cuore sarebbe stato sempre con lui.

Qualsiasi cosa accada, mi dissi, fissando l'aereo in decollo, *andrà tutto bene.*

«E dire che è partito tutto da una kissing booth…» commentò Lee.

Scoppiai a ridere e gli diedi una spallata. Rise anche lui, stringendomi forte per un secondo. Poi ci girammo, distogliendo lo sguardo dalla pista che fino a poco prima aveva ospitato l'aereo, ora svanito nel cielo nuvoloso, e ce ne andammo.

RINGRAZIAMENTI

Innanzitutto vorrei dire un enorme grazie al mio team di Random House, specialmente alla mia fantastica editor, Lauren, che è stata grandiosa. Un altro grande grazie va al team di Wattpad e a tutti i miei follower: mi avete aiutato a trovare la mia strada come scrittrice e sono grata a tutti voi. Senza di voi non sarei arrivata tanto lontana.

Grazie ai miei insegnanti dei corsi avanzati e al professore responsabile del mio anno, per avermi concesso una distrazione così importante: il vostro sostegno e incoraggiamento costanti sono stati inestimabili.

A tutte le persone che frequentano la Boccia dei pesci (ovvero la sala comune della scuola) vorrei dire che sono fortunata ad avervi. Siete stati una fonte di ispirazione e di sostegno, anche se magari non ne siete consapevoli. Amy, Caroline, Kate, Abi: non so dove sarei senza di voi. Grazie, James, per avermi incoraggiato a non mollare. E grazie, Aimee J, per le infinite risate che hai portato nella mia vita.

Grazie ai miei familiari: mi avete aiutato tutti in modo incredibile, sostenendomi nel mio hobby impegnativo che spero diventerà una carriera vera e propria.

E, per ultimo ma non perché meno importante, un grosso grazie va al mio professore di letteratura inglese, il signor Maughan: i suoi insegnamenti entusiasti e l'interesse per il modo in cui scrivo sono stati un incentivo enorme.

E LA STORIA CONTINUA!

Finalmente è arrivata l'estate, e per Rochelle e il suo migliore amico Lee significa solo una cosa: la casa sulla spiaggia.
È lì che hanno trascorso tutte le vacanze da quando sono nati, però quest'anno le cose saranno un po' diverse: tanto per iniziare ora Rochelle è la ragazza di Noah, il fratello maggiore di Lee.
E poi sarà l'ultima volta che si troveranno tutti insieme sotto lo stesso tetto. Perché Noah è in partenza per il college.

Tra baci rubati, partite a pallavolo sulla spiaggia, e passeggiate al chiaro di luna, *La casa sulla spiaggia* ci racconta quella che per Rochelle sarà un'estate indimenticabile.

E contiene l'anteprima esclusiva del terzo episodio della saga di *The kissing booth*.

L'estate è ormai giunta al termine, ed Elle sembra aver
finalmente trovato un equilibrio con il suo ragazzo,
il bello e non più così dannato Noah Flynn.

Certo, i problemi non sono finiti: Noah sta per trasferirsi a Harvard
per il college, a più di 5000 chilometri da lei, e la loro storia sembra
doversi trasformare in "un amore a distanza".

Videochiamate, mail e messaggi basteranno, Elle vuole crederci.
Ma senza nemmeno l'appoggio del suo migliore amico Lee, a consolarla
e consigliarla, è tutto più difficile.

Come se non bastasse, il nuovo vicino di casa, Levi,
sembra trovarsi sempre nel posto giusto al momento giusto.
Ed è così carino... Elle però è determinata a tenere insieme i pezzi
della sua vita senza farsi distrarre, senza pensare ai ragazzi carini
del quartiere o alle ragazze carine di cui Harvard è sicuramente piena.

Per lo meno fino al giorno in cui non scopre su Instagram
una foto in cui Noah è abbracciato un'altra.

A quel punto la domanda è una sola: Elle combatterà
per l'amore o preferirà la vendetta?

ULTIMI VOLUMI PUBBLICATI

K. McGarry, *A un respiro da te*
S. Rees Brennan, *Le terrificanti avventure di Sabrina. Figlia del caos*
Blue Jeans, *L'inganno di cristallo*
E. Piccinino, *La poesia degli istanti mancati*
P. Zannoner, *Il bardo e la regina*
N. Kenwood, *L'amore come l'avevo immaginato*
Y. Rahman, *Tutta la vita davanti*
C.G. Miranda, *Il club dei lettori assassini*
S. Rees Brennan, *Le terrificanti avventure di Sabrina. Un amore di strega*
T. Banghart, *Iron Flowers. Regina di cenere*
B. Reekles, *The Kissing Booth. La casa sulla spiaggia*
J. Lorente, *A proposito della tua bocca*
Eigei, *Il tempo è una vertigine*
F. Sangalli, F. Bozzetti, *L'imprevedibile movimento dei sogni*
S. Perkins, *Cosa resta dell'estate*
S. Shepard, *The perfectionists*
L. Bizzaglia, *Abbi cura di splendere*
J. Rothenberg, *The kingdom*
C.H. Parenti, *Un intero attimo di beatitudine*
R.M. Romero, *Il fabbricante di sogni*
Blue Jeans, *La ragazza invisibile*
E. Lockhart, *Le ragazze non possono entrare*
L. Flanagan, *L'estate di Eden*
C. Ahern, *Flawed. Il momento della scelta*
J. Buxbaum, *La teoria imperfetta dell'amore*

K. McGarry, *Ogni nostro segreto*
J. Klein, *No Filter*
T. Banghart, *Iron Flowers*
B. Reekles, *The Kissing Booth*
P. Zannoner, *Rolling Star. Come una stella che rotola*
L. Ballerini, *Ogni attimo è nostro*
J. Segel, K. Miller, *Otherworld*
A. Ferrari, *Le ragazze non hanno pa≠≠ura*
A. Day, *The Fandom*
D. Paige, *La ladra di neve*
C. Delevingne, *Mirror, Mirror*
L. Facchi, *Il giglio d'oro*
C. Crowley, *Io e te come un romanzo*
H. Fitzpatrick, *Un cattivo ragazzo come te*
L. Patrignani, *Time Deal*
R. Graudin, *Wolf. Il giorno della vendetta*
J. Klein, *Playlist*
K. McGarry, *Un cuore bugiardo*
D. Pearl, *Ruin Me*
L. Rubin, *Birthdate*
P. Zannoner, *L'ultimo faro*
J. Niven, *L'universo nei tuoi occhi*
A. Royer, *Ricordati di dimenticare*
J. McNelly, *Le ragazze vogliono la luna*
A. Plum, *If I Should Die*
G. Moldavsky, *The Boy Band*
C. Ahern, *Flawed*
D. Reinhardt, *Il Club delle Seconde Occasioni*
S. Young, *The Recovery*
S. Young, *The Treatment*
J. Buxbaum, *Dimmi tre segreti*
M. Bedford, *Tutta la verità su Gloria Ellis*
K. McGarry, *Una sfida come te*

R. Graudin, *Wolf. La ragazza che sfidò il destino*
L. Sales, *Resta con me fino all'ultima canzone*
A.G. Bailey, *Perfect*
E. Laure, *La notte che ho dipinto il cielo*
B. Ashton, *Everneath*
A. Plum, *Until I die*
M. McStay, *La strada che mi porta a te*
L. Rubin, *Deathdate*
A. Talkington, *Liv, forever*
S. Bowen, *Prendimi per mano*
S. Perkins, *Il primo amore sei tu*
J. Niven, *Raccontami di un giorno perfetto*
L. Hillyer, *Per un attimo e per sempre*
C. Philpot, *Nemmeno in paradiso*
P. Zannoner, *A piedi nudi, a cuore aperto*
K. McGarry, *Un'estate contro*
E. Cahill, *Regole d'amore per amici confusi*
R. Serle, *Io, Romeo e Giulietta*
S. Young, *The Program*
K. West, *Reflections*
S. Perkins, *Il primo bacio a Parigi*
A. Plum, *Die for me*
V. Roth, *Four*
J. Murphy, *Amore e altri effetti collaterali*
C. Moracho, *Althea & Oliver*
K. McGarry, *Scommessa d'amore*
H. Fitzpatrick, *Quello che c'è tra noi*
E. Lockhart, *L'estate dei segreti perduti*
K. McGarry, *Oltre i limiti*
V. Roth, *Allegiant*
V. Roth, *Insurgent*
V. Roth, *Divergents*

Finito di stampare nel giugno 2020
presso PuntoWeb s.r.l., Ariccia (Roma)